우루과이라운드

협상 동향 및
무역협상위원회
회의 4

우루과이라운드

협상 동향 및 무역협상위원회 회의 4

한국학술정보

| 머리말

우루과이라운드는 국제적 교역 질서를 수립하려는 다각적 무역 교섭으로서, 각국의 보호무역 추세를 보다 완화하고 다자무역체제를 강화하기 위해 출범되었다. 1986년 9월 개시가 선언되었으며, 15개 분야의 교섭을 1990년 말까지 진행하기로 했다. 그러나 각 분야의 중간 교섭이 이루어진 1989년 이후에도 농산물, 지적소유권, 서비스무역, 섬유, 긴급수입제한 등 많은 분야에서 대립하며 1992년이 돼서야 타결에 이를 수 있었다. 한국은 특히 농산물 분야에서 기존 수입 제한 품목 대부분을 개방해야 했기에 큰 경쟁력 하락을 겪었고, 관세와 기술 장벽 완화, 보조금 및 수입 규제 정책의 변화로 제조업 수출입에도 많은 변화가 있었다.

본 총서는 우루과이라운드 협상이 막바지에 다다랐던 1991~1992년 사이 외교부에서 작성한 관련 자료를 담고 있다. 관련 협상의 치열했던 후반기 동향과 관계부처회의, 무역협상위원회 회의, 실무대책회의, 규범 및 제도, 투자회의, 특히나 가장 많은 논란이 있었던 농산물과 서비스 분야 협상 등의 자료를 포함해 총 28권으로 구성되었다. 전체 분량은 약 1만 3천여 쪽에 이른다.

2024년 3월
한국학술정보(주)

| 일러두기

· 본 총서에 실린 자료는 2022년 4월과 2023년 4월에 각각 공개한 외교문서 4,827권, 76만여 쪽 가운데 일부를 발췌한 것이다.

· 각 권의 제목과 순서는 공개된 원본을 최대한 반영하였으나, 주제에 따라 일부는 적절히 변경하였다.

· 원본 자료는 A4 판형에 맞게 축소하거나 원본 비율을 유지한 채 A4 페이지 안에 삽입하였다. 또한 현재 시점에선 공개되지 않아 '공란'이란 표기만 있는 페이지 역시 그대로 실었다.

· 외교부가 공개한 문서 각 권의 첫 페이지에는 '정리 보존 문서 목록'이란 이름으로 기록물 종류, 일자, 명칭, 간단한 내용 등의 정보가 수록되어 있으며, 이를 기준으로 0001번부터 번호가 매겨져 있다. 이는 삭제하지 않고 총서에 그대로 수록하였다.

· 보고서 내용에 관한 더 자세한 정보가 필요하다면, 외교부가 온라인상에 제공하는 『대한민국 외교사료요약집』 1991년과 1992년 자료를 참조할 수 있다.

| 차례

머리말 4

일러두기 5

UR(우루과이라운드) 협상 동향 및 TNC(무역협상위원회) 회의, 1992. 전5권(V.4
11월) 7

UR(우루과이라운드) 협상 동향 및 TNC(무역협상위원회) 회의, 1992. 전5권(V.5
12월) 199

정 리 보 존 문 서 목 록					
기록물종류	일반공문서철	등록번호	2020030180	등록일자	2020-03-16
분류번호	764.51	국가코드		보존기간	영구
명 칭	UR(우루과이라운드) 협상 동향 및 TNC(무역협상위원회) 회의, 1992. 전5권				
생 산 과	통상기구과	생산년도	1992~1992	담당그룹	
권 차 명	V.4 11월				

내용목차	* 1.13. TNC 회의
	    - 수석대표: 조일호 농림수산부 농업협력통상관
	    - Dunkel 협정문 초안(91.12.20.)을 기초로 협상(양자.다자) 추진 결정
	    - 4 track(상품 양허, 서비스 양허, 협정조문 법적 정비, 협정초안 수정 작업) 협상 전략 제시
	11.10. TNC 회의
	    - 미국.EC 간 양자협상 타결 촉구
	11.20. 미국.EC 농산물 협상 타결
	    - 공산품, 서비스 등 여타 분야 협상 결렬
	11.26. TNC 회의
	    - 협정문안 연내 확정 일정 승인
	12.18. TNC 회의
	    - 1992년 초 협상재개 결정				

0001

이사(인) ✓

원 본

관리 번호	92-788

외 무 부

종   별 :

번   호 : USW-5352 　　　　　　　　　일   시 : 92 1102 1824

수   신 : 장 관 (통기, 통이, 미일, 경기원, 농림수산부, 재무부, 상공부)

발   신 : 주 미 대 사　　사본: 주 제네바, EC대사(중계필)

제   목 : UR 협상 전망　　　일반문서로 재분류(1992.12.31)

1. 당관 장기호 참사관은 11.2. DOROTHY DEWOSKIN USTR 부대표보와 오찬을 갖고 UR 협상 동향에 관해 의견을 교환한바, 동인의 발언 요지 아래 보고함.

　　가. 미 대통령 선거와의 관계

　　0 미 대통령 선거 결과가 UR 에 상당한 영향을 미칠 것으로 관측하는 의견이 지배적이나, 자신으로서는 누가 대통령에 당선되던지 UR 협상은 앞으로 계속될 것으로 보며, 금년말까지 협상을 종결한다는 USTR 의 방침에는 변화가 없음.

　　0 CLINTON 후보가 당선될 경우, UR 협상에 영향이 없다고는 할 수 없겠지만 CLINTON 자신도 지금까지 UR 협상을 조기 종결한다는 입장을 천명하여 왔고, 또한 협상의 타결이 내년 1.20. 신정부 출범후로 지연될 경우 CLINTON 은 오히려 기존의 UR 협상에 국내 정치적으로 다루기 수월치 않은 노동.환경문제등 새로운 잇슈를 추가시켜야 하는 부담을 안게됨은 물론 FAST TRACK 연장등의 어려운 문제도 해결해야 하므로 내심 금년중 UR 협상이 타결되길 바라고 있다고 보는것이 보다더 현실적인 판단이라고 봄.

　　0 CLINTON 이 당선될 경우에도, 내년 취임시까지는 CARLA HILLS 가 USTR 대표를 계속하게 되므로 HILLS 가 정권인수 팀 및 의회와 협조하여, UR 협상을 진전시킬 수 있다고 보며, 선거직후에는 CLINTON 이 국내문제에 보다 많은 시간을 할애하게 될 것이므로 UR 협상에 대해서는 USTR 을 중심으로 한 현재의 교섭 체제를 당분간 유지시킬 것으로 봄.

　　나. EC 동향

　　0 지금까지 불란서의 강한 반대가 있었으나, ANDRIESSEN, MACSHARRY 집행 위원, 영국, 독일등은 금년중 UR 협상의 타결을 강력히 희망하고 있으며, EC 집행위 내에서도 상기 인사들의 임기만료전에 UR 을 매듭지어야 한다는 분위기가 지배적

통상국 경기원	장관 재무부	차관 농수부	2차보 상공부	미주국 중계	통상국	분석관	청와대	안기부

PAGE 1 　　　　　　　　　　　　　　　　　　92.11.03　　09:32

　　　　　　외신 2과 통제관 CM

0002

이어서, UR 타결의 가능성을 완전히 배제할 수 없다고 봄.

0 미.EC 가 농산물등 UR 협상안에 합의한후 금년중 GENEVA 에서 다자 협상이 재개되면 불란서는 선택의 기로에 서게될 것이며, 이때에는 불란서도 태도를 완화할 수 밖에 없을 것으로 관측되며, 지금까지 미측이 제시한 농산물 협상안은 미측의 종전 입장을 많이 완화한 것으로 EC 로서 거부할 이유가 없다고 봄.

0 불란서의 반대는 동 협상안에 대한 이해손실의 계산보다는 오히려 국내 정치적 고려에 따른 반응인 것으로 관측됨.

다. 미.EC 농산물협상

0 금 (11.2) 시카고 개최 미.EC 농무장관회담에서는 UR 협상과 OILSEED 문제를 협의 중인바, 그 결과를 주목하고 있음.

0 특히, OILSEED 문제관련 EC 측은 미국이 국내선거와 UR 협상등으로 인해 유연한 입장을 취하지 않을 수 없을 것이라고 판단하고 있으나, 이는 오판이며 미국은 OILSEED 문제의 타결이 지연되면 대 EC 보복조치를 취하는 방향으로 선회할 가능성이 높음.

라. 미국의 향후 SCENARIO

0 앞으로 누가 대통령에 당선되던지에 관계없이 금년말에 UR 협상을 타결한 후, 2-3 주동안 관련작업을 매듭짓고, 사전에 대 의회 로비등을 전개, 3.2 까지는 의회에 통보하는 일정을 상정할 수 있음.

다만, 이러한 작업계획이 실현되기 위해서는 미 국내적으로 상당한 노력과 진통이 수반되어야 할 것으로 봄.

0 USTR 은 앞으로 계속 UR 협상을 추진해 나간다는 방침아래 수일전에 각분야별로, 40 여개국의 개방 SCHEDULE 에 대한 검토를 완료한 바, 이 검토에는 각국의 국별 개방계획중 미측이 미진하다고 생각하는 부분과 앞으로 개선이 필요하다고 생각하는 부분들이 망라되었음. 특히 한국의 경우 농산물 분야와 서비스분야, 특히 금융 (BANKING), 보험분야에서 좀더 적극적인 입장이 필요한 것으로 지적되었음.

2. 한국 입장 문의

0 DEWOSKIN 부대표보는 금년중 UR 협상에 돌파구가 마련될 수 있을 것이라는 사견을 전제하고, 한국의 경우 농산물과 금융등 일부 서비스 분야에서의 어려운 입장은 이해하나, 미.EC 간의 협상이 타결되고, 제네바에 다자협상이 본격적으로 전개될 때 한국은 농산물에서 CLEAN TARIFFICATION 을 수락할 수 있을 것인지 등을

문의하였음.

특히 한국 대통령선거전에 UR 타결이 이루어진다면 한국이 국내 정치적으로 이를 받아들일 수 있을 것인지가 관심의 촛점이라고 하였음.

O 또한, 한국등 제 3 국은 CLINTON 이 집권할 경우 UR 협상이 더이상 진전되기 어렵다는 관측을 할 수도 있겠으나, UR 협상이 급진전할 경우에 대비하여 상당한 준비가 있어야 할 것이라 본다고 하였음.

3. 상기 미측 입장에 비추어 보면, USTR 은 미 대통령선거 결과에 관계없이 협상 추진 일정을 내부적으로 점검하는 한편 국별 대책을 검토하고 있는 것으로 보이며, CLINTON 당선시에도 연내 UR 타결을 목표로 계속 EC 등과 교섭을 추진 할 가능성도 있는 것으로 관측되었음을 참고 바람. 끝.

(대사 현홍주 - 국장)

예고 : 92. 12.31. 까지

외 무 부

종   별 :

번   호 : GVW-2054
일   시 : 92 1102 1830

수   신 : 장관(통기, 경기원, 재무부, 농수산부, 상공부, 특허청)

발   신 : 주 제네바대사 사본: 주 미, EC, 일, 영, 불, 독대사(본부중계필)

제   목 : UR 관련 G-7 정상에 대한 멧세지

연: GVW-2046

1. 연호 멧세지는 알젠틴, 호주, 오지리, 볼리비아, 브라질, 칠레, 콜롬비아, 코스타리카, 체코, 핀란드, 홍콩, 항가리, 아이스랜드, 인니, 한국, 말련, 멕시코, 뉴질랜드, 놀웨이, 파키스탄, 페루, 필리핀, 폴란드, 싱가폴, 스웨덴, 탄자니아, 태국, 우루과이, 베네주엘라등 29 개국이 최종 참가의사를 표명함.

2. 동 멧세지는 금 11.2 오후 G-7 정상 이외에도 DELORS 3C 집행위원장 및 던켈 갓트총장앞으로도 발송되었는바, 상기 참가국들을 대신하여 G-7 수도 및 브랏셀 주재 호주대사관이 G-7 정상들에게 전달키로 하였음을 참고 바람. 끝

(차석대사 김삼훈-국장)

통상국	장관	차관	2차보	분석관	청와대	안기부	경기원	재무부
농수부	상공부	특허청	중계					

외 무 부

종   별 :

번   호 : GVW-2066 　　　　　　　　　　　　일   시 : 92 1103 1900

수   신 : 장 관(통기,경기원,재무부,농수산부,상공부,특허청)

발   신 : 주 제네바 대사대리

제   목 : UR 관련 G-7 정상에 대한 멧세지

　　　　　연: GVW-2054

　　　　　당지 호주 대표부가 보내온 표제 멧세지 최종안을 별첨 송부함.

　　　　　첨부: 상기 멧세지 문안 1부 (GVW(F)-658)

　　　　　(차석대사 김삼훈-국장)

통상국　　　경기원　　　재무부　　　농수부　　　상공부　　　특허청

PAGE 1 　　　　　　　　　　　　　　　　　　　　　92.11.04　　07:12 WG

　　　　　　　　　　　　　　　　　　　　　　　　　외신 1과 통제관 ✓

　　　　　　　　　　　　　　　　　　　　　　　　　0006

주 제 네 바 대 표 부

번 호 : GV꿰(F) - 0658   년월일 : 2//03   시간 : 1/00

수 신 : 장   관 (동기, 경기원, 재무부, 농수산부, 상공부, 동허령)

발 신 : 주 제 네 바 대 사

제 목 : ' GVW-2066 첨부

송   6 버 (표지포함)

<table>
<tr><td>보 안
통 제</td><td></td></tr>
</table>

<table>
<tr><td>과신구
통 저</td><td></td></tr>
</table>

658 - 4-1

Australian Permanent Mission to the
General Agreement on Tariffs and Trade

2 November 1992

H.E. Mr Juan Archibaldo Lanus Argentina	Fax: 798 72 82 (#13)
H.E. Mr Winfried Lang Austria	Fax: 734 45 91
H.E. Mr Jorge Soruco Bolivia	Fax: 738 00 22
H.E. Mr Celso L.N. Amorim Brazil	Fax: 733 28 34 (#2)
H.E. Mr Ernesto Tironi Chile	Fax: 734 41 94 (#14)
H.E. Mr Eduardo Mestre Sarmiento Colombia	Fax: 791 07 87 (#25)
Mr Ronald Saborio Soto Costa Rica	Fax: 731 20 69
Mr Peter Palecka Czechoslovakia	Fax: 788 09 19
H.E. Mr Antti Hynninen Finland	Fax: 740 02 87
Mr Joseph Kong Hong Kong	Fax: 733 99 04
Mr Andras Szepesi Hungary	Fax: 738 46 09 (#15)
H.E. Mr Kjartan Johannsson Iceland	Fax: 733 28 39
H.E. Mr Soemadi Brotodiningrat Indonesia	Fax: 345 57 33 (#3)
H.E. Mr Hassan Kartadjoemena Indonesia	Fax: 793 83 09 (#26)
H.E. Mr Haron Siraj Malaysia	Fax: 788 09 75 (#30)
H.E. Mr Jesus Seade Mexico	Fax: 733 15 44
H.E. Mr Alastair Bisley New Zealand	Fax: 734 30 62 (#16)
H.E. Mr Erik Selmer Norway	Fax: 733 99 79
H.E. Mr Ahmad Kamal Pakistan	Fax: 734 80 85
H.E. Mr Oswaldo de Rivero Peru	Fax: 731 11 68
H.E. Mr Hector K. Villarroel Philippines	Fax: 731 68 88 (#32)
Mr Janusz Kaczurba Poland	Fax: 798 11 75
H.E. Mr Soo Gil Park Republic of Korea	Fax: 791 05 25
H.E. Mr K. Kesavapany Singapore	Fax: 345 79 10
H.E. Mr C. Manhusen Sweden	Fax: 733 12 89
H.E. Mr Amir Habib Jamal United Republic of Tanzania	Fax: 732 82 55

658-4-2

0008

H.E. Mr Tej Bunnag   Fax: 733 36 78 (#31)
Thailand
Mr Somchin Suntavaruk   Fax: 791 01 66 (#29)
Thailand
H.E. Mr Miguel Berthet   Fax: 731 56 50 (#17)
Uruguay
H.E. Mr Horacio Arteaga   Fax: 798 58 77
Venezuela

Dear Colleagues,

URUGUAY ROUND: A MESSAGE TO THE G7

Attached for your information is the final version of the above
message, incorporating the names of those countries who had, as of
1300 hours today, confirmed their support for the joint initiative.

Arrangements have been made for this text to be forwarded to G7
leaders under cover of a brief letter from the Australian Prime
Minister, Mr Paul Keating. Australian representatives in G7
capitals have been instructed to pass across advance copies in the
next few hours. In the case of Japan, time differences will see a
delay until Tuesday morning. I have also forwarded a copy to Arthur
Dunkel under cover of a letter from the Prime Minister, requesting
that the message be circulated to all Uruguay Round participants.

I take this opportunity to express thanks to all those who have
participated in the exercise, and for your cooperation in obtaining
agreement for the message against a very tight deadline. I will
also be faxing copies of the final product to those who, for
logistical or other reasons, were not in a position to sign-on on
this occasion.

Regards,

Yours sincerely,

DAVID HAWES
Ambassador and Permanent Representative
to the GATT

1857G

0009

658 - 4 - 3

URUGUAY ROUND: A MESSAGE TO THE G7

(Communication from the Governments of Argentina, Australia,
Austria, Bolivia, Brazil, Chile, Colombia, Costa Rica, Czech and
Slovak Federal Republic, Finland, Hong Kong, Hungary, Iceland,
Indonesia, Korea (Republic of), Malaysia, Mexico, New Zealand,
Norway, Pakistan, Peru, Philippines, Poland, Singapore, Sweden,
Tanzania, Thailand, Uruguay, Venezuela).

When G7 leaders met in Munich they committed themselves to a
year end deadline to finish the Uruguay Round. Without an
urgent solution to outstanding differences this deadline will
not be met and a successful conclusion to the entire Round will
be put at risk. The Round cannot be allowed to fail through
lack of political will on the part of G7 countries.

The Uruguay Round has been stalemated since the Draft Final Act
(DFA) was tabled in December 1991. Already negotiations have
dragged on for six years - two years longer than we had all
expected, denying the world economy the boost it urgently
requires.

Strenuous efforts have been made in recent months to resolve
problems which key participants have with the agriculture
package in the DFA. We understand that considerable progress
has been made. The Round has, however, encountered political
difficulties among major participants which are diverting us
from the objectives to which we all committed our governments at
Punta del Este and in Montreal, and which are holding back the
work all participants must do to complete the negotiations.

The benefits of the Round will cover all sectors - agriculture,
market access, services and improved rules. All participants
will gain. The world trading system cannot risk a failure of
the Uruguay Round with all that that would entail. A successful
result is needed to promote global economic growth and to
prevent a deterioration of the world trading system. It is
crucial as well to the development aspirations of many
developing and least developed countries and economies in
transition. The remaining differences in our view are certainly
bridgeable given the necessary commitment, flexibility and
goodwill on all sides.

The economic and trade interests at stake in these negotiations
are not those of the G7 alone, but are those of the entire
international community. We all need the benefits that will
flow from the Round package. Moreover the restructuring and
liberalisation underway in many parts of the world could be
seriously threatened if these processes are denied the
encouragement provided by a strengthened GATT system. Delay in
concluding the negotiations is already denying the benefits of
the Round to the world economy and damaging the credibility of
the multilateral system.

We urge the leaders of the G7 countries to intervene now. Three
successive communiques have confirmed G7 commitment to the
Round. It is vital that immediate progress be made if the goal
which was set at Munich of bringing the Round to a successful
conclusion by the end of 1992 is to be achieved.

658 - ㄷ - ㄷ

0010

발 신 전 보

	분류번호	보존기간

번 호 : WUS-4962   921104 1746   통별 :

수 신 : 주   수신처참조   대사. 총영사

(사본 : 주제네바2대사 WUK -1946)

WGV -1693	WJA -4705
WGE -1554	WFR -2197
WIT -1078	WCA -0561
WAU -0915	

발 신 : 장 관 (통 기)

제 목 : UR 협상 전망

11.1-3간 시카고에서 개최된 미.EC간 Oilseed 협상이 결렬된 것으로 언론에 보도되고 있는 바, Oilseed 협상결과와 미국 대통령선거 결과에 따른 주재국의 UR 협상 전망을 파악, 보고바람. 끝.

(통상국장   홍 정 표)

수신처 : 주 미, 일, EC, 영, 독, 불, 이, 카, 호주 대사

			보 안 통 제	

앙 고 재	92년 11월 4일	통상기구과	기안자 이시홍	과 장	심의관	국 장 전결	차 관	장 관	외신과통제

0011

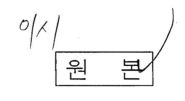

관리	
번호	92-196

원 본

외 무 부

종 별 :

번 호 : FRW-2246   일 시 : 92 1104 1820

수 신 : 장 관(봉기, 경일, 구일, 경기원, 농수산부, 상공부),

발 신 : 주 불 대사   사본:주EC, 제네바대사(직송필)

제 목 : UR 협상

대 : WFR-2197

일반문서로 재분류(1982.12.31)

대호 EC-미국간 농산물 협상 타결 실패에 대한 주재국 반응 및 금후 전망 아래 보고함.

　1. 미국 대통령 선거이전 UR 협상 타개를 위해 EC, 미국은 시카고에서 11.3 선거 당일에 이르기까지 3 일간에 걸친 협의를 가졌으나 미측이 EC 의 종자유생산물량 감축제안(10.1 백만톤)을 결국 수락하지 않음에 따라 협상이 실패한 것으로 알려짐.

　2. 불란서는 금번 최종 협상과정에 GUMMER 영국 농업장관이 예상을 벗어나 EC 의장 자격으로 전례없이 참석함으로써, 미 대선 직전에 교섭이 타결되고 양측간 합의사항을 EC 의장이 부서로 확인하는 최악의 가능성을 우려하였으나, 일단 협상이 결렬됨에 따라 안도함.

　3. 금번 협상에서 EC 측은 추후 예상되는 불란서의 반발을 무릅쓰고 REBALANCING 을 포기하고 농산물 수출물량 21% 감축을 수락하면서 까지 종자유 분쟁에서 미국의 양보를 득하고자 노력하였으나, 미측은 어차피 동 협상타결이 미 대선에 영향을 주기는 시기적으로 늦었음에 비추어 굳이 양보를 통한 협상타결을 희망하지 않은 것으로 분석됨.

　4. 금번 협상 실패로 미측의 대 EC 통상 보복조치가 임박한 가운데 주요 보복 대상국인 불란서는 현재 대책마련에 부심하고 있으며, 일단 미국의 보복조치가 집행되면 금번 일련의 교섭실패가 미국의 충분한 대 EC 상응 양보가 없었음에 기인함을 들어 EC 측도 대응조치를 취하도록 유도할 것으로 예상됨.

　5. 다만 UR 협상에 관한 불란서의 비타협적 자세에 대부분의 EC 회원국이 불만을 갖고 있는 차제에 미국의 보복조치가 시행될 경우, EC 내 불란서에 대한 반감은 더욱 고조될 것이 예상됨에 따라, 불란서는 독일을 비롯한 대 EC 회원국 설득에 적극

통상국	장관	차관	2차보	구주국	경제국	분석관	청와대	안기부
경기원	농수부	상공부						

PAGE 1   92.11.05   08:43

* 원본수령부서 승인없이 복사 금지

외신 2과 통제관 FS

0012

나설것으로 보임. 이와관련 11.3 주재국을 방문중인 GONZALEZ 스페인 수상은 EC.
미국간 무역협상에 있어 불란서가 고립되어 있지 않으며 스페인은 불측 입장에
동조한다고 밝힌바 있음.

6. 11.6-7 간 EC 통상장관 비공식 회담이 11.9 에는 EC 외무장관 회담이 각각
개최되어 본건 UR 협상을 포함한 미 대선이후의 EC. 미 관계가 중점 협의될 것으로
예상되는 바, 관련 주재국 정부 동향 추보 예정임.끝.

(대사 노영찬-국장)

예고 : 92.12.31. 까지

외 무 부

관리
번호 92-389

종 별 :

번 호 : ITW-1380

일 시 : 92 1105 0750

수 신 : 장 관 (통기)

발 신 : 주 이태리 대사

제 목 : UR 협상 전망

반문서로 재분배 (1992. 12. 31

대: WIT-1078

연: ITW-1371

당관 김경석서기관은 금 11.4. MR. CRUDELE 주재국 외무성 UR 담당관과 면담 대호 OILSEEDS 협상결과와 이태리측의 UR 협상전망에 대해 문의한 바 동인의 답변요지 다음 보고함.

1. 미국측의 850 만톤 OILSEEDS 생산감량 요구에 대해 EC 측이 이를 수용하지 않음에 따라, 협상은 결렬되었으며, 현재 EC 측으로선 미국측이 어떤 보복조치를 취하게 될지를 관망하는 상태임.

만일 미국측이 보복조치를 취할 경우 EC 측도 이에 대응 결국 미.EC 간 무역전쟁으로 비화될 가능성도 있으나, 미국의 보복선언이 진정한 의지인지 아니면선거를 겨냥한 단순한 전략이었는지는 좀더 두고 보아야 함.

2. OILSEEDS 문제는 기술적인 면에서 UR 과는 직접관련되지 않고 있으나 현재 농업분야에서 가장 민감한 문제이며, 동문제가 해결될 경우 수출보조금을 둘러싼 UR 협상치 타결될 가능성이 있음. 그러나 문제는 불란서가 강경한 태도를 견지하고 있다는 점임.

3. 현재 미국이 정권이양 단계에 있어 CILINTON 행정부의 정책이 어떤 방향으로 전개될지 현시점에서는 예측키 어려우며, FAST TRACK 문제가 있기는 하나 명년 3 월 불란서 총선거가 실시됨에 비추어 그 이전에 협상이 타결될지 현재로서는 전망하기 어려움. 한편 동 협상이 명년 3 월이후로 연기될 경우 국제무역에불안정을 초래할 위험이 있음. 끝

(대사 이기주-국장)

예고: 1992.12.31. 까지

통상국	차관	2차보	구주국	분석관		

92.11.05   16:14

* 원본수령부서 승인없이 복사 금지

외신 2과 통제관 DI

0014

외 무 부

종 별 :

번 호 : GVW-2105   일 시 : 92 1106 2000

수 신 : 장관(통기),통이,통삼,경기원,재무,농수산,상공부,특허청)

발 신 : 주 제네바 대사대리   사본:주미,EC,일,영,독,불대사(본부중계필)

제 목 : UR/그린룸 회의   일반문서로 재분류 (1992. 12. 31.

1. 표제회의가 예정대로 금 11.6(금) 개최되어 UR 협상의 위기상황 타개방안을 논의, 아래 결론에 도달함.

 - 처음에는 일부 국가로부터 향후 30 일간(미국의 대 EC 보복 조치 시행 유예기간) 미 EC 양자 협상에만 맡겨둘수는 없으므로 당지에서의 다자협상 재개가 필요하다는 의견이 제시됨.

 - 상기에 대해 싱가폴이 우선 던켈총장이 워싱톤 및 브랏셀을 방문, 현 위기 상황에 대한 협상참가국 전체의 강한 우려를 전달하고 미.EC 양측의 정치적 의지 여부를 먼저 확인한후 동 결과에 입각하여 향후 방향을 정하는 것이 바람직하다는 의견을 제시하고 이에 다수국이 동조함.

 - 던켈총장은 자신으로서는 워싱톤 및 브랏셀 방문 용의는 있으나 이를 위해서는 회원국 전체로 부터의 공식 MANDATE 부여가 필요하다는 입장을 강하게 표명

 - 금일 회의는 11.10(화)에 TNC 를 개최하고 이에 앞서 11.9(월) 오후에 그린룸 회의를 재차 소집하여 TNC 에서 채택할 STATEMENT 문안을 협의키로 하고 종료함.

2. 동 회의 세부토의 내용은 아래와 같음.

 - 먼저 던켈총장은 미국의 보복조치에 대한 공식적인 갓트통보(DS28/4 별첨) 접수 사실 및 동 사태에 대한 자신의 대언론 발표문(별첨) 배포 사실을 알린후 , 사태의 심각성에 비추어 각국의 협상 실무책임자(SUB-CABINET LEVEL) 간의 당지 회동 필요성 여부에 대한 의견 개진을 요청함.

 - 호주, 스웨덴, 스위스, 멕시코, 노르웨이, 일본, 카나다등이 정도 차이는있었으나 재개의 필요성이 있다는 의견을 개진함. 특히 멕시코, 스위스, 일본이 다자협상 재개 필요성이 적극적인 자세를 보인바, 이들은 FAST-TRACK 에 따른시간부족의 문제점뿐만 아니라 여타 협상 참가국이 안고있는 문제점의 논의를

통상국 경기원	장관 재무부	차관 농수부	2차보 상공부	통상국 특허청	통상국 중계	분석관	청와대	안기부

위해서도 다자협상이 필요하다는 입장이었음.(특히, 일본은 금일중 TIME-TABLE 확정 요구)

  - 미국은 충분한 여건(EC 의 확고한 내부입장 정립)이 조성되지 않은 가운데 협상의 다자화는 의미가 없다는 소극적인 반응을 보인후, 아래사항을 언급함.

  . 행정부 교체와 관계없이 미국의 입장은 일관성을 유지할 것이므로 행정부교체가 미국의 UR 협상 추진결의 및 입장에 영향을 미치지 않을 것임.

  (클린턴 대통령 당선자의 당선소감중 대외정책 일관성 유지 강조부분 인용)

  . 문제는 EC 가 내부입장을 정립치 못한데(시카고 회담시 DELORS 위원장의 MCSHARRY 위원에 대한 압력 사실을 예시) 있으므로 EC 가 양보치 않으면 보복 승인을 하겠다는 결의 표명등 갓트 회원국의 대 EC 압력 행사가 필요함.

  - 이에대해 EC 는 내부문제가 있음을 인정하면서도 OILSEEDS 등은 EC 로서는 중대한 사안이므로 EC 만 지나치게 궁지로 몰 경우 무역전쟁의 불사등 심각한결과가 초래될것이며, 앞으로 30 일간의 기간이 남아있으며, 동기간내에 완전 합의가 이루어지지 않더라도 미측이 보복 시행을 다소 연기할 가능성도 없지않다고 하면서, 미.EC 양자협상의 중요성만을 강조했을뿐 협상의 다자화 문제에 대해서는 아무런 입장도 표명치 않음.

  - 홍콩이 다자화에 앞서 미.EC 가 정치적 의지가 있는지 여부 확인이 선행되어야 한다고한데 이어서, 싱가폴이 기본적으로 EC 의 책임이 크므로 EC 가 움직여야 할것이나 미국의 경우에도 신행정부에 대해 현상황을 정확히 인식시키고 UR 에 관한 신행정부의 의지확인도 필요하다고 보므로, 다자화에 앞서 던켈총장이 양측의 수도를 방문, 양측의 의사를 확인한후 향후 일정을 정하는 것이 바람직 하다는 의견을 제시한바, 이에대해 브라질, 인도, 뉴질랜드, 칠레등이 지지 입장을 표명함.

  - 던켈총장은 협상의 다자화 요구에 대해서는 참가국 숫자를 늘인다는 의미밖에는 없으며 오히려 각국이 안고있는 문제점을 제기함으로써 상황을 더욱 어렵게 만들 것이므로 반대한다는 입장을 분명히 한후, 싱가폴 제의에 대해서는 양측지도자들 만나 효과적인 설득을 하기 위해서는 확고한 기초가 필요하다는 반응을 보임, 동 총장은 현재의 문제를 현 갓트체제(특히 분쟁해결제도)의 위기와 UR협상으로 구분, OILSEED 문제를 위요한 갓트 체제 문제는 특별이사회를 소집해서라도 자신에게 확고한 행동지침(패널보고서 미이행에 대한 응징 결의표명등)을주는 것이 필요하며 , 또 UR 협상과 관련해서는 TNC 소집을 통해 확고한 MANDATE 를 부여해 주어야 할것이라는

PAGE 2

0016

입장을 개진

   - 이에대해 싱가폴, 인도, 알젠틴, 브라질등은 UR 협상이 실패할 경우 갓트체제도 붕괴하게 되므로 갓트와 UR 협상을 인위적, 도식적으로 구분하려는 던켈총장의 의도에 이의를 제기하였으며, 호주등 일부국은 UR 협상의 경우에도 TNC의 MANDATE 부여없이도 던켈총장의 중재가 가능하다는 의견을 표명하면서 동 총장의 양측 수도방문을 종용함(일본은 던켈총장이 TNC 로 부터의 구체적인 MANDATE 부여를 고집할 경우 문제를 더욱 어렵게 할것임을 언급)

   - 이에따라 던켈총장은 이사회의 지침 부여 요구는 철회하겠으나, TNC 소집은 절대로 필요하며, 명확하고 구체적인 MANDATE 는 아니더라도 현 위기 상황에 대한 우려 표명, UR 협상의 실패의 심각한 결과, 협상 성공에 필요한 시간의 촉박성, 적절한 시점에서의 협상의 다자화 필요성, 미.EC 의 일차적인 책임 및 정치적 결단 필요성등을 내용으로 하는 STATEMENT 를 채택할 필요가 있다는 입장을고수함으로써, 사무국이 동문안을 작성, 11.9(월) 16:00 그린룸 회의를 재소집하여 검토, 확정한후 11.10(화) 오전 TNC 회의를 소집하여 동문안을 채택키로 합의함.(미국은 TNC 개최에 동의했으나, EC 는 언급이 없었음)

   첨부: 1. 미국의 GATT 통보문
   2. DUNKEL 총장의 언론발표문(GVW(F)-0673)
   (차석대사 김삼훈-국장)
   예고:92.12.31. 까지

주 제 네 바 대 표 부

번 호 : GVW(F) - 673   년월일 : 21106   시간 : 1P00

수 신 : 장   관 (통가, 통이, 통상, 경기원, 외무, 농수산, 상공부, 특허청)

발 신 : 주 제네바대사

제 목 : " 전복 "

사본 : EC, 영, 독, 불, 대사 (중계탐)

: 주미, 주일 (본부 중계요)

총 4 매 (프지프함)

보 안	
통 제	

외신과	
통 제	

0018

173-41

GENERAL AGREEMENT ON

TARIFFS AND TRADE

RESTRICTED

DS28/4

5 November 1992

Limited Distribution

Original: English

EUROPEAN ECONOMIC COMMUNITY - PAYMENTS AND SUBSIDIES PAID TO
PROCESSORS AND PRODUCERS OF OILSEEDS AND RELATED ANIMAL-FEED PROTEINS

Follow-up on the Panel report (DS28/R)

Communication from the United States

The following communication, dated 5 November 1992 and addressed to
the Director-General, has been received from the Office of the United
States Trade Representative in Geneva with the request that it be
circulated to all contracting parties.

The United States has always viewed the General Agreement as a
contract among the contracting parties. It is a contract which is, and
must always be, based on mutually advantageous and reciprocal arrangements
governing the contracting parties' trading relations. This is the General
Agreement's essential value. In the circumstances where a contracting
party refuses to extend the General Agreement's contractual reciprocity to
another contracting party, the GATT expressly contemplates the
re-establishment of the equilibrium in the trading relationship through
withdrawal of concessions.

The United States considers that it has exhibited extraordinary
patience and largely unreciprocated flexibility in trying to arrive at a
negotiated settlement to our long-running dispute with the European
Community over EC oilseed subsidies. We have taken this approach despite a
very difficult domestic political environment in which demands were
constant for immediate and firm action against the EC. We have been
tireless in our efforts, including extended negotiations at Ministerial
level. Unfortunately, these efforts have not produced a solution to the
dispute.

Five years ago, we began our efforts at seeking relief from EC
oilseeds subsidies which we consider denied US exporters the trading
opportunities they are guaranteed under GATT's contract. We have pursued
our complaint in good faith in the GATT. We have prevailed in two panel
proceedings and have been supported by a large number of other contracting
parties. However, the EC has repeatedly made clear that our exporters
cannot expect relief from the effects of EC subsidies and that the EC will
not take action necessary to restore the equilibrium in our contractual
trading relationship.

92-1630

673-4-2

0019

In light of the continuing impasse, and in order to avoid a complete discrediting of the General Agreement, the United States is left with no choice but to take at least a limited step to restore the balance unilaterally upset by the Community so many years ago.

United States Trade Representative Carla Hills will be announcing later today in Washington that the United States intends to impose a 200 per cent ad valorem tariff on imports from the EC valued at some 300 million dollars annually effective 5 December 1992. The specific products in question are imports from the EC member States of white wine, rapeseed oil, and wheat gluten. Imports of these products from non-EC sources will not be subject to higher duties.

I want to stress the restraint inherent in this announcement. First, the United States continues to hope that the next thirty days can be used to avert tariff increases. Our delay also provides time for binding GATT arbitration of the value of the impairment suffered by the United States should this be accepted by the EC. Second, our action will affect trade amounting to less than one-third of the estimated one billion dollars in annual trade damages suffered by our exporters as a result of the EC oilseeds régime.

The United States hopes that the EC will not make the mistake of misinterpreting our restraint in this action. The action is designed to leave room for a negotiated solution. If negotiations fail, we will have to take further action. In the event that the EC takes any action to further impair the access of US exporters to the Community market -- action which would be completely without justification or authority -- the United States will respond.

Through its actions in this dispute, the European Community has completely and totally frustrated the operation of the GATT's multilateral dispute resolution mechanism. The EC's actions have seriously undermined the credibility of the General Agreement and called into question its value as a contract among trading partners. While I have repeatedly emphasized the United States' desire to resolve this question amicably in the GATT's multilateral framework, it now falls to the European Community to review its position and to honour its international obligations under the GATT contract.

Statement by Mr. Arthur Dunkel, Director-General of GATT
Geneva, 5 November 1992

The United States authorities have today notified the contracting parties of their <u>intention</u> to impose tariff increases on certain imports from the European Community in the context of their unresolved dispute relating to the European Communities' oilseeds subsidies. This step is motivated by the continued non-implementation by the European Community of recommendations made to it by the CONTRACTING PARTIES through the normal dispute-settlement procedures of the GATT.

I note that the United States authorities have also expressed the hope that the next thirty days can be used in further negotiations to avert the proposed tariff increases. As custodian of the GATT system I can only express grave concern in respect of the adverse impact that all actions taken outside the authority of the CONTRACTING PARTIES have on the functioning of an effective and credible multilateral trading system - the only guarantee for an open world economy. I am, therefore, pleased to see that both the United States and the European Community have expressed determination to continue their efforts to find a mutually satisfactory solution to the oilseeds dispute in the days ahead.

The United States and the European Community have the major responsibility in safeguarding and strengthening the multilateral trading system. They are also major beneficiaries of the system.

0021

6-73-4-4

외 무 부

종 별 :

번 호 : ECW-1400 일 시 : 92 1105 1830

수 신 : 장 관(통기) 사본: 주제네바대사-직송필

발 신 : 주 EC 대사

제 목 : 갓트/UR 협상

대: WEC-0812

대호, UR 협상과 관련, 아국을 포함 29 개국 명의로 G7 정상앞으로 보내는 서한을 당지주재 호주대사가 11.2. 자로 DELORS EC 집행위원장에게 송부하고 동 서한 사본을 11.4. 당관에 보내온바 있음을 보고함. 끝.

(대사 권동만-국장)

통상국

PAGE 1

* 원본수령부서 승인없이 복사 금지

92.11.06 18:11
외신 2과 통제관 BS

0022

28 우루과이라운드 협상 동향 및 무역협상위원회 회의 4

외 무 부

관리
번호 *92-378*

종   별 :

번   호 : ECW-1394   일   시 : 92 1105 1630

수   신 : 장관(봉기,봉삼,북미,경기원,농림수산부,상공부,기정)

발   신 : 주 EC 대사   사본: 주 제네바,붐대사-직송필,주미대사-본부중계필

제   목 : UR 협상전망

일반문서로 재분류 (192.12.51)

대: WEC-0828

1. 당관 정공사는 작 11.4(수) EC 집행위 ABBOTT 다자협상 담당국장을 면담, UR 협상 전망등에 관해 의견을 교환한바, 동 국장의 주요 발언내용 아래 보고함 (이혜민서기관, ADINOLFI UR 담당관 동석)

가. 미.EC 간 시카고협상이 결렬된 것이 사실이며, 재협상 시기도 합의하지 못하였는바, EC 회원국중 프랑스만이 농업분야 협상에 직접적인 이해를 갖고 있다고 보는것은 잘못된 인식임. EC 로서는 이미 결정된 공동농업정책(CAP) 의 개혁안 이상 더 추가양보는 불가능하며, UR 협상에 관계없이 동 개혁안을 예정대로 추진해 나갈것임

나. 현 상황에서 미측의 추가 양보없이는 더이상의 미.EC 간 UR 협상을 가질 필요가 없다는 것이 EC 측의 기본입장임. 다만 EC 측이 받아드릴수 있는 미측의 추가양보는 농업분야에만 국한되는 것은 아니며, 통신, 금융등 서비스분야에서의 실질적 보상방법등도 대상이 될수 있음

다. 금번 미대통령선거 결과로 EC 로서는 패배가 거의 확실시되던 BUSH 행정부와 협상을 진행해야만 했던 정치적 부담을 덜수 있게 되었으나, 상기 EC 측의 기본입장에는 아무런 변화가 있을수 없음

라. 최근의 미.EC 간 UR 교섭과정에서 CLINTON 후보측이 EC 측에 별도접촉을 시도한 것은 당연한 것이며, 향후 미.EC 간 협상추이는 CLINTON 대통령 당선자의 결정에 달려있다고 보며, 정권인수팀내에 UR 협상팀을 조기에 구성, 현 행정부 협상팀과 합동으로 EC 측과 교섭을 진행할 경우, FAST TRACK 시한 종료이전이라도 협상타결이 가능할수 있음

마. 금번 대통령선거에서의 압도적 승리와 의회내에 민주당 세력증가등을 배경으로

통상국	장관	차관	2차보	미주국	통상국	분석관	청와대	안기부
경기원	농수부	상공부	중계					

PAGE 1   92.11.06   05:24

외신 2과 통제관 FR

0023

민주당정부의 UR 협상전략이 .보다 유연해질수 있을 것으로 기대해 볼수는 있으나 정확한 예측은 시기상조임

　바. 한국, 호주등 29개국이 발송한 멧세지에 대해 EC 로서는 UR 협상을 언제라도 제네바에서의 다자차원으로 복귀시키는데 이의가 없다는 반응을 보일수 밖에 없을것임. 다만 다자협상의 재개를 위해서는 미.EC 외에 호주, 일본, 한국등 여타 주요 국가들도 UR 타결을 위한구체적인 양보안을 제시해야만 할것이며 91년말 던켈총장의 주도로 이루어졌던 다자협상 방식을 되풀이 하는것은 무의미한 것으로 보고있음

　2. 상기관련, 미.EC 간 UR 협상 전망등에 관한 당지 관찰내용을 아래 보고함

　가. EC 측은 상기 EC 측 기본입장 (미측 추가양보 요구) 을 CLINTON 대통령 당선자측에 적절한 경로로 명확히 전달하였으며, 이에대한 미측 반응을 대기중에 있는것으로 보임

　나. 또한 EC 측은 농업분야에서의 미측 추가양보가 어려울 경우, 통신, 항공등 서비스분야를 포함한 PACKAGE DEAL 의 가능성도 다각적으로 검토중인 것으로 보임

　다. EC 측은 호주, 일본, 한국등 여타 주요국가들이 EC 측 입장보다는 미측입장을 두둔하고 있다고 판단하는 듯하며, UR 협상과정에서 EC 측의 고립화를 우려하는 듯함. 끝

　(대사 권동만-국장)
　예고: 92.12.31. 까지

관리 번호	92-107

외 무 부

종 별 :

번 호 : USW-5435   일 시 : 92 1105 1957

수 신 : 장 관 (통기),통이,통삼,경기원,농림수산부)

발 신 : 주 미 대사

제 목 : OILSEED 문제와 UR 협상

대: WUS-4962

연: USW-5433

1. SANDRA KRISTOFF 국무부 부차관보는 연호 당관 장기호 참사관과의 면담시, 미.EC OILSEED 분쟁과 관련 금 11.5. HILLS USTR 대표가 대 EC 보복조치를 발표할 계획이라고 사전에 알리면서 발표내용을 간략히 설명하였음.

2. 장참사관이 상기 대 EC 보복조치가 UR 협상 타결에 좋지않은 영향을 미칠 우려가 있다고 언급한데 대해, KRISTOFF 부차관보는 USTR 의 보복조치 결정의배경에는 희망적인 견해와 비관적인 관측이 엇갈리고 있는바, 보복조치 결정이EC 를 협상의 테이블로 돌아오게 할 수 있다는 긍정적인 효과를 겨냥하고 있으나, 결국 불란서의 강경한 자세로 인해 사실상 OILSEED 문제 해결과 UR 협상의 진전은 기대하기 어려울 것이라 하였음.

3. 또한, 동 부차관보는 USTR 에서는 CLINTON 당선후에도 UR 협상을 계속해나간다는 방침을 견지하고 있으나, 사견으로는 UR 협상에 실질적 진전이 있을지 의문시 된다고 하였음.

4. 한편, SUZANNE EARLY USTR 부대표보는 현상태에서는 UR 협상의 전망에 대해서는 언급할 내용이 없다고 하고, 아직은 UR 협상이 끝이 났다고 생각하지 않는다는 반응을 보이면서 구체언급은 회피하였음. 끝.

(대사 현홍주 - 국 장)

예고: 92.12.31. 까지

통상국 안기부	장관 경기원	차관 농수부	2차보	미주국	통상국	통상국	분석관	정와대

PAGE 1

* 원본수령부서 승인없이 복사 금지

92.11.06   11:09

외신 2과 통제관 BX

0025

UR(우루과이라운드) 협상 동향 및 TNC(무역협상위원회) 회의, 1992. 전5권(V.4 11월)   31

이시

외 무 부

종 별 :

번 호 : GVW-2095   일 시 : 92 1105 2030

수 신 : 장관(통기,통일,통삼,경기원,재무부,농림수산부,상공부), 사본:주미,EC,

발 신 : 주 제네바 대사대리   영,불,독대사, 박수길대사(주UN대사 경유-중계필)

제 목 : UR 협상 동향   일반문서로 재분류 (92. 12. 31

1. 명 11.6 그린룸 회의를 앞두고 금 11.5(목) 당지 주요 10 개국 대사와 DUNKEL 총장의 오찬 회동이 있었는바, 미.EC 농업장관 회담 결렬, GATT 이사회의 미국의 대 EC 보복 신청거부 및 이어서 금일 발표된 미국의 일단계 일방적 보복 조치 발표(우선 3 억불 상당, 30 일 유예기간 후 시행) 최근 사태진전과 관련 아래와 같은 의견 표명이 있었던 것으로 파악됨.

가. DUNKEL 총장은 상기 사태진전은 UR 협상의 조기 타결을 더욱 어렵게 할뿐만 아니라 갓트 분쟁해결 절차의 신뢰성 및 GATT 체제전반에 대한 중대한 저해요인이 될수밖에 없다고 받아들이고 강한 불쾌감을 표시하였을 뿐 앞으로의 UR협상 추진과 관련 별다른 언급이 없었다함.

나. TRAN EC 대사는 최근 EC 가 취한 입장은 EC 로서는 불가피한 것이었다고 하고 향후 30 일 동안을 또하나의 WINDOW OF OPPORTUNITY 로 보고 계속 노력해 나갈수 밖에 없다는 의견을 피력했다 함.(MCSHARRY 위원의 12.6 교체된다는 사실도 언급했다함)

다. YERXA 미국대사는 상기 30 일이 갖는 의미에 동감을 표명했을뿐 별다른 의견 제시가 없었다 함.

2. 한편 상기 일련의 사태진전 및 CLINTON 대통령 당선에 따른 UR 의 장래에 관한 불투명성등으로 인해 당지 협상대표간에는 사태 진전을 좀더 두고 볼수 밖에 없다는 입장으로 뚜렷한 복안없이 상당한 좌절감에 팽배해 있는 분위기이며, 명일 그린룸회의에 이어 향후 30 일기간중 간헐적으로 그린룸 회의를 개최, 상황점검을 해 보는 정도가 당지에서 취할수 있는 대안이 아닌가 하는 것이 현시점에서의 분위기인바, 명일 그린룸회의후 재보고 하겠음. 끝

(차석대사 김삼훈-국장)

예고 : 92.12.31 까지

통상국	장관	차관	2차보	통상국	통상국	분석관	정와대	안기부
경기원	재무부	농수부	상공부	중계				

PAGE 1   92.11.06   07:54

외신 2과 통제관 FS

0026

외 무 부

관리
번호 92-811

종   별 :

번   호 : UKW-1949   일   시 : 92 1106 1730

수   신 : 장관(봉기), 사본: 영국대사

발   신 : 주 영 대사대리

제   목 : UR 협상전망

대: WUK-1946

　　대호, 당관이 주재국 외무성, 상무성 관계자 및 언론반응 등을 통해 파악한 전망을 아래 보고함.

　　1. 주재국 HESELTINE 봉상장관은 금번 미.EC 간 농산물 협상 결렬의 상당부분은 EC 전체 이익보다 프랑스 농민 보호를 우선하는 J.DELORS, EC 의장의 무책임한 행동에 있다고 보고, 주재국이 EC 의장국으로서 사태 수습을 위해 미 보복 관세 조치의 시행시기 (12.5) 이전에 미.EC 간 협상 재개를 위해 최대한 노력한다는 입장임.

　　2. 주재국이 다양한 EC 자체내의 입장조정을 위해 EC 봉상장관 및 농업장관등 관계회의를 통해 가능한 타협안을 모색하는 한편, 미국측 (특히 신행정부 관련인사 포함) 과의 교섭을 통해 최소한 미.EC 간에 무역전쟁 상태로의 진전을 적극 피하고 조속한 시일내에 재협상 분위기를 조성한다는 방침임.

　　3. 주재국으로서는 프랑스측이 바라는 것과는 달리 내년 1 월 미국 CLINTON 행정부가 정식 출범하더라도 EC 측에 더 유리한 입장을 기대할 수 없다는 판단하에 OILSEED 를 위시한 일부 농산물에 대한 이해 충돌로 세계 전체 무역의 활성화를 보장하는 UR 협상의 타결을 지연시켜서는 안된다는 것이 기본 입장임.

　　4. 주재국으로서도 금번 사태로 인해 UR 협상 타결의 전망을 매우 어렵게 보는 것이 일반적 견해이나, 주재국 주요언론 (11.6. 자 THE TIMES 지) 등이 EC 입장 변화를 위해 J.DELOR, EC 의장의 조기 퇴임을 공공연히 주장하고 있으며, 금년 미.EC 간 농산물 협상 결렬로 인한 충격파가 오히려 EC 회원국가는 물론 GATT 회원국 전체의 이익을 위해 새로운 교섭의 분위기가 조성될수도 있다고 보아, 미국의 신행정부 출현과 상관없이 UR 협상의 극적 타결이 가능하다고 낙관하는소수 이견도 있음. 끝

　　(대사대리 박양천-국장)

통상국	장관	차관	2차보	구주국	구주국	분석관	청와대	안기부

PAGE 1   92.11.07   05:32

* 원본수령부서 승인없이 복사 금지   외신 2과 통제관 CM

0027

예고: 92.12.31 까지

외 무 부

종 별 :

번 호 : FRW-2269   일 시 : 92 1106 1740

수 신 : 장관(봉기,봉삼,경일,경기원,재무부,농수산부,상공부)

발 신 : 주 불 대사   사본:주EC,제네바대사(직송필),주미대사(중계필)

제 목 : UR 협상

연:FRW-2184

11.5 미국의 대 EC 보복조치 발표와 관련, 주재국 외무성 SIMONNEAU UR 담당관을 통해 파악한 불란서의 반응과 입장, UR 협상 전망을 아래 보고함.(11.6 조참사관 접촉)

1. 미국이 보복조치 대상에서 불란서의 민감품목인 치즈, 코냑등을 제외한것과 제 2 차 보복대상 품목으로 공산품을 포함한것은 뜻밖의 내용임. 불란서는 예상했던 대로 미국으로 부터 최대의 보복대상국(3 억불중 1.27 억불 예상)이 되었으며, 포도주등 불 피해업계의 강력한 반발 및 2 차 대상품목으로 향수 및 공산품이 포함된 점등을 고려시 현 단계에서 미국에 대한 EC 의 강경대응을 요구하지 않을수 없음.

2. 11.4 브랏셀 개최 113 조 위원회 고위급회의에서는 미국이 GATT 의 규정에 어긋난 보복조치를 강행시 EC 는 대응조치를 취하도록 하며, UR 협상은 미 신정부 취임이후 까지 미루지 않고 계속하여 나간다는 점에 합의한바 있음.

3. 불 DUMAS 외상이 UR 협상은 앞으로 수개월이 지나야 본격적으로 재개될수 있을 것이라고 발언한 것은 11.3 시카고 회담 결렬직후 당시 분위기에 따른 1 차적 소감을 피력한것임. 불 정부는 미국의 보복 위협에도 불구하고 년내 타결을목표로 UR 협상을 계속해 나간다는 방침에는 변함이 없으며, 농산물 분야가 교착상태임에 따라 여타 분야의 다자간 협상을 우선 시작하는 방안모색을 적극 주장할 것임.

4. 불란서는 113 조 위원회 합의에 따라 11.9 EC 외무장관 회의시 대미 대응보복 조치를 촉구할 것이나, 일부 회원국의 유보적 입장에 비추어 반드시 불측희망대로 보복조치가 결정될 것으로 확신할수는 없는 형편이며, 금일부터 개최되는 EC 통상장관 회담에서 회원국의 분위기를 사전 파악할수 있을 것으로 봄.

5. 시카고 회담시 MAC SHARRY 농업담당 집행위원의 EC 농산물 수출물량 21%감축등

통상국	장관	차관	2차보	경제국	통상국	분석관	청와대	안기부
경기원	재무부	농수부	상공부	중계				

대미국 양보내용은 10.16 버밍검 EC 정상회담시 합의한 "CAP 개혁과 UR협상과의 연계" 범위를 초과하는 내용으로 불측은 이를 수락키 어려움. 또한 MAC SHARRY 위원의 사임발표등 현 EC 내부 분위기에 비추어 EC 측이 대미 협상을 재개한다 하여도 여사한 양보를 기초로 교섭을 다시할 가능성은 현재로서 불투명함.

6. 이와관련, 113 조 위원회 회의시 EC 집행위 LE GRAS 농업 총국장은 대미 종자유 협상에서 집행위측은 CAP 개혁 MANDATE 내에서 미측의 구체적 물량감축 요구를 거부했다고 설명하였는 바, 상기 21% 농산물 수출물량 문제등과 함께 EC 집행위의 불투명한 MANDATE 가 계속 논란의 대상이 되고 있음.

7. 미국의 보복조치 발표이후 불 정부 관계각료는 물론 FABIOUS 사회당 제 1서기, CHIRAC 야당(RPR) 당수에 이르기까지 한결같이 즉각적인 대응조치 강구등 대미 강성발언으로 일관하고 있는 바, 이는 93.3. 선거를 앞둔 정치적 이해가깊이 반영된 내용임. (현재 농민의 80% 가 야당 지지)

8. 현재로서 UR 협상 전망을 예측키는 어려우나 미측의 보복조치 위협이 협상전략의 하나로도 볼수 있으며(11.6 JAMES DOBBINS 주 EC 미국대사는 미.EC 간 GATT 협상의 조속한 재개 희망 표시) 또한 상기 정부 및 여. 야 정치권의 강경한 입장등을 고려시 불측은 당분간 강경한 기존입장을 계속 견지할수 밖에 없을 것임.끝.

(대사 노영찬-국장)

예고:92.12.31. 까지

외 무 부

종   별 :

번   호 : USW-5465   일   시 : 92 1106 1903

수   신 : 장 관 (통기,통일,경기원,농림수산부) 사본:주제네바, EC대사-본부중계필

발   신 : 주미 대사

제   목 : UR 협상 전망

대 : WUS-4962

연 : USW-5435

1. 당관 장기호 참사관이 금 11.6. DEWOSKIN USTR 부대표보를 접촉 OILSEED문제 및 UR 전망에 관해 의견을 교환한바, 동인 언급요지 아래 보고함.

    가. OILSEED 문제관련 미측의 11.5 자 보복조치 발표는 EC 를 협상의 테이블로 돌아오도록 유도하는 조치이며, EC 가 건설적인 방향에서 전향적인 입장을 취할수 있길 기대함.

    미측으로서는 항상 협상재개를 위한 준비가 되어 있으므로 문제 해결의 열쇠는 EC 측에 달려있음.

    나. 미측의 보복조치 발표는 UR 협상의 전망에 나쁜 영향(BAD FEELING)을 미칠수도 있겠지만 이는 EC 로 하여금 협상에 적극 임하게 하는 하나의 압력 수단 으로도 작용할 수 있다고 생각함.

    EC 는 미측에 강경 대응조치를 취함으로서 UR 협상 결렬의 책임을 EC 스스로가 지게될 것인지 또는 협상으로 돌아올 것인지의 선택의 기로에 놓이게 되었다고 보며, 불란서를 제외한 여타 EC 국가들의 일반적 입장은 UR 협상의 결렬 보다는 타결해야 한다는 정치적 의지가 더 강하기 때문에 아직은 OILSEED 문제로 UR 협상이 파국에 올 것인지 예단하기 어려움.

    다. BUSH 대통령은 아직도 UR 타결에 강한 집념을 버리지 않고 있으며, 11.3. CLINTON 대통령 당선자도 세계무역 문제와 관련 BUSH 대통령과 함께 노력 하겠으며, UR 이 타결되어야 한다는 입장을 재차 표명하고 있어 UR 협상이 끝이났다고 보지않으며, EC 의 반응에 따라 앞으로도 협상의 계속이 가능할 것으로 봄.

    2. 상기에 비추어 보면 앞으로 UR 협상 전망은 OILSEED 문제에 대해 EC 가 어떤

통상국 경기원	장관 농수부	차관 중계	2차보	미주국	통상국	분석관	정와대	안기부

PAGE 1

92.11.07 10:36

외신 2과 통제관 BX

0031

반응을 보일 것인지가 하나의 척도가 될 것으로 보임.

　　USTR 은 아직도 UR 협상은 앞으로도 계속이 가능하다는 입장을 견지하고 있으나 연호 보고와 같이 국무부등은 과연 EC 가 협상의 테이블로 돌아올 것인지 또 협상이 재개된다 하더라도 미국내 대통령 선거결과등 제반여건의 변화에 비추어 UR 협상이 어느정도의 진전을 가져올 것인지에 대해서는 부정적인 견해를 표명 하는등 그 전망에 대해 확신을 갖지 못하고 있음. 끝.

　　(대사 현홍주 - 국 장)

　　예고: 92.12.31. 까지

PAGE 2

0032

이시(연) ✓

외 무 부

종 별 :

번 호 : ECW-1416   일 시 : 92 1107 1800

수 신 : 장관(통기,봉삼,경기원,재무부,상공부,농림수산부,기정)

발 신 : 주 EC 대사   사본: 주 제네바, 영,불,독-필, 주미대사-중계필

제 목 : GATT/UR 협상(자료응신 92-89)

연: ECW-1400

일반문서로 재분류 ('92. 12. 31)

미국의 11.5. 대 EC 제재조치 발표와 관련한 EC 의 대응동향에 대한 당관의관찰내용을 아래 보고함

1. 미측 조치배경에 대한 EC 측 분석

가. EC 는 미행정부의 대 EC 제재발표가 그간 UR 타결을 강력히 희망해왔던부쉬 미대통령이 자신의 얼마남지 않은 잔여임기중에라도 UR 문제를 타결해 보겠다는 희망에서, 마지막으로 물리적 압력을 통해 EC 의 양보를 얻어내려는 데서비롯된 것으로 보고 있음

나. 또한 이를 통하여 대미협상 과정에서 야기된 EC 회원국간 상이한 입장을재조정할수 있는 계기를 제공한 것으로도 보고있으며, 아울러 미-EC 양자간 긍정적인 협상결과를 기대해온 대다수 GATT 회원국에 대해서는 미.EC 간 협상실패의 책임을 EC 에 전가하려는 목적도 있다고 보고있음

다. EC 로서는 10 월중 브랏셀 회담과 금주초 시카고회담을 통해 양측입장이상당히 접근 되었었으나, 결과적으로는 미측이 자국 농업로비의 강한 압력때문에 타협안을 내놓지 못하게 된것을 협상실패의 직접적인 원인으로서 아쉬워 하고있음

2. EC 의 내부동향

가. 그간 EC 의 대미 농산물협상을 주관해왔던 MACSHARRY 농업담당 집행위원은 11.4. 자 DELORS EC 집행위원장앞 서한을통해 자신은 더이상 UR 협상관련 책임을 맡지 않겠다고 밝혔음 (그러나 동인은 자신의 EC 집행위원직은 임기 만료인 금 12 월까지 계속할 것으로 밝힘) 이는 그간 대미협상 과정에서 노정된 관련집행위원 상호간의 갈등을 나타낸 것인바, MACSHARRY 위원은 시카고협상 결과로 힘들게 얻어낸 타협안에 대해 DELORS 위원장이 반대한 것이 협상결렬의 직접적인 원인이라고 강한 불만을

통상국 장관   차관   2차보   경제국   통상국   외정실   분석관   정와대
안기부 경기원 재무부 농수부 상공부   중계

PAGE 1   92.11.08   06:15

외신 2과 통제관 BZ

0033

나타낸 것으로 알려짐

나. 한편 DELORS EC 집행위원장은 자신이 EC-미국간 협상의 진전을 막았다는 것은 사실이 아니라고 강력 부인하고 있으나, MACSHARRY 집행위원의 사임과, 최근 동 위원장이 프랑스의 이익만을 지나치게 고려한다는 계속된 보도등은 동인의 EC 내 권위에 손상을 주고 있는 것으로 보임

다. MACSHARRY 집행위원의 UR 업무사임에 따라 EC 내에서는 종래 ANDRIESSEN-MACSHARRY 양인의 대미접촉 창구를 ANDRIESSEN 집행위원으로 단일화 하자는 움직임도 있음

마. 미국의 대 EC 제재조치의 주요목표가 되고 있는 프랑스는 EC 의 단호한대미 대응조치를 주장하고 있는 가운데, EC 의장국인 영국은 EC 와 미국간 무역전쟁의 발발이 초래할 위험성을 경고하며, 대미협상의 즉각적인 재개를 촉구했음

바. 특히 MAJOR 수상은 11.6. DELORS EC 집행위원장과 런던에서 긴급 회담을갖고, 대미협상의 조속 재개를 촉구한 공동성명을 발표했는바, DELORS 위원장 자신이 이러한 공동성명 문안에 동의한 것이 주목됨

3. EC 의 대응전망

가. 11.6-7 영국 런던근교 BROCKET HALL 에서 개최된 EC 12 개국 무역장관 회의는 미국의 대 EC 제재에 대한 보복조치를 취하는 것을 일단 보류 하였으며, 동 회의에서는 다수의 EC 무역장관들이 프랑스에 대해 좀더 유연한 자세를 촉구한 것으로 알려짐. 11.9(월) 당지에서 개최예정인 EC 외상회의에서 대미 제재조치 문제가 다시 토의될 전망임

나. 세계경제가 침체국면에 있는 상황에서, EC 로서도 미-EC 간 마찰이 무역전쟁으로 까지 발전하는 것은 원치 않고 있으므로, 미국의 제재조치 시한인 12.5. 까지 EC 내부의 일부 대미 강경태도를 조정해가며 대미 협상타결을 다시금 모색할 것으로 전망됨

다. 그러나 93.3. 총선을 앞둔 프랑스는 협상타결을 최대한 지연시킬 목적으로 클린턴 신정부 출범후 협상재개를 주장하고 있어, 조기 타결실패시 무역제재 조치가 이행될 가능성이 높아진 현싯점에서 EC 각국이 상호의 이해관계를 어떻게 조율하여 대미협상을 위한 CONSENSUS 를 도출할 것인지 귀추가 주목됨. 끝

(대사 권동만-국장)

예고: 92.12.31. 까지

PAGE 2

0034

이서은 ✓

외 무 부

종 별 :

번 호 : USW-5489

일 시 : 92 1109 2026

수 신 : 장 관 (봉이, 통기) 미일, 경기원, 농수산부, 경제수석, 외교안보)

발 신 : 주 미 대사

제 목 : 주요 봉상 문제

일반문서로 재분류 (19 92 . 12. 31

연 : USW-5488

1. 연호, 당관 장기호 참사관은 11.9. N. ADAMS USTR 부대표보를 면담, CLINTON 신행정부의 대외봉상정책에 관해 의견을 교환한 바, 동인 언급요지 아래 보고함.

가. 미국의 대외봉상 정책은 앞으로 누가 봉상정책을 다룰 책임자로 임용되느냐에 영향을 받겠으나 기본적으로 큰 변화 없이 기존의 정책을 유지해 나갈 것으로 봄.

나. CLINTON 대통령 당선자가 SUPER 301 조 법안 지지등의 발언을 한 것은 선거 과정에서 있었던 일이므로 그대로 실행될것인지는 두고 보아야 할 것이나, 미국은 과거에 이미 SUPER 301 조 협상을 가졌던 전례가 있으므로 SUPER 301 조 부활은 반드시 불가능한 것만도 아님.

다. 앞으로 2 년내에는 미국의 대외봉상부서의 조직이 개편될 가능성이 있는 바, USTR 은 제한된 소수 인력에 업무는 과중하게 늘어나고 있어 효율적인 업무 수행이 어렵다는 지적이 나오고 있어, 대외봉상업무를 총괄 조정하는 대외 봉상부(DEPARTMENT OF TRADE) 를 신설하자는 의견이 나오고 있어 주목됨.

라. USTR 내에서는 5-6 명의 간부 경질이 예상되는 바, HILLS 대표, MOSKOW부대표, KATZ 제네바 협상 대사 및 SORENI 섬유협상 대사, EDISON 법무 실장등이 교체될 것으로 봄.

2. 미.EC 간의 OILSEED 분쟁과 관련 ADAMS 부대표보는 미국의 보복조치 발표에 대해 EC 가 즉각적인 대응을 피하고 있는 바, 이는 EC 의 대응조치가 UR 협상의 파국등 전세계에 미치는 영향이 심대하기 때문에 신중한 검토를 하고 있는 것으로 보이며, 아직 EC 측으로부터 공식적인 제안은 없으나 금주중 양측이 재차접촉 할 계획이 추진되고 있는 것으로 감지되고 있다고 언급함.

3. 동 부대표보는 11.7. 자 WASHINGTON POST 지의 별첨 기사를 인용, 미.EC 간의

통상국 분석관	장관 정와대	차관 안기부	2차보 경기원	미주국 농수부	경제국	통상국	외연원	외정실

PAGE 1

* 원본수령부서 승인없이 복사 금지

92.11.10   12:13

외신 2과 통제관 FT

0035

CHICAGO 회담은 마지막단계에서 DELORS EC 집행위원장의 개입이 없었다면 5 분 안에 협상이 타결될수 있었다고 언급한 MACSHARRY EC 집행위원의 말을 설명 하면서, USTR 은 동 CHICAGO 회담을 진정한 돌파구 마련의 기회로 생각하였다고 강조함.

자신의 판단으로는 앞으로 불란서의 태도가 완화되지 않을수 없을 것으로 보며, 결국 EC 는 협상의 테이블로 돌아와 금년중 UR 협상 타결의 가능성이 예상된다고 언급함.

　　　첨부: USW(F)-7119 (2 매)
　　　(대사 현홍주 - 국장)
　　　예고: 92.12.31. 까지

USR(F) : 1119   년월일 :   시간 :

수 신 : 장 관 (통이, 미안, 통기) 사본 : 경기원,
                          농수산부경제수석, 대책반

발 신 : 주미대사

제 목 : 청보 (2/부)

(출처 : WP 11/7/92)

보	안
통	제

Europe Weighs Path In Trade Rift With U.S.

By William Drozdiak
Washington Post Foreign Service

PARIS, Nov. 6—France today urged its European Community partners to retaliate against American trade sanctions, claiming the United States will acknowledge the Community's ambitions to become a world power only when it stands up for its own interests.

The EC's 12 foreign ministers decided to meet Monday in Brussels to discuss a list of counter-measures and to thrash out a common position in the trade crisis, which erupted when negotiations to find a compromise in a dispute over farm subsidies broke down in Chicago on Tuesday.

Meanwhile, the world's leading trade body, the 105-nation General Agreement on Tariffs and Trade (GATT) announced that an emergency session would be held in Geneva Tuesday to discuss the "very grave situation" facing world commerce following the rupture in U.S.-European negotiations.

The prospect of a full-blown trade war, with the threat of higher inflation, lost jobs and a steeper global recession, has escalated tensions in a Community already divided over the scope and pace of its quest for political and economic unity.

France and its supporters insist that the United States is brandishing the trade war threat to drive a wedge through the Community and weaken its cohesion before the advent of a single continental market at the end of this year. Other European governments deplored the U.S. declaration that tariffs would be doubled on $300 million worth of white wine and other European imports next month unless a long-standing dispute on farm subsidies was resolved.

But Britain and Germany struck a less belligerent tone, stressing the urgent need to reach a global commercial accord and thwart the risk of a trade war that could plunge the world into deep recession.

France, which would be hardest hit if the U.S. trade sanctions came into effect, denounced the measures as illegal and insisted the Community must strike back to earn respect as the world's leading commercial bloc.

"If we laid down every time the Americans raised their finger, we would not exist," said France's farm minister, Jean-Pierre Soisson. "Americans have trouble accepting the European Community as a genuine partner. They must accept ... that we can become a great power."

Britain wants to stop any drift toward a "Fortress Europe" and says a global trade agreement must be reached as quickly as possible. But France says it will not tolerate an accord that sacrifices the welfare of its farmers.

The pressures to cut a deal have sown dissension in the ranks of the Community's executive commission, which is invested by the 12 member states with the duty of conducting trade negotiations.

Ireland's Ray MacSharry, the EC's farm commissioner, surrendered his role in the negotiations after Washington announced its sanctions. MacSharry, who said in Dublin today that a deal could be signed in "five minutes," has complained that EC Commission President Jacques Delors had interfered to block a deal.

Delors has been accused by his critics of acting too narrowly in the interests of France to sustain his aspirations of running for the French presidency in the future. He said he was "scandalized by such accusations" and blamed the United States for "not making the necessary effort to obtain a satisfactory agreement."

Elisabeth Guigou, France's minister for European affairs, said her government would demand that the Community take punitive action by targeting U.S. products for higher tariffs that would be proportionate to the American sanctions. But other Europeans warned about the dangers of embarking on a tit-for-tat policy.

"It is quite, quite awful and it would not stop there," said Britain's Trade Secretary Michael Heseltine. "Once you have list there is always another list and other people have their lists. The effect is appalling."

Britain, which holds the EC's ro-

(1119 - ん ✓)

의신 1과	
통	제

0037

tating presidency until the end of the year, desperately wants to achieve a breakthrough in the subsidy dispute

so it would clear the way for a global trade package that economists say could infuse up to $200 billion into the world economy. British Prime Minister John Major met Delors today and the two agreed that negotiations with the United States "must continue to avoid a trade war."

Germany, which is sliding into recession, also wants to achieve a global trade deal. But to the growing exasperation of some government ministers and business executives, Chancellor Helmut Kohl has been reluctant to use his clout to persuade French President Francois Mitterrand to accept a rapid conclusion to the current GATT talks, known as the Uruguay Round.

Mitterrand's unpopular Socialist government has been reluctant to provoke France's powerful farmers in advance of national elections in March. The French have balked at accepting subsidy cuts that would slash their farmers' livelihoods, and they have sought to postpone negotiations by insisting on waiting for President-elect Clinton to take office. "If we don't wait, we could end up having to negotiate twice, and give up even more concessions," said French Industry Minister Dominique Strauss-Kahn.

But other European governments fear a Democratic administration will be more vulnerable to protectionist forces and want to conclude an agreement with the outgoing government of President Bush.

Aides to Mitterrand said they are convinced French farmers would launch a violent rebellion if a deal were concluded that further cut their incomes. They have taken to the streets several times this year, blocking traffic and dumping produce, to demonstrate their anger with the Community's earlier decision to reduce subsidies.

The new tariffs announced in Washington, which will triple prices on targeted goods, caused expressions of rage from the French wine industry. The main consortium of Bordeaux wine growers declared that the higher prices would "effectively prohibit" the export of French white wine to the United States.

Officials at the U.S. Embassy in Paris said France was singled out because of its recalcitrant position in the trade negotiations. They said French exports would account for 42 percent of the exports subject to higher tariffs, followed by Italy at 31 percent and Germany at 18 percent.

7119-2-2

0038

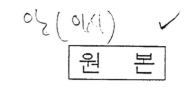

관리 번호	92-819

외 무 부

종   별 :

번   호 : USW-5472   일   시 : 92 1109 1708

수   신 : 장 관 (통가, 통이, 경기원, 농림수산부, 상공부)

발   신 : 주 미 대사   사본: 주 제네바, EC대사 (본부중계필)

제   목 : OILSEED 문제와 UR/농산물 협상 동향

대: WUS-4962

일반문서로 재분류 (1992 . 12. 31)

당관 이영래 농무관은 미 농무부 해외농업처 RICHARD B. SCHROETER 처장보와 면담, 표제관련 협상동향과 전망등을 문의한바 요지 하기 보고함.

1. OILSEED 관련 협상

- SCHROETER 처장보는 지난 11.5. USTR 에서 OILSEED 문제와 관련해서 3 억불 상당의 보복관세 부과를 발표하였으므로 앞으로의 협상진행 여부는 전적으로 EC 측에 달려있다고 말함.

- 미측은 현재 EC 의 입장 정립과 반응을 기다리고 있으며 금일(11.9) 브랏셀에서 EC 외무장관 회담이 개최되고 있고 내일(11.10) 제네바에서 TNC 회의가 있을 예정이므로 조만간 EC 의 대응책이 나오게 될 것으로 보고 있다고 하면서 미측은 상호 보복하는 심각한 상황을 피하고 협상을 통해서 문제를 해결하기를 원하고 있다고 강조하면서 EC 측이 비록 불란서가 강경한 자세를 견지하고 있지만 영국, 독일등이 협상하기를 원하고 있다고 하면서 EC 가 조만간 협상 TABLE 로 나오게 되기를 기대하고 있다고함.

- 또한 미측은 금번의 OILSEED 문제와 관련하여 보복관세를 부과한 것은 지난 5 개년간에 걸쳐 2 번이나 GATT 에 제소하여 미측이 승소되었고 EC 측과의 협상실패에 따라 상기 조치가 불가피했다고 하면서 EC 측이 적절한 대책을 강구하지 않고 계속 협상을 지연시킬 경우에는 10 억불 범위내에서 추가 보복도 가능할것으로 본다고 하면서 미-EC 간에는 OILSEED 관련 생산량과 면적 동시 감축분야에서 약간의 진척이 있었으나 아직도 생산량의 감축 수준에서 계속 이견이 맞서고 있다고 말함.

2. UR/ 농산물

- SCHROETER 처장보는 USTR 의 CARLA HILLS 대표가 말한바와 같이 금년내에UR

통상국	장관	차관	2차보	미주국	통상국	분석관	청와대	안기부
경기원	농수부	상공부	중계					

PAGE 1   92.11.10   09:18

* 원본수령부서 승인없이 복사 금지   외신 2과 통제관 BX

0033

협상이 마무리 되기를 바라고 그 가능성도 있다고 하면서 이를 위하여 미국과 EC 간에 농산물 관련 협상이 조기에 타결되어야 할 것이라고 하면서 미측이 EC 와 지난번 협상할때 INTERNAL SUPPORT 분야에서 CAP REFORM 의 영구면제를 허용해 주는 양보조치를 하였으므로 금번에는 EC 측이 양보해야 할 것이라고 말하면서 EC 측은 그동안 양보한 것이 아무것도 없다고 말하였음.

- 동 처장보는 또한 미측은 OILSEED 와 UR/ 농산물 협상을 분리하여 협상을진행시킬 수도 있으나 EC 측이 PACKAGE 로 협상하기를 원하고 있다고 하면서 UR 협상관련 수출보조금 및 국내보조금 감축, REBALANCING, PEACE CLAUSE 등이 계속 주요 협상 과제라고 말함.

3. 앞으로의 전망

- SCHROETER 처장보는 OILSEED 문제와 UR 협상 전망 문의에 대해서 우선 OILSEED 문제를 먼저 해결해야 할 것이라고 하면서 현재 모든 분야가 불확실한 상황(UNCERTAINTY)에 있으므로 이를 전망하기는 어렵다고 말하고 양자간에 정치적 의지 (POLITICAL WILL)가 무엇보다도 중요하다고 강조함.

- 또한 CLINTON 의 미국 대통령 당선과 관련하여 아직은 그의 무역정책이 구체적으로 제시되지 않았으므로 현시점에서 그의 UR 협상에 대한 견해와 우선순위등에 대하여 의견을 말하기는 어려우며 앞으로 무역관련 분야의 조직개편, 각료 임명과정등에서 그의 무역정책이 구체적으로 제시될 것으로 보고 있다고 하면서 UR 협상의 조기 마무리 문제는 사실상 시간이 촉박할수 있다고 하면서 이에따라 신행정부는 FAST TRACK AUTHORITY 의 연장도 가능할 것으로 본다고 말함.

- 동 처장보는 현시점에서 미측의 UR 협상에 대한 입장은 종전과 동일하다고 말하면서도 모든 것이 불확실하므로 EC 의 반응등 좀더 사태의 추이를 보아가면서 상기 문제들을 해결해 나갈수 밖에 없다고 말하였음을 참고바람. 끝.

(대사 현홍주-국장)

예고: 92.12.31. 까지

이시일

외 무 부

종 별 :

번 호 : JAW-6011   일 시 : 92 1109 1837

수 신 : 장관(통기, 통이, 농수산부, 사본: 주제네바대사 - 중계필)

발 신 : 주일대사 (일경)

제 목 : UR 협상 전망등

대 : WJA - 4705

대호, 당관 황순택 서기관은 11.9(월) 주재국 외무성 국제기관 1 과 "사또"과장보좌를 접촉, 표제관련 동향 및 주재국 입장에 관해 의견교환한 바, 동내용 아래 보고함.

1. 미.EC 간 OIL SEEDS 관련 협상결과 (시카고)

0 미측은 EC 의 OILSEEDS 생산량을 900 만톤까지 삭감함과 동시에 경작면적축소를 요구한 반면, EC 측은 총생산량의 삭감 한도 설정약속은 곤란하며, CAP 에 의한 경작면적 축소입장 개진

0 결국, EC 의 OILSEEDS 생산량의 삭감 자체에는 상당한 의견 접근이 있었으나, 삭감방법에 있어 미측은 경작면적 축소만으로는 생산량을 정확히 규제할 수 없으므로, 총생산량 규제 조치를 함께 요구한 바, 이에 EC 측이 반발 협상이 결렬됨.

2. 미국의 대 EC 제재 조치

0 11.5. 미국의 대 EC 제재조치는 미국이 주장하는 손해액 10 억불에 미달하는 3 억불에 불과하며 또한 30 일간의 유예기간을 부여하는 등 예상보다 다소 가벼운 제재조치인 한편, 미측은 자동차 타이어, 동관등 공업제품에의 추가 제재조치 검토 의사를 동시에 표명하고 있어, 금번 미국 조치의 의도는 EC 의 양보를 얻어내고자 압력을 가하는데에 있는 것으로 보인다는 견해가 있음.

0 ~~또한, EC는 미측조치가 GATT 위반이며, 금후 협의 계속을 어렵게 만들 것이~~ 또한, EC 는 미측 조치가 GATT 위반이며, 금후 협의 계속을 어렵게 만들 것이라는 경고성 발언을 하면서도, 각국으로부터 금번 논쟁의 책임이 EC 측에 있다는 비판을 의식하고 있어, 협상재개를 통해 해결점을 찾을 것이라는 견해도 있음.

0 그러나, EC 는 현재 맥셔리 장관의 사임 표시등 내부 대립이 심각하고, 프랑스가

통상국   장관   차관   2차보   이주국   통상국   분석관   정와대   안기부
농수부   상공부   중계

92.11.09   19:23

외신 2과 통제관 DI
                                                              0041

내년 3 월 총선거를 앞두고 강경자세를 견지하고 있어 년내 타협점 모색은 어려울 것이라는 의견이 다수. 또한, 금후 문제는 EC 의 대미 보복조치 발표 여부에 있는 바, 주재국은 EC 측이 금번에 대응조치를 취하지 않을 것으로 보며, 이러한 상태에서 내년 2 월 클린톤 신정권과 교섭, 사태 수습을 도모할 것으로 전망하나 금후 EC 및 회원국가가 불란서를 어떻게 설득할 것인가가 문제해결의관건이 되고 있다고 함.

3. 미국 대통령 선거 결과가 미치는 영향

0 클린톤 정부는 UR 협상 진전을 기본적으로 지지하는 입장으로 이해되고 있으나, 조기 추진설 또는 "파스트트랙" 재연장을 통한 추진설등이 병존

0 또한, 미국 현정권과 신정권간의 협조를 전제로 할 경우, 미측이 금번 대EC 제재 조치를 실행에 옮길 것인가 또는 EC 와의 타협을 구할 것인가 하는 것이, 금후 클린톤 신정부의 대 UR 자세를 예측할 수 있는 척도가 될 것으로 보고있음.

0 한편, 클린톤 차기 대통령은 금번 미.EC 논쟁관련 구체적 언급을 회피하고 있으며, 또한 정권이양 기간 중에는 특별한 움직임을 보이지 않을 것으로 전망되고 있으나, 그의 측근은 클린톤이 불공정한 외국의 통상정책에는 강경 수단 으로 대처할 생각을 갖고 있다고 말하고 있어, 금번 부시대통령의 조치를 기본적으로 지지하고 있음을 간접적으로 시사하고 있음.

4. 주재국의 UR 협상에 대한 전망과 입장

0 주재국은 OIL SEEDS 를 둘러싼 미-EC 분쟁관련, 미측의 사태해결 노력 (보복승인 요청, 30 일간 유예조치 등)을 평가하는 한편, 과거 2 차례에 걸쳐 GATT위반 판정을 받은 바 있음에도 불구하고 개선조치를 취하지 않고 있는 EC 측에문제가 있다고 평가

0 주재국은 기본적으로 미측 제시의 30 일 유예기간 중 양측이 대화를 재개하여 타협점을 찾기를 희망하고 있으나, 상호간 양보하기 어려운 점이 많아 결국 UR 의 년내 해결은 곤란할 것으로 전망

0 한편, UR 교섭은 농업 교섭만이 아니므로, GATT 내 다국간 협의를 계속 추진 하여 농업이외 분야에서의 구체적 시장개방 약속을 축적해 나가는 것이 중요 하다는 입장

0 쌀시장 개방관련, 금번 미-EC 간의 분쟁으로 관세화를 통한 쌀시장 개방문제 논의는 뒤로 밀려날 것으로 보는 일부 견해도 있음. 그러나, 미-EC 분쟁으로 UR 교섭 진전이 어려워질 경우, 미정부가 전 미 정미업자협회 (RMA)의 수퍼 301조에 의한 제소요청을 수락하게 되어, 쌀시장 개방문제는 일-미 2 국간의 문제로 전환될

가능성이 있음을 우려, UR 협상의 테두리에서 해결을 위한 대책 마련이 필요하다는
입장. 끝

　　(대사 오재희-국장)
　　예고: 92.12.31. 까지

이시.02

```
관리
번호  92-816
```

외 무 부

종 별 : 긴 급

번 호 : GVW-2110

일 시 : 92 1109 2200

수 신 : 장관(통기,통이,통삼,경기원,재무부,농수산부,상공부)

발 신 : 주 제네바 대사 사문:주미,EC,독,영,불대사(중계필)

제 목 : UR 그린룸회의

연: GVW- 2105

1. 표제회의가 금 11.9(월) 재소집되어, 명 11.10 TNC 회의에서 DUNKEL 총장이 발표할 STATEMENT 내용 및 동 TNC 회의 운영방안(토의 개방 여부)를 협의함.

2. STATEMENT 초안에 대해서는 미국, 호주등 일부국이 내용 및 표현상의 일부 문제점을 제기한 이외에는 별다른 이의 제기는 없었음.

3. TNC 회의 토의 개방문제에 관해서는 미국, 호주를 제외한 대부분 국가가개방에 반대하였으나, 지나치게 사전 협의된 각본에 따른다는 인상을 주는 것은 바람직 하지 못하다는 고려도 작용, 발언기회는 부여하나 동 행사는 가급적 자제(특히 금일 회의 참가국)하는 것으로 대체적 의견이 모아짐(DUNKEL 총장의 강력한 희망표시)으로서 명일 TNC 회의에서는 미국, EC 와 기타 일부국(예: ASEAN 대표, 중남미대표, G7 앞 공동선언 주도국인 호주)의 제한적인 발언이 있을 것을 전망됨

4. 회의 세부토의 내용은 아래와 같음.

가. DUNKEL 총장은 연호 11.6 회의 결과 DUNKEL 총장이 미.EC 양측에 다수국의 우려 전달 필요성 및 구체적 협상 추진 계획 제시전 미.EC 의 의지확인 필요성의 2 가지 요소에 대체적인 합의가 있었다고 보아, 이에 입각 최대한 객관적입장에서 아래 요지의 초안을 작성하였다고 하면서, 동 내용 및 TNC 에서의 토의 개방 여부에 관한 의견 개진을 요청

1) 지난 1.13 TNC 회의에서 4 TRACK APPROACH 를 채택한 이래 4 월 비공식 TNC 개최등을 포함 동 방식적용을 위해 최대 노력하였으나 상금 성과없음을 상기

2) 최근에 와서는 현존 다자무역 체제(현 GATT)의 존립마저 위협할 정도로 상황이 더욱 악화

3) GNG, GNS 등에서의 다수 미결과제 체제(현 GATT)의 존립마저 위협할 정도로

통상국	장관	차관	2차보	통상국	통상국	분석관	정와대	안기부
경기원	재무부	농수부	상공부	중계				

PAGE 1

92.11.10   06:42

* 원본수령부서 승인없이 복사 금지

외신 2과 통제관 FK

0044

~~상황이 더욱 악화~~

3) GNG, GNS 등에서의 미결과제 상존 상황에 비추어 미.EC 간 정치적 돌파구가 마련되더라도 시기적으로 촉박.

4) 현상황에 변경이 없을 경우 구체적 협상 계획을 제시한다 하더라도 생산적 결과를 기대하기 어려우며 오히려 신뢰성 저하등 역작용 우려

5) 이러한 상황타개를 위해 GENEVA 에서 다각적 협의결과, 다수국은 다자협상 절차 재개시 적극 참여 용의를 표명하고 있으나(긍정적 측면), 동 다자절차를가능케할 미.EC 가 합의가 이루어지지 못하고 있음.

(FAILURE) 에 대한 공통적 우려 확인(부정적 측면)

6) UR 성공 기회상실등에 관한 위기감 고조 및 선.개도국 공히 현상황 타개필요성에 대한 긴박감 공유

7) 상기에 따라 TNC 는 아래와 같은 결론에 도달

가) TNC 대다수국의 참여 용의가 있음에도 불구, 합의된 다자협상 MECHANISM 이 가동되지 못하고 있는 현상황을 위기로 인식

나) 동 상황은 대부분 미.EC 가 양자적 해결을 보지 못하고, 다자 협상에 대해서도 양자협상 결과와 연계 성의를 보이지 않고 있는데 기인

다) 더이상의 다자협상 가동지연은 UR 의 실패를 초래 가능

라) DUNKEL 총장이 TNC 회의의장 자격으로 미.EC 양측에 대해 다수 참가국의 우려전달 및 다자협상이 재개될수 있도록 협조 촉구, 필요

마) 동 결과 모든 국가의 다자협상 참여 의지가 확인되는 경우, TNC 회의 의장이 금년말까지 협상 종결에 필요한 구체적 협상 계획을 제시해 줄것을 요청

나. 아국, 일본, 인도등이 토의개방 여부 결정에 앞서 상기 TEXT 배포를 요청하였으나 DUNKEL 총장은 동 배포는 문제를 악화시킬 것이라 하면서 배포할수 없음을 양해해 줄것을 요청

다. STATEMENT 내용과 관련 EC 는 다자적 책임 부각이 미흡하다는 점을 언급, 미.EC 의 합의실패 사실만을 부각시킨데 대한 불만을 간접적으로 표시하고, 미국은 양국간 합의실패가 대부분이 EC 측에 기인함을 강조하고 현 표현(FAILUREOF THE US THE EC)대로 하면 미국으로서는 문제점을 지적치 않을수 없다는 입장을 표명, 동 표현의 완화를 요청하였으며, 호주는 상기 나)항의 표현이 지나치게 강하다는 우려를 표명하였으나, 대부분의 국가는 내용에 대해 별다른 이의 제기를 하지않음.

라. 토의 개방 여부에 관해서는 북구, 브라질, ASEAN, EC 및 일본이 토의개방 불원입장(특히 일본은 강력히 반대, EC 도 개방 불원입장을 전제한후 개방을 굳이 반대할 의사는 없으나 EC 한 성토되는 결과가 될 경우 강력히 반박할 것임을 누차 강조, 여타국이 발언을 자제해 주기 바라는 입장을 분명히 함), 미국은 1.13 TNC 이후 최초의 TNC 임을 감안시 발언이 없는 것은 오히려 부자연스러우며, 특히 미측이 지적한 **내용상의** 문제점이 시정안될 경우 발언할 수 없다고 하면서, 발언 개방을 희망하고, **호주도** 발언 기회를 부여하는 것이 유용하다는 입장을 개진함. 싱가폴, 인도등은 각지역 또는 그룹 대표드에 대한 제한적 개방 방안을 제시함.

마. DUNKEL 총장은 회의결과를 종합하면서, 의장 입장에서 토의를 개방치 않을수 없으므로 토의는 개방하겠으나, FULL DEBATE 가 되면 곤란하므로 금번 TNC 의 목적이 협상 진행에 필요한 계기(INPACT)를 부여하자는데 있음을 고려, 발언을 자제하거나 발언시에는 자신의 STATEMENT 를 지지해주는등 SELF-DISCIPLINE를 강력히 희망함(STATEMENT 내용에 대한 일부지적은 신중히 고려 하겠다고 함)

사. 본직은 10.27 그린룸 회의시 본직이 DUNKEL 총장의 적극적인 개입을 요청했던바를 상기 시키고, 단순한 우려 전달차원의 개입만 아니라 적극적인 거중 조정(MEDIATION) 노력도 아울러 필요할 것으로 본다는 의견을 피력을 첨언함. 끝

(대사 박수길-국장)

예고:92.12.31. 까지

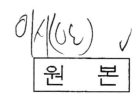

외 무 부

종 별 :

번 호 : FRW-2290 　　　　　일 시 : 92 1110 1840

수 신 : 장관(봉기 경일 경기원 농수산부, 상공부) 사본:주EC, 제네바대사-필

발 신 : 주 불 대사

제 목 : UR 협상 동향

　　11.9. EC 외무장관 회담후 당지 대부분의 언론은 불란서의 기 존입장에 변화가 없는것으로 평가하고 있는 반면, LE MONDE 지는11.11.자 사설을 봉 해 금번 회담에서불란서가 유화적인 태도를 취한것으로 보고 협상의 년내타결 가능성이 어느때보다 커졌다고 보도하였는 바주요내용 아래 보고함.

　　1. 6년을 지속한 협상은 미국에 유리한 방향으로 전개되고 있으며 11.9. EC 외무장관 회담후협상의 최대 장애인 불란서가 양보 가능성을시사함에따라 최초로 UR 협상의 년내 타결가능성을 예견케하고 있음.

　　2. DUMAS 외상은 농산물 협상의 재개에 동의하였는 바, 일주일전 시카고에서 EC가미국에 제의한 양보보다 미국에 불리한 내용으로 협상이 타결되리라고 기대할수는없음.

　　3. 또한 동 장관 스스로 EC 집행위에 대해대미 타협안이 CAP 개혁안과 양립될수있는지 여부를 검토토록 요구하였는 바, EC 집행위는 불란서를 안심시킬 수준의 검토안을 만들어 낼것임.

　　4. EC 회원국, 특히 독일은 불란서에 대해 현재와 같은 세계적 경기침체 상황에서 미국과의 무역전쟁은 피해야 함을 강조하여왔는 바, 불란서가 이러한 회원국의 요청을묵살하는 것은 '마스' 조약 비준을 위태롭게하는한편 불.독간 관계 악화등 EC 내 심각한위기를 초래할수 있음. 영국 MAJOR 수상은 이러한 위기를 부채질하고 있으나, 불란서로서는 이를 원하지 않고 있음.

　　5. UR 협상의 타협안은 균형되지도 공평하지도않을 것이며, 미국은 지금까지 전혀 그러한 내용의 타결은 생각지도 않았음.

　　6. 이미 시카고 회담에서의 EC 의 양보내용은 CAP개혁범위를 초과함으로서 농민최 희생을 강요하게 되었는 바, 불 정부로서는 농민단체와 야당에 대해 설득하는 일만이

통상국　　　　경제국　　　　경기원　　　　　농수부

PAGE 1 　　　　　　　　　　　　　　　　　92.11.11　　07:07 FM

　　　　　　　　　　　　　　　　　　　　　　외신 1과 통제관

　　　　　　　　　　　　　　　　　　　　　　　　0047

남아있음.

　7.　이러한 설득이 어느정도의 성공 가능성을 갖기위하여는 CAP 개혁안을 초과한농민의 희생을 회원국간 분담하도록 하는 방안등대책을 모색하는 것이 필요하게 되었 음. 끝

　　(대사 노영찬-국장)

관리
번호 92-821

이시이(?)

외 무 부

종 별 :

번 호 : FRW-2289

일 시 : 92 1110 1840

수 신 : 장관(통기,경일,경기원,농수산부,상공부),사본:주EC,제네바대사(필)

발 신 : 주 불 대사   -직송필

제 목 : UR 협상 동향

일반문서로 재분류(발) 92.12.31

연:FRW-2269

11.9 브랏셀 개최 EC 외무장관 회담에서 협의된 UR 농산물 협상 내용 및 동일 저녁 미테랑 대통령의 특별 TV 기자회견중 UR 관련 언급내용 아래 보고함.

1. EC 외무장관 회담에서는 미.EC 간 농산물 분야협상을 조속히 재개토록 하는 한편, 불란서가 주장해 즉각적인 대미 대응보복 리스트 작성은 수용치 않고 미국이 12.5 보복조치 집행시 이에 대응한다는 일반원칙에만 합의한 것으로 알려짐.

2. 상기 회담결과와 관련, 불란서는 비록 미국에 대한 강경대응 요구가 관철되지는 않았으나 미국의 압력에 대한 EC 의 대응입장이 어느정도 표시된 것으로 평가하고 자국 입장에 대해 스페인, 벨지움, 폴투갈, 그리스등의 동조를 득함으로써 EC 내 최악의 고립사태는 일단 방지하는데 성공한 것으로 분석하고 있음.

3. 또한 불란서는 EC 집행위의 협상 MANDATE 와 관련, 집행위가 미국과 합의할 내용과 92.5 월 EC 공동농업정책(CAP) 개혁 내용간의 구체적 비교안을 작성하여 대미 협상타결 전에 EC 농업장관들이 상호 양립 여부를 평가하도록 함으로써 미측에 대한 양보의 한계를 설정토록 시도함.

4. 그외에도 불란서는 EC 로 하여금 UR 협상이 "협상 전반에 걸쳐 균형있게" 타결되어야 한다는 입장을 재차 천명케 함으로써, 농산물 협상의 타결을 위하여는 여타 협상분야(특히 시장개방 및 써비스)에서의 가시적 성과가 선행 또는 병행 되어야 함을 재확인 함으로써, 추후 EC 집행위가 농산물 분야에 촛점을 맞추어 무리하게 대미 협상 타결을 시도할 경우에 제동을 걸수있는 명분을 구축함.

5. 한편, 11.9 미테랑 대통령은 당지 TV 회견에서 미국과의 협상타결 필요성을 강조 하였으며, 불란서가 UR 협상에 있어 고립된다면 이는 매우 위험한 일이 될것임을 경고하면서도 미국의 보복조치시 EC 의 대응보복 필요성에 공감함. 또한 동 대통령은

통상국	장관	차관	2차보	경제국	외정실	분석관	청와대	안기부
경기원	농수부	상공부						

PAGE 1

92.11.11   04:56

외신 2과 통제관 BZ

0049

협상타결을 위해서는 미국의 양보가 필요하며(구체적으로 REBALANCING 언급), EC 내 불란서의 고립을 통해 협상타결을 시도해 갈수는 없을 것임을 지적함. 끝.

　　　(대사 노영찬-국장)

　　　예고:92.12.31. 까지

이시(었) ✓

외 무 부

관리
번호 12-830

종   별 :

번   호 : ECW-1424   일   시 : 92 1110 1830

수   신 : 장 관(봉기,봉삼,경기원,농수산부,상공부)

발   신 : 주 EC 대사   사본: 주 미, 제네바대사-중계필

제   목 : GATT/UR 협상동향

1. EC 회원국 외무장관들은 작 11.9. 당지에서 개최된 일반이사회에서 미국의 EC 농산물에 대한 보복관세 부과발표및 UR 협상재개 문제등에 대해 논의하고, 다음 요지의 결과보고서(UR 부문 별전 FAX 송부)를 채택함

가. 이사회는 최근의 사태진전에 대해 심각한 우려를 표명하고, 미.EC 간 이견이 좁혀졌다는 집행위의 의견에 주목하면서 집행위에 대해 미국과 교섭을 계속 할 것과 UR 및 OILSEED 등 현안문제에 조속한 해결을위해 노력할 것을 촉구함

나. 또한 이사회는 미국이 제네바에서 논의가 계속되고 있음에도 불구, 30 일 사전봉고로 GATT 상의 양허를 일방적으로 철회하겠다고 발표한데 대해 큰 실망을 표명하고, 그러한 조치가 양측에 경제적으로 해로운 보복조치의 상승작용만을 초래할 것임을 경고하면서, 이러한 결과를 피하기위한 양측의 조속한 조치의 필요성을 강조함

2. 상기관련, 금번회의에서는 프랑스는 미국의 보복관세조치 단행에 대비한 EC 의 대미 보복대상 품목리스트의 즉각적인 작성을 강력히 주장하였으며, 스페인, 벨지움, 포르투갈과 그리스가 프랑스의 입장을 지지하였다 함. 이에대해 영국, 독일, 화란, 덴마크등이 현단계에서 대미 제재조치를 검토하는데 반대하는 입장을 취했으나, 12.5. 까지 협상이 타결되지 못하여 미국이 예정대로 대 EC 보복조치를 단행할 경우에는, 이들 국가들도 대미 제재조치를 지지하지 않을수 없을 것으로 보고있음

3. 따라서 EC 측은 상기 1(나) 와같이 보복조치의 가능성만을 제시하고 우선은 미국과의 협상을 통한 해결을 최대한 모색하면서 동 협상의 진전상황에 따라 필요시 구체적 보복리스트 작성등 다각적인 대처방안을 강구할 것으로 분석됨. 끝.

(대사 권동만-국장)

예고: 92.12.31. 까지

통상국	장관	차관	2차보	구주국	통상국	분석관	청와대	안기부
경기원	농수부	상공부	중계					

주 이 씨 대 표 부

299-2-1

종 별:

번 호: ECW(F)-0399   일 시: 1110 1830

수 신: 장 관 (등기.통상.경기원.농림수산부.상공부)

발 신: 주이티대사

제 목: 첨부됨

(중 애)

0052

399 -2 -2

GATT : URUGUAY ROUND

The Council heard a report from the Commission on continuing discussions both with the US Administration and the GATT. They expressed grave concerns at the dangers inherent in the presen' situation.

The Council reaffirmed the EC's commitment to a fair, global, balanced and successful GATT Agreement including substantial results not only in agriculture but also in the other areas in particul: market access and services, in line with the conclusions of the Birmingham European Council. They urged the Commission to continue discussions with the US, and to work for the earliest possible resolution of outstanding difficulties in the Round and oilseeds, noting the Commission's view that differences between the two sides had narrowed.

The Council expressed severe disappointment at US threats to withdraw, unilaterally, GATT-bound concessions, on 30 days' notice, despite continued discussions in Geneva. The Council warned that such action could only lead to a retaliatory spiral, which would damage both sides through a slump in business confidence and lost jobs. The Council emphasised the vital importance early action from both sides to obviate any need for this.

0053

이/I (요)

```
관리
번호  /2-ß22
```

외 무 부

종   별 :

번   호 : GVW-2113   일   시 : 92 1110 1900

수   신 : 장관 (봉기, 봉이, 봉삼, 경기원, 재무부, 농수산부, 상공부)

발   신 : 주 제네바 대사 사본: 주 미, EC, 영,불,독 대사 (본부중계필)

제   목 : UR/TNC 회의

연: GVW-2110

일반문서로 재분류 (1992. 12. 31

1. 표제 회의가 금 11.10(화) 던켈 TNC 의장 주재로 개최되었는바, 던켈 의장은 별첨 발언문을 통하여 (1) TNC 는 UR 협상이 현재 위기에 직면하였다는 것을 인식하고, (2) 동 위기는 대체로 미.EC 간 양자 협상의 지연이 다자협상을 촉발 (TRIGGER) 하지 못하는데 기인하며, (3) 더이상의 다자 협상의 지연은 협상의실패를 의미하는 만큼 (4) 미.EC 에 대하여 다자무역 체제에 대한 책임을 다할것을 촉구하는 동시에 (5) 던켈 의장으로 하여금 브랏셀과 워싱톤에 대하여 공식적으로 여사한 우려를 전달하고, 제네바에서 다자협상이 재개될수 있도록 협조해 줄것을 촉구하며, (6) 의장은 모든 정부가 협상에 참가할 준비가 되었다고 판단되면 조속히 구체적인 작업 계획을 제시한다는 방안을 TNC 가 승인해 줄것을요청하고 이에 대한 참가국들 의견을 문의함.

2. 우루과이, 호주, 한국등 33 개국이 발언, 현 상황이 UR 협상뿐만 아니라, GATT 체제 자체의 존립에도 중대한 위기 국면임에 인식을 같이하고, 이러한 위기 상황 극복을 위한 던켈 의장의 제안과 노력에 대해 지지의사를 표명함.

3. EC TRAN 대사는 상기 1 항의 (4) 및 (5) 에 대하여 유보의사를 표명하면서도 현상황이 위기 상황인 만큼 불행한 사태 방지를 위해 노력할 의사를 표명하고, 미국 YERXA 대사도 현 상황의 조기 수습책을 강구할 것과 파국을 피하기 위하여 건설적인 노력을 기우릴것을 촉구하는등 미, EC 모두 협상 참가국들의 의사를 존중, 계속적인 협의 용의를 표명함.

4. 던켈 의장은 금일 TNC 회의가 상기 1 항의 방안을 승인하고 만장일치로 자신의 제안을 지지해 준데 대해 사의를 표명하고, 조만간 자신의 워싱톤 및 브랏셀 방문결과를 보고하기 위하여 TNC 회의를 재소집할 예정임을 밝힘.

통상국 안기부	장관 경기원	차관 재무부	2차보 농수부	아주국 상공부	통상국 중계	통상국	분석관	청와대

92.11.11   05:05

* 원본수령부서 승인없이 복사 금지   외신 2과 통제관 DI

0054

5. 평가

가. DFA 작성과 관련 EC 의 ANDRIESSEN 집행위 부위원장으로 부터 심한 불평을 듣는등 EC 로 부터 실질적으로 기피인물로 취급되어오던 DUNKEL 의장이 금번 TNC 회의를 통하여 동인의 EC 방문을 EC 측이 수락하였다는 점은 협상 진전을위한 긍정적인 요소로 평가될수 있음.

나. 그러나 많은 협상 참가국들은 던켈의장에게 부여한 MANDATE (현 상황에대한 체약국들의 우려 전달및 미.EC 합의를 전제로 한 다자협상 가동 촉구)에도 불구하고 EC. 미국 협상의 교착이 양측의 정치적 결단 결여에 연유하는 만큼 던켈 의장의 미.EC 방문에 의한 UR 협상의 조기 타결 가능성에 대해서는 반드시 낙관적이 아님.

다. 미측의 보복조치 발동 시한인 12. 5 일까지 미.EC 측의 OILSEED 에서의극적 타결이 UR 타결로 이어질 가능성이 없는 것은 아나나 시간적으로 던켈 방문후 TNC 회의 소집이 빨라야 내주말경에 이루어진다고 볼때 설령 새로운 작업계획이 합의될 경우에도 성탄절 휴가, 시장접근 및 서비스 분야의 협상에 따른 시간적 제약등으로 인하여 UR 의 연내 타결은 어려울 것으로 전망하고 있음.

라. 또한 OILSEED 문제의 타결이 반드시 UR 협상 타결로 이어진다고 전망하기 어려운 것도 그 이유중의 하나임. 끝

첨부: 상기 발언문 1 부 끝

(GVW(F) - 677)

(대사 박수길 - 장관)

예고 92.12.31. 까지

受信 (handwritten signature top right)

주 제 네 바 대 표 부

번 호 : GVW(F) - *611*   년월일 : *21110*   시간 : *1800*

수 신 : 장 관 (*통기, 통이, 통상, 경기편, 재무부, 농수산부, 상공부*)

발 신 : 주 제네바대사   *사본 : 주미, EC, 영, 불, 독 대사*

제 목 : " *현막* "   (*중계필*)

총 *4* 매(표지포함)

보 안 통 제	

외신과 통 제	

0056

611-64

TRADE NEGOTIATIONS COMMITTEE
Meeting at Official Level
10 November 1992

REMARKS BY THE CHAIRMAN

1.   First of all, I would like to thank you all for coming here today at
short notice. The purpose of this meeting is set out in paragraph 2 of the
Airgram GATT/AIR/3368: to consider steps to be taken to advance the
negotiating process in the Uruguay Round.

2.   This is the twenty-second formal meeting of this Committee at the
level of senior officials. You will recall that the last such meeting was
held in January this year. Since that meeting, two new GATT members -
Namibia and Mozambique - have joined the list of participants in the
Uruguay Round negotiations. I would like to extend a formal welcome to
them on your behalf.

3.   At the January meeting, the Committee had a first collective
assessment of the Draft Final Act and on that basis, it agreed to move
forward on a work programme comprising four tracks to carry the negotiating
process forward in the concluding phase of the Uruguay Round.

4.   Since February this year, the agreed work programme has been in
effect. Despite strenuous efforts by the Chairmen and a great number of
participants, negotiations have never actually taken off.

5.   This state of affairs was recognized by this Committee when it met in
an informal session in April.   On that occasion, participants felt that
despite efforts at the highest political levels in key capitals, little or
no concrete progress had been achieved since January and that tracks 1, 2
and 3 were, in effect, blocked. They concluded that political
breakthroughs were urgently needed in certain central areas of the
negotiating agenda, most importantly, but not exclusively, in agriculture.
Further meetings and multilateral negotiations were organized in the hope
of achieving as much progress as circumstances would permit.

6.   Today it appears that these meetings have not yielded any concrete
results. In fact, the present situation is even more critical: unresolved
and escalating trade disputes have put under threat even the existing
multilateral trading system which is the very foundation for our ongoing
efforts in the Uruguay Round.

7.   Unless the present circumstances change dramatically, any further work
programme put in place by the Trade Negotiations Committee is not likely to
achieve concrete results and will, on the contrary, destroy the credibility
of the Geneva process.

8.   In this respect, I must, once again, point out that, even after the
essential political breakthroughs have taken place, there will be a great
deal of detailed work to be done in Geneva before the Round can be
successfully concluded as a multilateral exercise. For example,
negotiations pertaining to market access and initial commitments in
services will be technically time consuming even with the best political

Job. 2029

UR(우루과이라운드) 협상 동향 및 TNC(무역협상위원회) 회의, 1992. 전5권(V.4 11월)   63

will of all participants. We have also to fulfil other important tasks like the GNG's evaluation of the results from the viewpoint of developing countries, including the least-developed among them. All this calls for very urgent action.

9. As I already mentioned, the purpose of today's meeting is stated in the convening airgram. But before we come to this, let me give you the background against which this meeting has to be seen.

10. To begin with, I have had extensive contacts with government representatives in Geneva and in capitals, also in the context of convening and preparing for this meeting. On the positive side, these contacts have reinforced my view that all governments are ready and waiting to engage in, and rapidly conclude, the "give and take" of the multilateral negotiating process. On the negative side, an overwhelming majority of participants express deep concern and helplessness in that the European Economic Community and the United States have not been able to provide the trigger to the multilateral process in the absence of satisfactory results in their bilateral negotiations.

11. In short, there is a deep sense of crisis, since it appears that the Uruguay Round itself is in danger of being lost. In this sense, the message to the so-called G-7 countries by twenty-nine participants in the Round (MTN.TNC/W/102) is only the tip of the iceberg. In fact, the demand of a very large number of delegations representing both developed and developing economies, as well as economies in transition, for a formal Trade Negotiations Committee meeting at this juncture stems from the urgent need to address precisely these concerns and to devise a strategy for unblocking the negotiations.

12. Drawing again from my most recent consultations, I see a growing consensus in favour of the following conclusions for today's meeting:

   (i)   The Trade Negotiations Committee recognizes that the Uruguay Round is faced with a crisis and that the negotiating machinery set up by the Committee remains blocked;

   (ii) The TNC notes the widespread feeling among members that the blockage is largely due to the inability of the European Economic Community and the United States to provide the trigger for the multilateral process in Geneva in the absence of satisfactory results in their bilateral negotiations;

   (iii) The TNC expresses dissatisfaction with this state of affairs, first, because the Uruguay Round is a multilateral undertaking with a large number of major national interests involved, and second, because further delay in activating the multilateral negotiating process might mean failure which neither the world economy nor the participating governments can afford;

0058

(iv)   The TNC appeals to the European Economic Community and the United States, the two major trading entities in the multilateral trading system, to discharge their responsibilities in safeguarding and maintaining this system;

(v)   The TNC requests its Chairman at the official level personally to bring these concerns to the notice of the authorities in charge of the Uruguay Round in Brussels and Washington and to urge their cooperation in restarting multilateral negotiations in Geneva. The Committee further requests the Chairman to keep it informed of the results of these contacts.

(vi)   And, finally, the TNC asks its Chairman to propose a concrete work programme as soon as developments indicate a genuine readiness by all governments to engage in substantive negotiations in Geneva on the basis of transparency and mutual trust.

13.   If the elements I have just outlined have the consensus of this meeting I propose that the Trade Negotiations Committee approve them without any further delay. I shall, of course, be calling a meeting of this Committee in the near future to report on developments.

14.   The floor is now open.

0059

외 무 부

종 별 :

번 호 : CAW-0735   일   시 : 92 1111 1800

수 신 : 장관(봉기)

발 신 : 주 카이로총영사대리

제 목 : UR 협상전망

대:WCA-0561

대호관련, 당관 한재철 부총영사는 금 11.11(수)오전 주재국 외무부 RAOUF SAAD국제경국장을 방문 UR 협상에 대한 전망을 문의한바, 동인의 발언요지를 아래와 같이 보고함.

가. UR 협상을 크게 낙관할수는 없지만, 합의에 실패하면 제2차 세계대전의 경우에서처럼 무역전쟁이 발생, 미국이나 EC 양측 모두가 패자가 되기때문에 결국 미국의 보복조치가 가해지기 전에 양측은 곧 타협할 것으로 보여 현재의 과정은 실패냐 성공이냐의 이분법적인 사고보다, 누가 어느 기간동안 얼마만큼 양보하느냐로 판단되는 문제로 본다고 함.

나. 미국 정책에 대한 불란서의 강력한 반대로 난관에 봉착하고 있는 EC 는 과거처럼 미국의 압력에 굴복한다는 인상을 주지 않으려고 하고있으나, 현재 EC 의 여타국가들이 불란서의 농업 보조금 정책에 찬동하지 않고 있으며, 또한 불란서의 미테랑 대통령도 대내 정치를 고려, 대외적으로 강력한 입장을 표명하고 있으나, 차기 CLINTON 미행정부가 집권하면 더욱 보호적인 경제정책을 취할 가능성이 크므로 FAST TRACK법이 실효하기전 미국과 타협하는것이 유리한 것으로 판단하고 있을것임.

다. 미국으로서도 UR 이 실패하면 EC, NAFTA 의출현으로 아세아 및 라틴아메리카제국의 지역적인 경제불록화 현상이 대두될 것이며, 대의회에서 포괄적인 FAST TRACK 법에 의한 대외통상 교섭권을 수임받은 현 시점에서 본 문제를 타결시키는 것이 미국 및 세계경제에 도움이 될것으로 보고 있을것이며, EC 에 대한보복 제재를 취한다는 위협하에 동 협상 타결을 서두를 것으로 봄.끝.

(총영사대리 한재철-국장)

통상국

PAGE 1   92.11.12   07:49 FM

인간

외 무 부

종   별 :

번   호 : GVW-2121   일   시 : 92 1112 1800

수   신 : 장관(통기,통이,통삼,경기원,재무부,농수산부,상공부), 사본: 주미,

발   신 : 주 제네바 대사   EC, 영, 불, 독대사-중계필

제   목 : UR 협상

1. 11.5 미국의 대 EC 1 단계 보복조치 시행계획 발표, 11.10 TNC 회의에서의 DUNKEL 총장의 중재 노력에 대한 MANDATE 부여 이후, 미.EC 및 GATT 사무국으로 부터 미.EC 간 정치적 돌파구 합의 및 이에 따른 UR 협상의 급진전 가능성이 조심스럽게 언급되고 있음.

가. 금 11.12(목) 브랏셀을 방문, MCSHARRY, ANDRIESSEN 과 11.16(월)에는 워싱턴을 방문 CARLA HILLS, MADIGAN 장관과 각각 회담 예정인 DUNKEL 총장은 수주내 협상의 급진전 가능성을 언급함.

나. 내주 미, EC 간 합의 가능성을 언급하고, DELORS 위원장도 에딘버러 정상회담 이전 타결 가능성을 언급하는등 태도의 변화를 보임.

다. 미국도 종전의 EC 비난태도를 완화하면서, 조만간 타결 가능성이 있음을 조심스럽게 언급함.

2. 상기와 같이 최근 수일간 UR 협상에 대해 다소 낙관적 전망이 대두되고 있는 배경에는 아래 요인이 작용한 것으로 보임.

가. 미국의 대 EC 보복조치 위협의 주효

- 미국은 보복대상 품목 선정에 있어 신중 (불란서 편중지양, 독일이해 품목도 포함등)을 기하면서도 12.5 까지 타결되지 않을경우 동 시행을 강행하겠다는결의를 확고히 내보임으로써, EC 의 내부입장 변화, 특히 불란서의 강경입장 완화를 유도할 수 있었음.

- GATT 이사회, TNC 등 에서도 EC 가 수세에 몰림

나. 불란서의 입장 변화

- 무역전쟁으로서의 확대 위험에 직면하여, 독일이 불란서에 대한 영향력 행사에 대해 다소 적극적인 자세로 임하고 있음.

통상국 안기부	장관 경기원	차관 재무부	2차보 농수부	아주국 상공부	통상국 중계	통상국	분석관	청와대

- 불란서로서도 EC 내 고립 회피 및 MAASTRICHT 조약 비준과정에 대한 악영향 방지등을 위해 UR 에서 신축성을 보이는 것이 현명하다고 판단했을 가능성 (CAP 개혁의 범위를 벗어나지 않는다면 수락용의 표명)

다. MCSHARRY 위원의 입장 강화

- MCSHARRY 위원이 11.11. DELORS, ANDRIESSEN 과 3 차 회담을 가진후 다자협상의 임무를 수행키로 동의함으로써 집행위 내부에서의 동 위원의 협상 권한이 강화됨.

3. 이에 따라 당지 협상 대표들은 DUNKEL 총장의 미.EC 방문 및 내주 미.EC 간 협상결과에 따라 조만간 당지에서의 다자협상이 본격가동, 년말까지 전체적인POLITICAL PACKAGE 에 합의함으로써 미국의 FAST TRACK MANDATE 시한까지 UR 협상이 종결될수 있을 가능성이 높아지는 것으로 보고 이에 대한 대비를 하고 있는 분위기임을 참고로 보고함. 끝

(대사 박수길-국장)

예고: 92.12.31. 까지

외 무 부

종 별 :

번 호 : USW-5546   일 시 : 92 1112 1910

수 신 : 장 관 (봉이,봉기,봉일,경기원,재무부,농림수산부,상공부)

발 신 : 주 미 대사

제 목 : 주요 통상문제

1. 당관 장기호 참사관은 11.10. INSIDE US TRADE 지의 편집장인 JUTTA HENNIG 와
오찬을 갖고 통상문제관련 상호 관심사에 의견교환을 가진바, 요지 아래보고함. (이하
동인의 발언요지)

가. CLINTON 정권하에서는 중국 및 일본문제가 큰 문제로 부각될 것이며, 특히
중국문제가 더 큰 비중을 차지할 것임.

이에 대비 중국은 명년 6 월에 시한이 도래하는 MFN 재연장을 위한 로비활동을
강화시키고 있으며, 일예로 미국내 각종 관련단체등으로 하여금 CLINTON 이MFN 연장을
거부하지 않도록 종용하는 편지를 보내게 하는등 적극적인 로비 활동을 추진할 것으로
예상.

나. 한국은 상기 일본 및 중국과는 달리 큰 현안이 없지만, CLINTON
당선자출신주인 아칸소주가 쌀등 농산물의 주요 생산지이므로 쌀시장 개방문제가
대두될 가능성이 있으며, 이 경우 일본과 한국 모두가 해당될 것임.

다. UR 관련 USTR 등부터 파악한 바에 의하면 EC 내 고립을 원치않는 불란서가
종래의 강경한 입장에서 후퇴할 것이며 이에따라 결국 EC 가 협상 TABLE 로돌아올
것으로 보며, OILSEED 문제 타결을 위한 미.EC 간 협의는 아마 내주초경이 될 것으로
예상.

라. OILSEED 문제가 원만히 타결된다면 UR 협상이 일단 새로운 활기를 찾을것으로
보지만, 내년 3 월에 선거가 예정되어 있는 불란서의 입장이 얼마나 완화될 지는
미지수이기 때문에 UR 협상의 금년내 타결 가능성도 미지수임. DUNKEL사무총장의 미국
방문은 분위기 조성에는 도움이 되겠지만 큰 영향을 미칠 것으로는 보지 않음.

마. CLINTON 당선자도, UR 협상 타결이 지연되면 내년 FAST TRACK AUTHORITY
연장시 의회가 동 연장에 여러가지의 조건을 요구하게 되어 상당한 부담을

통상국 안기부	장관 경기원	차관 재무부	2차보 농수부	미주국 상공부	통상국	통상국	분석관	정와대

PAGE 1

92.11.13 10:08

외신 2과 통제관 BX

0063

안게되므로, 금년 또는 대통령 취임전까지는 어떤 형태로던 UR 타결을 바라고 있으며, UR 타결에 대해서는 이를 BUSH 대통령의 책임으로 돌리려는 HANDS OFF POLICY 를 견지할 것임.

2. HENNIG 편집장에게는 한. 미간 PEI 성과 및 최근의 현안문제를 포함 한. 미 통상 관계 일반에 대해 설명해 주었으며, 금후 한. 미간 PEI 운영현황과 현안문제 타결 홍보등 경제. 통상분야 홍보 활동에 적극 활용할 계획임.끝.

(대사 현홍주 - 국 장)

예고: 92.12.31. 까지

외 무 부

관리
번호 : 92-
830

종 별 :

번 호 : GVW-2132   일 시 : 92 1113 1900

수 신 : 장 관 (봉기,봉이,봉삼,경기원,재무부,농수산부,상공부)

발 신 : 주 제네바 대사   사본 : 주미,EC,불 대사 (본부중계필)

제 목 : UR 협상

일반문서로 재분류 (92 . 12 . 31)

1. 금 11.13(금) 오후 DUNKEL 총장을 수행, 브랏셀을 방문하고 귀임한 HUSSEIN 사무차장보를 접촉한바 동 차장보의 언급내용 아래 보고함.(김 대사 면담)

가. EC 측은 11.18-19 WASHINGTON 개최 예정인 미.EC 간 4 차 각료회의를 통해 미측과 OILSEEDS 문제를 중심으로 UR 협상 미결사하에 대한 정치적 합의를 마련, G7 정상회담이 설정한 년말 시한에 맞춘다는 확고한 결의를 다짐하였으며 EC 측으로서는 금번 회담은 타결될때까지 NON-STOP 으로 진행할 의향도 있음을 표명 하였는바, 이는 상당히 고무적인 징후임.

나. EC 측은 금번 각료접촉에서 미측과 합의가 이루어지면 제네바에서의 다자 협상 절차를 재개, 12 월말까지는 일단 POLITICAL PACKAGE 에 대해 합의(T 4 포함 TEXT 에 대한 합의 종결을 의미)를 마치고 시장접근, 서비스 양허협상은 내년 2 월 말까지 계속하는 방안을 염두에 두고 있음.

- 따라서 미.EC 간 다자 협상을 본격 가능할수 있을 것임.

다. EC 집행위는 금번 회담에서 합의가 이루어지더라도 상기 전체적인 PACKAGE 가 이루어질때까지 동 결과의 이사회 상정을 가급적 미루는 방식을 통해 불란서의 영향력 행사기회를 가능한한 배제하려 할 것으로 보임.

라. EC 측은 DUNKEL 총장에 대해 한국, 일본 양국의 쌀문제, 인도, 파키스탄등 개도국의 시장접근 확대문제, ASEAN 의 금융서비스 양허 개선 문제등도 해결되어야 할 사항임을 밝힘으로써, 미.EC 간 협의시 이들 문제도 취급될 가능성이 있음.

마. EC 측은 또한 OILSEEDS 문제와 UR 협상은 타협이 이루어질 경우에만 제네바에서의 다자협상을 재개할 수 있음을 EC 측에 분명히 했고, 미.EC 간 타협이 CAIRNS GROUP 입장이 경시되는 합의, 또한 씨비스 분야에서 양국의 이익만을 주로 반영하는 양해드, 여타 협상 참가국에 의해서 거부될 내용의 것이 되어서는 안된다는 점을

통상국 안기부	장관 경기원	차관 재무부	2차보 농수부	구주국 상공부	통상국 중계	통상국	분석관	정와대

PAGE 1

92.11.14   08:18

외신 2과 통제관 FS

0065

강조했음.

2. 내주 미.EC 협상을 통해 정치적 돌파구가 마련될런지의 여부에 대해 HUSSEIN 차장보는 "BIG IF" 를 전제로 하고 상기 사항을 언급하기는 하였으나 대체로 최근의 사태진전을 고무적인것으로 평가하고 있었음. 끝

(대사 박수길-국장)

예고 : 92.12.31. 까지

이재(04)

관리 번호	92 - 829

외 무 부

종 별 :

번 호 : FRW-2318   일 시 : 92 1113 1920

수 신 : 장 관 (롱기, 경일, 경기원, 재무부, 농수산부, 상공부)

발 신 : 주 불 대사   사본 : 주 EC, 제네바 대사-직송필

제 목 : UR 협상 동향

일반문서로 재분류 (1992. 12. 31.)

연 : FRW-2289, 2290

1. 향후 UR 협상 전망과 관련, BOITTIN 경제재무성 대외경제관계총국 다자관계담당 부국장 및 SIMONNEAU 외무성 경제국 UR 담당관과의 면담내용 아래 보고함.(11.13 조 참사관 접촉결과)

가. 11.9 EC 외무장관 회담에서 DUMAS 외상은 대미 대응 보복리스트 사전준비 주장과 함께 수차에 걸쳐 EC 의 대미 UR 농산물 협상은 필히 CAP 개혁 범위내에서 이루어져야 한다는 기존입장을 강조하였음.(동 외상 발언문 FAX(FRW(F)-0042 편 송부)

나. 불란서는 10.16 버밍검 EC 특별정상회담시 UR 협상의 년내 타결을 위해 진력하기로 이미 합의한바 있으므로 EC 의 대미협상 재개를 막을 입장이 아니며, 또한 대미 대응보복 원칙도 EC 외무장관 회담 발표문에 분명히 명시되어 있으므로 르몽드지등 일부 언론에서 보도하는 불란서의 대미 유화적 태도는 사실과 상이함.

다. 불측은 버밍검 정상회담시 협의된 CAP 개혁과 GATT 협상과의 양립, 농산물 수출물량 최대 18% 감축, REBALANCING 반영등 기존의 대미 협상조건은 상금유효하다고 봄. MACSHARRY 농업위원의 기존 대미 양보내용은 상기 협의내용을 초과하는 것으로 시카고 회담시 양보한 내용을 기초로 또는 이를 초과하여 대미 협상타결시 불란서는 이를 거부할수 밖에 없으며 그렇게 되는 경우 협상의 타결이 아니라 새로운 위기의 시작이 될것임.

라. 이와관련 불란서는 CAP 개혁과 EC 집행위의 대미 양보내용에 대한 자체분석안을 작성하였으며 이를 11.16(월) EC 집행위 및 각 회원국에 배포하여 집행위의 검증을 요구할 계획이며, MACSHARRY 위원등 EC 협상 대표단이 11.18(수) 대미 협상 재개전 불측 분석자료를 충분히 검토할수 있을 것으로 봄.

2. 한편 향후 협상 전망과 관련, BOITTIN 부국장은 BEREGOVOY 수상이 92.7. CAP

롱상국	장관	차관	2차보	구주국	경제국	분석관	정와대	안기부
경기원	재무부	농수부	상공부					

PAGE 1

92.11.14   08:52

외신 2과 롱제관 FS

0067

개혁안에 대한 의회동의를 득할시 <u>UR 협상은 CAP 개혁 범위내에서 타결할 것이라는</u> 정치적 약속을 하였음을 상기시키고, ~~CAP 개혁 범위어 정치적 약속을 하였음을 상기시키고,~~ CAP 개혁 범위이상의 타협안, 특히 쿼타 방식의

종자유 생산 감축은 수락할수 없다는 강경입장을 천명함. 또한 년말이전 UR 의 POLITICAL PACKAGE 합의 전망에 있어서도, ~~미-EC 협상이 타결된다 하여도 한국,~~ 일본등 농산물 분야에 있어 여타 중요 이해 관계국과의 협상등 사전 해결해야될 문제가 많아 <u>년내 POLITICAL PACKAGE 합의도 쉽지 않을것으로 전망함.</u>

3. 반면 SIMONNEAU 외무성 담당관은 미국측이 농산물 수출물량 감축, REBALANCING 등에서 보다 유화적 입장을 보일 경우 불란서는 종자유 문제에 있어 신축성을 보일수 있을 것이며, 또한 미국이 종자유 문제에 있어 양보시 불란서는 EC의 기존 시카고 <u>양보안(농산물 수출 21% 감축, REBALANCING 요구 철회.)</u>을 수락할수 있을 것이라고 전망함.

4. 당관 관찰

O 상기 양인은 EC 의 대미 협상 타결안은 CAP 개혁 범위내에서 이루어져야 한다는 기존 불 입장을 한결같이 강조하고 있으나, 향후 협상 전망과 관련 경제재무성측의 강경입장에 비해 외무성 관계관은 비교적 신축성 있는 입장을 표시하고 있는바 이는 해당부처의 이해관계를 반영한 것으로 보임.

O 미.EC 간 농산물 협상이 불란서의 수용한계를 벗어나 막바지 교섭상태에 있는 점에 비추어 불란서의 강경입장이 어느정도 까지 지속될지는 예측하기 어려우나, 상기 CAP 개혁관련 불측 분석안에 대한 EC 측의 논증, 불측의 협상타결안 거부시 초래될 "마스" 조약 비준 위기, 독일과 불란서간 연대관계 지속여부등이 변수로 남은 가운데 최종 단계에서 결국 미테랑 대통령이 정치적 결단을 내릴수 밖에 없을 것으로 전망됨. 끝.

(대사 노영찬-국장)

예고 : 92.12.31. 까지

주 불 대 사 관

FRW(F) : 00/62 2-1113 1900

수 신 : 장 관 (통기)

발 신 : 주불대사

제 목 : 첨부물   (출 처 :   )

(5)

GATT : CONSEIL AFFAIRES GENERALES DU 9 NOVEMBRE

ELEMENTS D'INTERVENTION

de

Monsieur Roland DuMAS

IL EST HEUREUX QUE LE CONSEIL AFFAIRES GENERALES, REUNI EN SESSION FORMELLE, AIT ENFIN LA POSSIBILITE D'APPRECIER L'ETAT DES NEGOCIATIONS COMMERCIALES ET D'APPROFONDIR LA REFLEXION, SUR LA BASE DU COMPTE-RENDU QUE VIENT DE FAIRE LA COMMISSION.

COMMENT LES CHOSES SE SONT-ELLES PASSEES EXACTEMENT A CHICAGO, DURANT CES ETRANGES JOURNEES DE NEGOCIATION CONDUITES EN PLEINE ELECTION PRESIDENTIELLE AMERICAINE ?

POURQUOI LES ETATS-UNIS ONT-ILS PRIS LA RESPONSABILITE DE L'ECHEC ?

QUE PEUT AUSSI NOUS DIRE, A CET EGARD, LA PRESIDENCE, DONT NOUS AVONS APPRIS PAR LA PRESSE LA PRESENCE INATTENDUE A CHICAGO ?

CELA, C'EST POUR LE PASSE. IL FAUT QUE TOUTE LA LUMIERE SOIT FAITE.

MAIS, MAINTENANT, IL NOUS FAUT AUSSI PRECISER LA MANIERE DONT NOUS POUVONS REPRENDRE LA NEGOCIATION, AVEC UNE ADMINISTRATION AMERICAINE DE TRANSITION, ALORS QUE NOUS IGNORONS TOUT DES INTENTIONS PRECISES DU PRESIDENT - ELU.

COMMENT, DANS CES CONDITIONS, PARVENIR RAPIDEMENT A UN ACCORD JUSTE ET FRUCTUEUX ? C'EST A DIRE A UN ACCORD EQUILIBRE ENTRE LES PARTIES ET QUI RESPECTE LA GLOBALITE DE LA NEGOCIATION ?

0070

1/4

ET COMMENT ACCEPTER DE NEGOCIER SOUS LA MENACE DE SANCTIONS COMMERCIALES UNILATERALES ILLEGITIMES ET AU DEMEURANT PARFAITEMENT ILLEGALES AU REGARD DU GATT ?

AUTANT DE QUESTIONS DE FOND AUXQUELLES IL NOUS FAUT REPONDRE, COLLECTIVEMENT.

LE POINT DE VUE DE LA FRANCE DEMEURE QU'IL EST DANS L'INTERET DE L'ECONOMIE MONDIALE QU'IL Y AIT RAPIDEMENT UN ACCORD AU GATT. C'EST CE QUE LES CHEFS D'ETAT ET DE GOUVERNEMENT ONT CONCLU A BIRMINGHAM. C'EST NOTRE LOI.

IL EST DONC SOUHAITABLE DE RELANCER LA NEGOCIATION : BILATERALEMENT AVEC LES ETATS-UNIS, MAIS AUSSI A GENEVE.

LES AMERICAINS AFFIRMAIENT N'AVOIR AUCUNE MARGE DE MANOEUVRE AVANT LES PRESIDENTIELLES. IL FAUT DONC ESPERER QUE DESORMAIS, UN ACCORD EST POSSIBLE SUR LES SUJETS AUTRES QU'AGRICOLES.

ASSURONS-NOUS QUE LES ETATS-UNIS VONT ENFIN ACCEPTER DE DISCUTER SERIEUSEMENT POUR SUPPRIMER LEUR PICS TARIFAIRES SUR CERTAINS PRODUITS INDUSTRIELS, POUR LIBERALISER LES SERVICES BANCAIRES ET LES TRANSPORTS MARITIMES, POUR METTRE FIN A LEURS DISPOSITIONS COMMERCIALES UNILATERALES. UN VASTE CHAMP PEUT S'OUVRIR AU LIBRE-ECHANGE. SACHONS EN TIRER PARTI.

QUANT A L'AGRICULTURE, IL SERAIT DESASTREUX QUE LA DISCUSSION SOIT REPRISE DANS LA CONFUSION, SANS SAVOIR DE QUOI - ET AVEC QUI - NOUS PARLONS.

C'EST POURQUOI JE DEMANDE FORMELLEMENT A LA COMMISSION DE SOUMETTRE SANS DELAI AU CONSEIL UNE ETUDE CLAIRE ET PRECISE, PAR GRANDS PRODUITS, QUI ETABLISSE SI, OUI OU NON, LES TERMES DE LA NEGOCIATION QU'ELLE CONDUIT SONT COMPATIBLES AVEC LA REFORME DE LA PAC ADOPTEE EN MAI DERNIER. CETTE ANALYSE DOIT COUVRIR A LA FOIS LA NEGOCIATION GATT PROPREMENT DITE ET LA NEGOCIATION RELATIVE AUX OLEAGINEUX, QUI FORMENT UN TOUT INDISSOCIABLE.

CETTE DEMANDE A DEJA ETE FORMULEE PAR LE CHANCELIER KOHL A BIRMINGHAM. IL FAUT MAINTENANT QUE LA COMMISSION REPONDE CLAIREMENT.

ET IL FAUDRA, BIEN ENTENDU, QUE LES MINISTRES DE L'AGRICULTURE PUISSENT APPRECIER LE CONTENU DU RAPPORT QUE JE DEMANDE A LA COMMISSION.

IL DOIT ETRE BIEN CLAIR ENTRE NOUS - JE DEMANDE A LA PRESIDENCE DE CONCLURE EN CE SENS - QU'AUCUNE DECISION NE POURRA ETRE PRISE PAR LE CONSEIL TANT QUE NOUS NE SERONS PAS PARFAITEMENT AU CLAIR SUR CE POINT.

CHACUN, EN EFFET, DOIT ETRE BIEN CONSCIENT QUE DES INTERETS TRES IMPORTANTS SONT EN JEU, POUR LA COMMUNAUTE ET POUR LA FRANCE. J'INSISTE : DES INTERETS TRES IMPORTANTS.

S'IL DEVAIT APPARAITRE QUE CE QUI EST ACTUELLEMENT NEGOCIE AVEC LES ETATS-UNIS EN MATIERE AGRICOLE VA AU-DELA DE CE QUE LA REFORME DE LA PAC PERMET DE FAIRE - ET JE VOUS DIS TOUT DE SUITE QUE, DEPUIS LA TRISTE EQUIPEE DE CHICAGO, J'AI DES CRAINTES TRES SERIEUSES - ALORS LA LIGNE ROUGE SERAIT FRANCHIE. CELA, LE GOUVERNEMENT FRANCAIS NE L'ACCEPTERA PAS ET JE SUIS CONVAINCU QU'IL NE SERA PAS LE SEUL.

0072

UN DERNIER MOT POUR CONCLURE. NOUS SOMMES MAINTENANT MENACES DE SANCTIONS COMMERCIALES. JE NE SUIS PAS UN VA-T-EN-GUERRE ET JE SAIS TOUS LES DANGERS D'UNE GUERRE COMMERCIALE. MAIS NOUS SAVONS TOUS AUSSI QU'ON NE PEUT SERIEUSEMENT NEGOCIER SOUS LA MENACE.

C'EST POURQUOI IL FAUT QUE LA COMMISSION PREPARE LES MESURES DE RETORSION ET QUE L'ON FASSE SAVOIR QUE CES DERNIERES SERONT PRETES SI AUCUN ACCORD SATISFAISANT N'EST TROUVE D'ICI LE 5 DECEMBRE. JE SAIS QUE CERTAINS D'ENTRE VOUS HESITENT, MAIS JE FAIS APPEL A LA SOLIDARITE DE CHACUN.

0073

외 무 부

관리
번호 : 92-833

종 별 :

번 호 : FRW-2328   일 시 : 92 1116 1800

수 신 : 장관(봉기, 경일, 경기원, 재무부, 농수산부, 상공부)

발 신 : 주 불 대사   사본:주 EC, 제네바대사-직송필

제 목 : UR 협상동향

연:FRW-2318

1. 주재국 LIBERATION 지는 금 11.16 특집기사를 통해 지난주 금요일 불란서정부가 EC 농업상 회의에 앞서 회원국에 배포한 비공개 문서를 인용, 시카고 협상시 EC 측 제안 내용이 92.5 월 합의된 CAP 개혁내용(15% 휴경, 곡물지지가격29% 인하등)을 초과하는 것이며 따라서 EC 집행위는 협상 MANDATE 를 벗어나고있다고 보도함으로써 11.18 미-EC 협상 재개를 앞두고 CAP 개혁내용과 예상되는 협상 타결안 내용간의 양립성 여부가 EC 내부의 최대 당면문제로 전면 부각되고 있음.

2. 동지는 EC 측의 양보내용(보조 수출감축 21%, OILSEEDS 생산한도 10.1 백만톤)이 품목별로 얼마나 CAP 개혁내용을 초과하는지 구체적인 수치는 제시치 않았으나, 동 불란서 문서가 수출물량 감축외에도 EC 소비의 5% 에 해당하는 수입 허용물량(최소 시장접근 허용물량을 의미하는 것으로 추정됨)을 계상하여야 하며 그렇게 되면 곡물, OILSEEDS 뿐만아니라 우유, 과일 및 야채, 돈육, 가금, 쇠고기, 포도주, 올리브등 모든 EC 회원국의 농산물이 심각한 타격을 받을것이라고 지적하였다고 보도함.

- 특히 곡물의 경우 1) 년간 7 백만톤의 수입허용 물량 2) 무관세와 달러화약세에 편승하여 수입이 계속 증대되고 있는 사료 곡물수입 물량(92 년 58.4 백만톤) 감안시 휴경 면적은 15% 를 상회할수 밖에 없으며 장기적으로 잉여생산 물량은 없어지게 될것으로 분석

3. 금일 상기 불란서 정부 문서공개에 앞서 동지는 11.13. 에는 EC 가 OILSEEDS 생산물량을 10 백만톤으로 할 경우 휴경지는 21% 가 되어야 하며, 9 백만톤일 경우에는 휴경지가 38% 로 확대되어야 한다는 집행위 내부자료를 입수하여 크게 보도함으로써 물의를 야기한바 있음.

| 통상국 | 장관 | 차관 | 2차보 | 경제국 | 분석관 | 청와대 | 안기부 | 경기원 |
| 재무부 | 농수부 | 상공부 | | | | | | |

92.11.17   04:34

외신 2과 통제관 FK
0074

4. 이러한 보도내용은 지금까지 EC 집행위가 천명한 입장에 반하는 것으로서, 금명 양일간 브랏셀에서 개최중인 EC 농업상 회의 결과가 주목되고 있는 바, 당지 여론은 불란서 입장이 한결 강화될 것으로 보나, EC 집행위로서는 대미 협상타결이 우선 과제이므로 금번 농업상 회의에서 양립성 여부에 대한 구체적인거증이나 논쟁을 피할것으로 전망하였음.

5. 그러나 본건 양립성 문제는 UR 협상 타결과정에서 언제, 어떤 절차를 거치든 해결되어야 할 문제이므로 금후 불란서가 강경노선 또는 타협(이경우 CAP 재검토도 불가피)중 어떤 입장을 취할 것인지가 관심의 촛점이 되고 있음. 끝.

(대사 노영찬-국장)

예고:92.12.31. 까지

PAGE 2

외 (이시)V

원 본

외 무 부

종 별 :

번 호 : GVW-2149

일 시 : 92 1117 1200

수 신 : 장관(통기,경기원,재무부,농수산부,상공부)사본: 주미,EC,불,일대사(본

발 신 : 주 제네바 대사

부중계필

제 목 : UR 농산물 협상

대: WGV-1744

대호 관련 김대사는 10.16 농수산부 김광희 기획관리실장의 당지 방문기회에 CARLISLE GATT 사무차장과 오찬을 갖고 최근 미.EC 농산물 협상 동향과 전망에 관한 의견을 교환한바 요지 하기 보고함.(최농무관 배석)

1. 미.EC 협상 전망

0 동 차장은 금주 워싱톤에서 재개되는 미.EC 의 농산물 협상이 금주중 타결되리라는 보장은 없으나 합의를 위한 주위의 강한 압력 (STRONG PRESSURE TO AGREE) 이 있고 EC 의 입장이 CAP 개혁안과 거리가 거의 없다는 점등을 비추어 볼때 개인적으로 협상이 끝날수 있는 획기적 변화 (SIGNIFICANT CHANGE TO BE COMPLETED)가 있을 것으로 보며 따라서 "상당한 기회" (DECENT CHANCE)가 있다고 생각함.

2. 한국의 입장

0 김실장은 DFA 를 받아들이기 어려운 나라의 특별한 관심과 유보를 반영하거나, 불연이면 예외를 인정해 주고 다음 라운드등에서 협의할 수도 있을 것이며 한국의 농업은 미국과 달리 UR 을 통하여 얻는 것이 없이 잃는 것 뿐임을 지적, 특히 쌀 문제에 있어서는 최소시장 접근은 물론 어떠한 형태로든 포괄적 관세화를 받아들일수 없음을 강조함.

0 이에 대하여 동 차장은 한나라에 예외를 주기 시작하면 모든 나라가 농산물 뿐 아니라 섬유, 지적소유권등에서 예외를 요구하게 되고 (심지어 미국도 땅콩, 면화등에 예외요구 할것임) 이는 협상 실패를 의미하거나 또는 협상의 장기화를 의미하는 것으로 다른나라들이 수락하지 않을 것이며, 특히 쌀 문제에 관하여 일본은 비공식적으로 쿼타제 도입 가능성을 암시, 어느정도 융통성을 보인바 있음을

통상국 경기원	장관 재무부	차관 농수부	1차보 상공부	2차보 중계	분석관	청와대	총리실	안기부

PAGE 1

92.11.17   23:51

* 원본수령부서 승인없이 복사 금지

외신 2과 통제관 FR

0076

지적하면서, 한국의 경우 아무런 대안도 검토할 수 없다는 입장인것으로 아는바, 이러한 입장이 과연 받아들여질 수 있을 것인지에 대해 강한 의문을 제기함.

0 김대사는 미.EC 가 합의할 경우 한국, 일본, 카나다의 문제가 대두될 것이며 특히 한국의 경우 양보가 어렵다는 점을 강조하고 한[5H특히 한국의 경우 양보가 어렵다는 점을 강조하고 한국의 정치가들은 쌀에 관한한

한목소리임과 최근 쌀 수매가 인상과정에서 농민들이 정부청사에서의 과격한 행동등을 설명하여 주었음.

3. 향후 전망

0 동 차장은 미.EC 간 합의가 있게 되면 UR 협상은 바로 재네바에서 다자화될 것이며, 이과정에서 한국, 일본, 카나다등이 주요 체약국으로 부터 강한 압력을 받게 될것으로 예상하고, 이들 국가들이 종래의 입장을 고수할 것인지 또는 신축적인 입장을 취할 것인지를 스스로 결정해야 할 것이라고 말함.

(대사 박수길 -국장)

예고:92.12.31. 까지

외 무 부

종 별 :

번 호 : ECW-1445

일 시 : 92 1116 1800

수 신 : 장관(통기,통삼,경기원,재무부,농림수산부,기정동문)

발 신 : 주 EC 대사 사본: 주 제네바-필, 주미대사-중계필

제 목 : GATT/UR 협상

연: ECW-1437

표제협상 관련 11.16 현재 당지동정을 아래 보고함

1. EC 집행위 동정

가. EC 집행위원들은 11.11(목) 전체회의에서 11.9. EC 외상회의의 결론에 따라 대미협상의 재개를 결정할때에 ANDRIESSEN 부위원장과 MAC SHARRY 농업담당집행위원에게 금번 대미협상의 전권을주고, 그 협상에서 도출될 합의사항은 집행위차원에서의 재검토없이 그대로 EC 이사회에 보고하기로 결정했다고 함. 집행위가 이러한 니부적 결정을 취한것은 그간에 있었던 DELORS 위원장과 MAC SHARRY위원간 대미협상추진을 위요한 갈등요인이 있었던 것을 해소키 위한 것으로 알려짐

나. ANDRIESSEN 부위원장은 11.18-19 의 대미협상전망과 관련, 11.13. 조심스러운 낙관론을 말하면서 금월중 정치적 타결이 이루어지더라도 UR 협상 15 개 전분야에 걸친 합의를 문서화하는데는 상당한 시일이 소요될 것이라 말했음. 이와관련, 당지에서는 UR 협상이 다자차원에서 금년말이전 타결되더라도 모든 합의문서의 완성까지에는 최소 3 개월에서 6 개월까지 더 소요될 것으로 보는 견해가있음

다. EC 의 농업이사회가 11.16-17 간 당지에서 개최중인바, 이번 회의의 중요의제도 UR 농산물 문제가 될것으로 전망됨. 불란서 (SOISSON 농무상) 는 금번회의에서 MAC SHARRY 위원의 대미 협상재량권에 대한 한계를 주장하고, 대미협상내용은 EC 의 농업구조개혁(CAP) 내용과 일치돼야 할것이라고 주장할 것으로 보임. 또 11.9 EC 이사회(외상) 가 이미 집행위 앞으로 제출 요청한 UR 농산물 합의가 EC 의 CAP 개혁내용과 양립할수 있늦느니에 대한 검토보고서를 조기 제출토록요청할 것으로 전망됨

통상국 재무부	장관 농수부	차관 중계	1차보	통상국	분석관	청와대	안기부	경기원

PAGE 1

92.11.17 04:45

외신 2과 통제관 FK

0078

라. 한편, EC 집행위의 대미 농산물협상 추진내용이 CAP 개혁상의 생산물량및 가격감축허용 범위를 일탈하고 있다는 내용의 EC 내부보고서가 유출되어 불란서 일부 언론에 보도된바 MAC SHARRY 위원측은 동 보도내용은 대미협상추진을 막으려는 측의 근거없는 주장이라고 부인하였음

마. 한편 금주 EC-미국간 협상이 만약에 실패로 돌아갈 경우는 12 월중 워싱턴에서 EC 의장국인 영국 MAJOR 수상, DELORS EC 위원장과 부쉬대통령 간의 3 자간 회담이 개최되어 UR 타결을 시도해볼 가능성도 제기될수 있는 것으로 알려짐

2. EC 주재 미국대사 동정

DOBBINS EC 주재 미국대사는 11.16 헬싱키에서 가진 기자회견에서 미-EC 가협상타결에 근접하고는 있으나 과거의 실패사례에 비추어 11.18-19 의 워싱본 4자간 협상을 낙관도, 비관도 할수 없다고 하며, 무역전쟁을 피할수 있는 시한여유가 지나가고 있으므로 금번 4 자 회담에서는 타결점이 반드시 모색되기를 바란다고 강조했음. 끝

(대사 권동만-국장)

외 무 부

종 별 :

번 호 : GVW-2142   일 시 : 92 1116 1800

수 신 : 장관(통기,경기원,재무부,농수산부,상공부,특허청) 사본: 주 EC,

발 신 : 주 제네바 대사   불,일대사 - 중계필

제 목 : UR 협상 전망

재분류 (199__)2. 12. 31

1. 1.13(금) SHANNON 카나다 대사는 EC 를 방문하고 귀임한 DUNKEL 총장을 카나다 대사는 EC 를 방문하고 귀임한 DUNKEL 총장을만나 ANDRIESSEN 부위원장과의 협의 결과를 문의했던바, DUNKEL 총장은 EC, 미국간 협상의 성공 가능성이 어느때보다도 밝다고 하고 12 월말까지는 양자간에 써비스 분야등 전분야를 망라한 POLITICAL PACKAGE 에 합의할 것이라고 말했다고 11.16(월) 본직에게 전언함.

2. ANDRIESSEN 부위원장은 11.12. DUNKEL 과의 면담때 익일로 예정된 아국 외무장관과의 회담에서 쌀시장 개방 문제에 대한 아국입장을 문의하겠다고 말하고 미국.EC 협상에 극히 낙관적인 견해를 표명했다고 함.(EC 는 OILSEEDS 에서, 미국은 수출보조에서 각각 양보)

3. 또한 금일 농수산부 김왕희 기획관리실장의 당지 방문기회에 오찬을 함께한 CARLISLE 차장도 종래의 일관된 그의 회의적인 태도와는 달리 UR 전망을 어느때 보다 낙관적으로 평가하면서 미.EC 합의가 이루어지면 한국, 일본등이 집중적인 압력을 받게 될것인바, 한국의 입장을 그대로 고수할 것인지 또는 다소 신축적인 입장을 취할 것인지를 결단, 사태진전에 신속 대처해야 할 것이라고 말함.

4. SHANNON 대사는 예상외의 빠른 사태발전으로 아국, 일본, 카나다가 가장어려운 입장에 처하게 될것이라고 예견하면서 아국 외무장관과 ANDRIESSEN 부위원장간의 쌀문제에 관한 언급 내용을 문의하였으므로 본직은 아국 외무장관은 쌀시장 개방 불가입장을 재확인 한 것으로 안다고 답변함. 끝

(대사 박수길 - 장관)

예고: 92.12.31. 까지

통상국	장관	차관	2차보	구주국	분석관	청와대	안기부	경기원
재무부	농수부	상공부	특허청	중계				

이시,

외 무 부

종   별 :

번   호 : FRW-2339   일   시 : 92 1117 1800

수   신 : 장관(봉기,봉삼,경일,주EC,제네바대사-필) 사본:경기원,상공부,농수산부

발   신 : 주 불 대사

제   목 : UR 협상 동향

　　　　연: FRW-2318,2328

　　1. 11.16 개최된 EC 농업장관 회담에서 SOISSON 불 농업장관은 연호 자국 정부가 사전 배포한 분석자료에 따라 EC 집행위의 대미 양보내용이 이미 CAP 범위를 초과하고 있음을 항목별로 지적하고 대미 협상 타결이 가져올 위험을 경고 하였으나, 대부분 회원국으로 부터 지지를 받지 못하였으며 EC 집행위는 상기 <u>불측 주장에 구애없이 대미 협상을 예정대로 추진</u> 예정임.

　　2. 상기 불측자누는 '비현실적' 이라는 EC 집행위 및 GUMMER 영국 농업장관의 비난에도 불구하고 EC 집행위를 공박할수 있을 정도의 충실한 내용으로 평가는 되고 있으나, 시기적으로 너무 늦은 감이 있어 거의 모든 회원국이 미국으로 부터 무역보복을 당하는 것 보다는 대미 협상의 조속한 타결을 희망함에 따라 불측자료를 외면한 것으로 보임.

　　3. EC 집행위가 그간 수차에 걸쳐 불란서가 요구한 대미 협상 내용과 CAP 간 양립 입증 자료를 제출치 않은 가운데, 불란서가 먼저 여사한 자료를 작성하여 제시한 배경은 (1) 11.18 대미 협상 재개 직전에 마지막으로 불란서의 정당한불만을 표시하고, (2) 대미 협상 타결시 불농민뿐 아니라 여타 회원국 농민도 상당한 타격을 받게된다는 점을 강조하는 한편, (3) 회원국들로 하여금 추후 불공정한 협상 결과를 거부할 것인지, 아니면 대 농민 추가소득 보상을 위한 엄청난 재정부담을 각오할 것인지에 대한 결단을 촉구키 위한 시도로 보여지는 바 결과적으로 성공하자 못한것으로 평가됨.

　　4. 이와관련, 11.16. STRAUSS-KAHN 상공장관은 의회에서의 답변을 통해 대미 협상 타결내용이 CAP 개혁안을 초과할 경우 여타 EC 회원국이 모두 이를 수락한다 하여도 불란서는 거부할 것이며, 이로 인해 발생하는 모든 문제는 전적으로여타 회원국이

통상국	장관	차관	2차보	경제국	통상국	분석관	청와대	안기부
경기원	농수부	상공부						

부담해야 할것임을 경고함.

5. 불 농민단체가 대미 농산물 협상 양보불가 입장을 천명키 위해 새로운 투쟁을 준비하고 있는 것으로 보도되고 있는 가운데 11.18 불 각료 회의에서는 UR 협상 관련 불정부 입장에 관한 협의가 있을 것으로 알려짐. 끝

(대사 노영찬-국장)

관리
번호 92-841

외 무 부

종   별 :

번   호 : FRW-2346   일   시 : 92 1118 1900

수   신 : 장관(통기,통삼,경일,경기원,농수산부,상공부),사본:주EC,제네바대사-필

발   신 : 주 불 대사

제   목 : UR 협상 동향

연:FRW-2339

1. 불 정부는 금일 저녁 워싱톤에서 속개되는 미.EC 간 농산물 협상을 앞두고, 불정부 대책 검토를 위해 금 11.18 오전 미테랑 대통령 주재하에 특별 관계부처 각료회의를 개최하였는 바, 동 회의후 공개된 정부 발표문의 주요내용은 다음과 같음.

0 불란서는 UR 협상 전반에 걸친 균형된 합의가 이루어질 수 있는 조건이 상금 충족되지 못하였다고 봄.

0 불란서는 CAP 개혁과 양립할수 없는 EC 측의 모든 합의내용(TOUT ENGAGEMENT)에 반대한다는 입장을 재확인함.

0 이와관련, 불 정부는 GATT 협상 전반에 관한 선언문 채택을 위해 불 의회를 소집할 계획임.

2. MERMAZ 의회담당장관은 상기 의회소집 목적은 GATT 협상에 관해 불 정부차원이 아닌 불란서 국가 차원에서의 전체적인 입장을 결정하기 위한 것이며, 내주중 소집 가능성을 언급하였으나 일단, 미.EC 간 사전합의(PRE-ACCORD) 이후에 개최될 것임을 시사함.

3. 불정부의 이러한 의회소집 결정과 관련, 제 1 야당인 RPR 측은 즉각적으로 불정부가 미국으로 부터 어떠한 양보도 받아내지 못한 합의내용을 수락하려는태도를 비난하고 불란서는 룩셈브르크 합의에 따른 VETO 권을 사용해서라도 이에 반대해야 한다고 주장함.

4. 상기와 같이 불 정부가 GATT 문제관련 의회를 소집키로 결정한 배경은, 미.EC 간 농산물 협상 타결이 임박한 시점에서 더이상 자국의 기존 강경입장 고수가 불가능해 짐에 따라 미.EC 간 협상타결이 가져올 엄청난 국내 정치적 여파를 감안, 동 문제를 의회에 회부함으로써 이에 따른 정치적 부담을 야당과 공동으로 부담키 위한 정치적

통상국   장관   차관   2차보   경제국   통상국   분석관   청와대   안기부
경기원   농수부   상공부

PAGE 1   92.11.19   03:39

시도로 분석되고 있음.

    5. 한편 당관 최공사와 조참사관은 금 11.18 경제재무성 대외경제관계총국 다자문제 담당 BOITTIN 부국장을 오찬에 초대코 최근 협상 동향과 관련 의견을 교환한 바, 동 부국장 주요 언급내용은 다음과 같음.

    0 11.16 EC 농업장관 회의시 협의된 불측 자료는 대부분 EC 집행위 문서 및통계를 인용한 신빙성이 있는 내용으로 GUMMER 영국 농업장관도 일부는 충분히검토할 필요가 있다는 반응을 보였는 바, 향후 EC 집행위가 이를 반박하는 것은 쉽지 않을 것임.

    0 이란 미.EC 간 협상이 타결된다 하여도 이는 EC 집행위의 타결안으로써 EC 회원국의 검토 및 승인을 위하여는 농산물 분야뿐이 아니라 여타 협상분야까지 포함되어야 할것임으로 상당한 시간이 소요될 것임.

    0 일부 언론에서는 불란서가 추후 협상결과를 EC 내에서 수용하는 과정에서여타 회원국으로 부터 양보를 얻어내고자 한다는 보도가 있는바, 이는 현재 불정부, 여.야는 물론 모든 이익단체가 대미 추가양보 불가라는 동일 노선을 고수하고 있음에 비추어 그러한 대안은 현재로서는 검토된바 없으며 검토될수 있는 여건도 아님.

    0 미국이 93 년 1 월에 각료급 TNC 회의 개최를 추진한다는 설이 있는바, 미측의 의도가 1) 농산물등 주요분야에서 협상의 OUTLINE 을 우선 타결한후 TNC 를 통해 전체 협상의 타결을 밀고 나가겠다는 것인지 2) 모든 협상을 사전에 완료코 TNC 를 통해 인준만을 득하겠다는 것인지 확실치 않음. 끝.

    (대사 노영찬-국장)

    예고:92.12.31. 까지

02. ✓

관리 번호	92-840

외 무 부

종 별 :

번 호 : ECW-1453　　　　　　　　　　　　일 시 : 92 1118 1140

수 신 : 장관(통삼,통기,경기원,재무부,농림수산부,상공부,기정동문)

발 신 : 주 EC 대사　사본: 주 제네바,불-필, 주미-중계필

제 목 : GATT/UR 농산물협상

대: WEC-0880

일반문서로 재분류 (1982.12.31 ✗)

1. 11.27. 당지를 방문한 김광희 농림수산부 기획관리실장은 PAEMEN EC 집행위 대외총국의 다자협상담당 부총국장을 면담, 표제관련 협의한바 요지 아래 보고함 (주철기참사관, GUTH 농산물담당과장, 이관용농무관, 안광욱기좌 동석)

　가. 아측입장 설명요지

　1) 아국은 다자협상을 통한 무역자유화의 필요성을 인식하고 있어 써비스, 섬유, 농산물등 UR 협상에 적극 참여하고 기여한바 있음

　2) 아국이 UR 농산물협상에서 일관하여 쌀등 일부품목의 관세화, 최소시장 접근의 예외를 요구하는 부득이한 사정은 과거에도 누차 설명한바 있지만 다음과같은 사정도 있기 때문임

　O 미국등 선진국은 써비스등 협상 뿐 아니라 농산물협상에서도 잃는 것도 있으나 얻는것이 많은 반면, 아국은 얻는 것이 전혀 없음

　O 아국은 현 곡물 총수요량 17 백만톤중 11 백만톤 이상을 수입에 의존하고있고, 국내생산은 6 백만톤 정도에 불과한바, 그중 쌀이 5 백만톤 이상을 차지하고 있음

　O 쌀의 시장개방은 농가소득에 타격을 줄뿐 아니라 쌀에대한 관세화, 최소시장접근을 허용하는 것은 심리적으로 농업의 포기로 받아드려져 농업과 농촌사회의 붕괴를 초래할 우려가 있기 때문임

　3) 아국정부는 미.EC 협상에서 관세화원칙이 합의된다 해도 예외없는 관세화 수용을 고려할수 있는 입장이 아니며, 미, EC 협상시 및 앞으로 UR 타결의 다자협상 과정에서 EC 가 쌀에대한 관세화 예외등 한국의 특별입장을 고려해 주기를 적극 희망함

　나. PAEMEN 부총국장의 발언요지

통상국 재무부	장관 농수부	차관 상공부	2차보 중계	통상국	분석관	청와대	안기부	경기원

PAGE 1　　　　　　　　　　　　　　　　　　　　　　92.11.18　　23:22

외신 2과　통제관 FK

0085

1) EC-미국협상 전망

가) 자신도 11.18-19 미.EC 회담을위해 워싱턴으로 갈 것인바, 동 회담에서는 보조수출물량및 EC 의 OILSEEDS 생산감축문제에 영향을 미치는 제요소들이 검토될 것임. 국내보조문제는 별다른 문제가 없으며, EC 의 소득보조의 GREEN BOX 문제는 이미 양해가 이루어진 것으로 암

나) 미.EC 의 OILSEEDS 문제는 UR 협상과 직접적인 관계에 있는것은 아니며, 미측은 CAP 개혁상의 SET-ASIDE 계획시행과 연계하여 OILSEEDS 생산수준 감축의 보장을 요구하고 있는바, 이는 CAP 개혁에도 명시된바 없으며, 갓트 제 28 조등 갓트규정상의 전통적인 접근방법과도 상치되나, EC 측은 동 문제협상에 응하고 있음. 동 품목의 생산물량 감축수준은 아직까지 합의된바 없으며, 금번 회의결과를 보아야 할것임

다) OILSEEDS 문제가 해결된다고 하여 미국과의 UR 관련 쟁점들이 그대로 해결될수 있는것은 아니며, 수출물량 문제등 UR PACKAGE 전반에 걸쳐 상호의 입장을 대비 검토하게 될것임

라) 금번 워싱턴회의에서 정권이양을 앞둔 미행정부가 과연 어떠한 융통성을 보일수 있을것인지는 미상임. EC 집행위의 기본입장은 대미 농산물협상은 EC 의 CAP 개혁이라는 일반적인 MANDATE 범위내에서 추진되어야 한다는 것이나, 모든 협상에서 처럼, 협상과정에서 동 MANDATE 를 약간 벗어나는 것은 허용될수 있다고 봄

마) 12.5. 까지 양측의 합의가 이루어지지 않는 경우 미측의 보복관세부과조치는 자동적으로 시행된다고 보아야 하며, 이경우는 EC 도 대응 보복조치를 취할 것으로 봄

2) 관세화 예외문제

가) EC 는 예외없는 관세화를 적극 지지하고 있음. 일부 협상국들의 경우 예외없는 관세화 수용에 어려움이 있다는 것은 알고 있으나, 한국의 쌀에 대한 예외가 인정될 경우, 일본, 스위스, 카나다등이 동일한 고려를 요구하게 될것이며, 협상은 어려운 국면으로 접어들 가능성이 있음

나) EC 로서도 바나나시장 재편문제와 관련한 어려움이 있으며, 이와관련 현재로서는 관세화 예외등 갓트규범의 예외조치가 필요하다는 입장을 견지하고 있으나, 앞으로의 UR 타결과정에서 결국 관세화를 수용케될 가능성이 많음

2. PAEMEN 부총국장은 예외없는 관세화문제 관련, UR 의 성공을위해 한국으로서도 결국 쌀의 관세화를 수용하는 가능성에 대비하여 대응방안을 검토한바 있는지를

PAGE 2

0086

문의한바, 김실장은 이문제를 검토한바 없다고 답하고, 상기 한국의 특수한 사정에
비추어, EC 가 한국의 예외주장이 반영될수 있도록 노력해 주기를 거듭 요청했음. 끝
(대사 권동만-국장)
예고: 92.12.31. 까지

외 무 부

종 별 :

번 호 : ECW-1460   일 시 : 92 1118 1700

수 신 : 장관(통삼,통기,경기원,재무부,농림수산부,상공부,기정)사본:GV,FR-중계필

발 신 : 주 EC 대사

제 목 : 주미-중계망 갓트

UR 협상동향표제협상과 관련, 최근 당지의 동향을 아래 보고함.

1. DELORS EC 집행위원장은 금 11.18.구주의회에서의 연설을 통해 금번 워싱턴 회담에서 농산물 문제에 대한 성공적인 결과가 있기를 희망한다고 말함. 한편, ANDRIESSEN부위원장은 금번 회담에서 협상이 타결되기를 절실히 기대하나 여하한 희생을 감수하면서까지 타결되는 것은 원치않는다고 밝히고, 양측 모두가 양보하지 않을 경우합의도출이 어려울 것이라고 말하였으나, EC측 양보안 내용에 대하여는 밝히기를 거부함.

2. 한편, 불란서 사회당 의원들은 성명을 통해 자국농민들에게 불리한 협상 결과는 거부되어야 한다고 주장하면서 EC 집행위가 그러한 협상결과의 수락을 요청할 경우에도 불 정부가 LUXEMBURG 조항에 의한 거부권을 행사하여 줄것을 요구함. 또한 신드골당도 성명을 발표하고 UR 협상은 불란서 농업의 붕괴를 초래할것이라 주장하고,동 협상을 거부할 것을 요구함.

3. 한편 11.16 EC를 방문, DELORS 위원장 및 ANDRIESSEN 부위원장, MACSHARRY 집행위원과 회담한 LOYD BENTSEN 민주당 상원의원 (상원재무위원장)등 미상원의원단은EC 측에 대해 클린턴 대통령 당선자는 부쉬대통령이 EC와의 UR 협상을 마무리지음으로써 무역전쟁 발발을 방지할 수있기를 바라고 있다고 전한 것으로 알려짐. 끝.

(대사 권동만 - 국장)

통상국	통상국	안기부	경기원	재무부	농수부	상공부	

외 무 부

종   별 :

번   호 : JAW-6198   일   시 : 92 1120 1155

수   신 : 장 관(봉기,봉일,아일,농수산부,주제네바대사-중계필)

발   신 : 주 일본 대사(일경)

제   목 : UR 협상 동향 및 주재국 입장

대 : WJA - 4840

연 : JAW - 6011

1. FAO 이사회 참석후 귀로에 당지 방문중인 김광희 농수산부 기획관리실장은 11.19(목) 주재국 농림수산성 '교야'사무차관 및 '아즈마'국제부장과 면담하고, 최근 미.EC 교섭등 UR 농산물협상 동향과 쌀시장 개방관련 주재국 입장을 타진한 바, 동 면담요지 아래 보고함. (당관 황순택서기관, 김종주농무관 외 1 인 배석)

가. '교야' 사무차관 면담

1) 김실장은 11.13(금) 제네바에서 '카라일' 캇트 사무차장과의 오찬시 동 사무차장이 언급한 바 있는 "일본의 쌀시장 부분 개방허용 의사"에 대해 '교야' 사무차관에게 이의 진의를 문의한 바, 동 사무차관은 근거가 없는 이야기라고 하면서, 일본은 현재까지 기존입장에 변화가 없으나, 금후 미.EC 간 교섭 여하에 따라 동 문제를 최종적으로 어떻게 대응해 나갈 것인가가 중요한 과제로 대두되고 있다고 언급함.

2) 김실장은 상기 '교야' 사무차관의 발언이 금후 의견 수렴 과정에서 일본의 기존입장에 변화가 있을 가능성을 의미하느냐고 질문한 바, 동 사무차관은 일본은 국내 필요분의 쌀을 국내 생산분으로 충당해야 한다는 국회결의가 있어 동 원칙을 벗어나는 정책 시행은 매우 힘든 것이나, 금후 UR 대응책을 결정하는 데 있어서는 UR 교섭 실패 책임을 일본이 부담할 수 없다는 고려에서 결국 정치적 판단이 개입될 가능성이 높다고 언급함. (이는 상황 여하에 따라 쌀시장 개방문제에 대한 일본의 기존 입장에 변화 가능성을 사실상 인정한 것으로 감촉됨)

3) 한편, 동 사무차관은 일측의 대응방안을 현재 구체적으로 결정한 바 없으나, 미.EC 의 수출보조금, 국내보조금 관련 던켈 페이퍼 부분수정 의도와

통상국 농수부	장관 중계	차관	2차보	아주국	통상국	분석관	정와대	안기부

* 원본수령부서 승인없이 복사 금지   외신 2과 통제관 BS

0089

같이 일측으로서도 던켈 페이퍼의 관세화 부분 일부 수정

방안을 검토하고 있음. 그러나 일측은 현재로서는 일단 미.EC 간의 교섭 진행을 관심을 갖고 지켜보고 있으며, 금후 다국간 교섭의 장에서 필요에 따라 한국측과 정보교환 및 대응에 있어 상호협력 해나갈 것임을 언급함.

나. '아즈마' 국제부장 면담

1) 동 국제부장은 상기 '카라일' 캇트 사무차장의 발언에 대해 다음과 같이 설명함. '시와꾸' 농림수산성 심의관(차관급)이 자민당내 유력 정치인의 (1) 쌀시장의 5% 부분시장 개방조치 수락 (2) 단, 5%의 쌀을 미국으로 부터 수입, 이를 일본 국내에서 사용치 않고 제 3 국에의 원조용으로 활용한다는 의견 제시에 입각, 지난 10 월 중순경 동 의견을 미국측의 반응을 타진한 바, 미측은 이는 (1) 사실상의 시장개방이 아니며, (2) 미국의 대외 쌀원조 시책과도 배치됨을 이유로 거부한 바 있으며, 동 의견을 던켈 사무총장에게도 전한 바 있었는 바, 동 사실이 다소 와전된 것으로 생각됨.

2) 김실장은 상기 (가)항(2)와 같은 질문을 동 부장에게도 한 바, 동 부장은 "IN A SENSE, YES"라고 말하고, 그러나 금후 다국간 교섭에 있어 최대한의 노력을 경주할 것이라고 언급함.

3) 또한, 일본은 금후 다국간 교섭에 있어 던켈 페이퍼의 수정안 제출을 검토할 예정이며, 이미 비공식적으로 미측에 대해 6 년간 유예기간을 거쳐 6 년후 MINIMUM MARKET ACCESS 문제를 협의할 수 있다는 수정 제안을 제시한 바 있었다고 언급함.

4) 한편, 김실장의 미.EC 간 교섭 전망에 대한 질문에 대해, 동 부장은 미측은 가급적 클린톤 신정부 취임이전 해결을, EC 측은 93.3. 불란서 총선거 이후 미국 신정부와의 교섭을 통해 타결을 희망하고 있는 것으로 감촉된다고 말하고, 일본으로서는 미.EC 가 농산물 협상에

10 개월 이상의 기간이 소요되었는바, 만약 조만간 타결시, 쌀시장 개방문제에 대해 1 주일 정도 시간내에 일측에 압력을 가해 종결을 서두른다면 이에 대해서는 "UNFAIR"하다는 입장을 개진할 예정이라고 언급함.

2. 상기 면담기록은 차파편 송부 예정임. 끝.

(대사 오재희 - 국장)

예고 : 92. 12. 31. 까지

PAGE 2

0090

외 무 부

종 별 : 긴 급

번 호 : GVW-2179   일 시 : 92 1120 1730

수 신 : 장관(통기,통이,통삼,경기원,재무부,농수산부,상공부)

발 신 : 주 제네바 대사   사본;주미,E.C, 불대사-중계필

제 목 : UR 협상

1. 1118-19, 미.EC 간 워싱턴 회담 결과와 관련 11.20(금) 오전, 미.EC 양대표부는 상당한 진전이 있었음.(SO CLOSE TO A DEAL)을 확인하면서, 재차의 각료급의 회동이 없이도 협의를 종결시킬수 있음을 확인함.

2. 호주대사도 자국 주미대사관을 통해 동 사실을 확인했다고 말하고 금일중 곧(수시간내에 미국, EC 양측에 의한 공식 발표가 있을 것이라고 통보해옴)

3. 미대표부측도 워싱본 회담 결과에 대한 EC 의 내부 합의절차가 금일 끝나 합의사실을 공식 발표할 것임을 금일 오후 당관에 다시 알려왔음.

4. 워싱턴 회담에서는 OILSEEDS 및 농산물문제만 다루었으며, 써비스, 시장접근등 기타문제는 다자협상에서 논의키로 했다함.

5. 한편 11.19 BRAZIL 대사 주최 소규모 만찬(ZUTSHI 대사 이사회 의장직 퇴임 치하)에서 본직은 아국의 어려움을 재차 상기 시킨후 미.EC 간 합의가 이루어질 경우 한, 일, 카나다, 스위스등의 핵심 이해관계사항에 대해 관련국은 상호긴밀한 연대하에 대처해 나가야 할 것이라는 점을 언급 일본, 카나다의 적극적역할 수행을 간접적으로 촉구한바, 일본 및 카나다 대사도 기존입장을 견지해 나갈 예정이라고 언급함.(스위스는 불참). 동 만찬후 CARLISLE 차장은 본직에게 개별적으로 아직도 EC 의 바나나 문제, 일본의 쌀문제등 변수가 남아 있으므로, EC 미국합의의 다자화과정에서 한국이 앞장 서서 쌀문제를 거론함으로써 브랏셀회담의 전철을 밟지 않는것이 중요함으로 전면에 나서 주목을 받는 것 보다는 일본등을 방파제로 하여 적절히 대처해 나가는 것이 바람직할 것으로 본다는 사견을 피력함. 끝

(대사 박수길-장관)

예고:92.12.31. 까지

통상국	장관	차관	1차보	통상국	통상국	분석관	정와대	안기부
경기원	재무부	농수부	상공부	중계				

외 무 부

관리
번호 92-856

종 별 : 지 급

번 호 : GVW-2185   일 시 : 92 1120 1930

수 신 : 장관(통기,통이,통삼,경기원,재무부,농림수산부,상공부)

발 신 : 주 제네바 대사   사본: 주 미,EC,불,일대사-중계필

제 목 : UR 농산물 협상

당지 불대표부 METZGER 대표에 의하면 워싱턴 회의의 미.EC 간 합의 내용은다음과
같음.

1. OILSEED 분야에서 EC 의 OILSEED 경작 면적을 5,128 천 HA 제한키로 하고
별도의 생산물량 상한 설정은 없음.

이는 지난 10 월 BRUSSEL 협의시 미국이 잠정합의(AD REFERENDUM BASIS)하였다가
미국 대두협회의 반대로 최종합의에 도달하지 못하였던 수준임.

2. UR 분야

가. 수출 보조 물량 감축 수준은 21 % 로 함.

나. 국내 보조는 EC 의 CAP 개혁안 범위내에서 인정함.

다. REBALANCING 에서는 콘글루텐등 곡물 대체사료의 대 EC 수출 물량이 일정
수준에 도달할 경우 양자 협의키로 함.

라. PEACE CLAUSE 에 관하여는 원칙적인 합의만 보고 구체적인 문안 작업은계속할
것임.

(대사 박수길-국장)

예고 92.12.31. 까지

일반문서로 재분류 (1992 .12 .31)

통상국	장관	차관	2차보	통상국	통상국	분석관	청와대	안기부
경기원	재무부	농수부	상공부	중계				

92.11.21   06:10

외신 2과 통제관 FK

0092

외 무 부

종 별 :

번 호 : FRW-2380

일 시 : 92 1120 1800

수 신 : 장관(봉기,봉삼,경일,구일),사본:주EC,제네바대사-직송필

발 신 : 주 불 대사

제 목 : UR 협상관련 주재국 동향

연:FRW-2346

1. 주재국 P.BEREGOVOY 수상은 11.19 국회에 출석, 연호 특별각료회의 내용을 설명하고 주재국의 근본적인 국익보호를 위해 거국적 결속이 필요함으로 역설하였으며, 여야 모든 정당은 대변인을 통해 정부입장에 대한 전적 지지를 발표하였음.

2. 지스카르 데스탱 UDF 야당 당수는 11.19 TV 회견에서 92.5 월 CAP 개혁내용을 수락한 것이 정부의 실책임을 비난하면서도 EC-미국간 GATT 협상에서 CAP개혁과 비양립하는 협상결과가 나올 경우 농민의 이익보호를 위해 EC 이사회시 VETO 권을 사용등 강력히 대응해야 한다는 정부입장을 지지하였으며, 상원 경제분과 위원회도 정부가 필요시는 VETO 권을 행사토록 요청하였음.

3. SOISSON 농업장관은 11.19 언론회견을 통해 '불 정부는 CAP 개혁과 양립되지 않는 협상결과를 거부할수 있는 수단을 보유하고 있다"고 언급하므로써 불 정부의 VETO 권 행사 가능성을 시사하고, 불 정부의 이러한 입장을 여타 EC 회원국이나 미국으로 부터 EC-미국간 협상결과로 인해 초래될 불 농민의 불이익에 대해 어떠한 보상을 받아내기 위한 의도가 아님을 강조하였음.

4. 한편 LE MONDE 등 당지 언론은 주재국 정부가 특별각료회의를 통해 GATT협상에 관한 불 정부 입장을 의회에 설명하고, 의회가 지지 선언문을 채택토록결정한것은 아래와 같은 배경하에서 이루어진 것으로 분석하고 있음.

0 우선 국내 정치적으로는 야당을 GATT 협상에 대한 주재국 입장정립 과정에 동참시켜 야당도 책임이 있도록 함으로써 동건이 내년 3 월 총선에서 야당의 대정부 공격 소재로 활용되는 정치적 위험의 사전 방지

0 대외적으로는 미국 및 영, 독등 여타 EC 회원국들이 미테랑 대통령이 유럽통합

통상국 안기부	장관	차관	2차보	구주국	경제국	통상국	분석관	정와대

* 원본수령부서 승인없이 복사 금지

92.11.21 06:08

외신 2과 통제관 FK

0093

추진이 계속되기를 희망함으로 결국 양보할 것이라는 판단과 볼 야당은 사회당 집권기간 동안 문제가 완결되어 내년 총선 승리후 야당 집권시 동 문제가 정치적 부담이 되지않기를 희망할 것이라는 추측등으로 불란서가 양보할 가능성이 있는 것으로 오인할 여지가 있는것으로 보고, 이러한 대외적 오인을 불식하기 위해 불란서의 입장을 의회에서의 논의를 통해 더욱 선명히 표명하고자 하는 전략

5. 상기 관련 당관 관찰사항 아래 보고함.

0 볼 정부는 야당등 의회와 농민단체등 범국민적 지지하에 미-EC 타결안에 대한 EC 각료이사회 인준과정에서의 VETO 권 행사검토등 CAP 개혁과 비양립되는 협상결과를 거부한다는 <u>강경 입장을 대외적으로 견지할 것으로 보임.</u>

0 이와함께 볼 정부는 11.19 MITTERRAND 대통령의 GONZALEZ 스페인 대통령과의 정상회담을 통해 볼 입장에 관한 스페인 정부의 지지확보를 비롯, 아일랜드,폴투갈등 비교적 볼 입장에 동조적인 회원국들을 대상으로 지지확보 노력을 병행해 나갈것으로 보임.

0 그러나 EC-미국간 금번 협상결과가 CAP 개혁과 비양립되어 불란서에게 불이익이 초래될 경우에 실제로 볼 정부가 EC 내 고립을 무릅쓰고 VETO 권을 행사할 가능성은 <u>아래 사항들을 고려할때 아직은 회의적이라는 의견도 유력함.</u>

- 불란서의 VETO 권 행사는 EC 내 분열을 야기하고 이미 난관을 겪고있는 여타 EC 회원국에대한 "마스트리히트" 조약 비준을 더욱 어렵게 하므로써 유럽통합 추진과정이 커다란 위기에 처하는 상황으로 발전될 것임.(미테랑 대통령은 11.18 특별 각료회의시 동 문제가 1951 년이후 자신이 다룬 문제가 가장 어려운 문제라고 술회한 것으로 보도됨)

- 독, 영, 이태리등 EC 내 강대국이 볼 입장을 지지하지 않고 있어 불란서가 EC 내에서 고립되어 있는 상황임.

- VETO 권 행사 여부는 미테랑 대통령이 최종 결정할 것인바, 볼 사회당으로서는 내년 총선을 고려 유럽통합 위기를 감수하고서도 불농민 이익보호를 옹호하려고 할것이나, 내년 총선에서 야당이 승리하더라도 95 년 임기 종료시까지 대통령직에 있을 미테랑 대통령으로서는 자신이 역점을 두고 추진해왔던 유럽통합 과정의 위기가 초래될 상화을 최대한 회피코자 할것임.끝.

(대사 노영찬-국장)

예고:92.12.31. 까지

PAGE 2

0094

외 무 부

종 별 : 긴 급

번 호 : ECW-1474 일 시 : 92 1120 2000

수 신 : 장 관(통기,통삼,경기원,농림수산부,상공부,기정동문)

발 신 : 주 EC 대사

제 목 : UR 협상

1. EC 집행위 ANDRIESSEN 부위원장 및 MACSHARRY 농업담당 집행위원은 당지시간 금 11.20. 18:15 기자회견을 갖고, UR 문제와 관련, 농업문제를 포함, 시장접근, 써비스등 제반문제에 대해 미국과 합의하였음을 발표하고 (동 합의문 별첨 FAX송부) 동 합의내용을 바탕으로 GENEVA 에서 곧 다자협상을 개시하여 연내 UR 협상을 마무리지을 예정이라고 설명함

2. ANDRIESSEN 부위원장 및 MACSHARRY집행위원은 미국과 UR 문제에 대해 합의하게 된것에 만족을 표시하고, 특히 OILSEED를 포함한 농업문제에 대해서는 공동농업정책(CAP) 개혁안의 범위에서 합의가 이루어졌음을 강조하면서, 상기 합의 내용을 곧 각료이사회 (구체적 시기 미정) 에 보고하게 될 것이며, 동 합의내용에 대한이사회의 승인을 얻는데 아무런 문제가 없을 것으로 기대한다고 말함

3. 또한 동 집행위원들은 기자들의 질문에 답하면서, 연내 UR 협상에대한 정치적인 타결이 이루어질수 있을 것으로 전망하고, 단세부 기술적인 사항들까지 완전히 마무리 되기는 어려울 것이라고 언급하였음

4. 동 EC-미국 합의사항의 구체 내용등에 관해서는 추보예정임.

첨부: 상기 발표문 2부. 끝

(대사 권동만-국장)

통상국   통상국   안기부   경기원   농수부   상공부

PAGE 1 92.11.21 06:58 GW

외신 1과 통제관

0095

주 이 니 대 도 부

409-3-1

종   별 : 긴급

번   호 : ECW(F)-409   일   시 : 1120 2000

수   신 : 장 관 (통기.통상.경기원.농림수산부.상공부)

발   신 : 주이찌대사

제   목 : UR 협상

ECW-1474 의 첨부물

(총   매)

0096

IP(92)939

409 -3 -ᶁ

Brussels, 20 November 1992

JOINT PRESS STATEMENT

The Commission of the European Communities and
The United States of America
November 20, 1992

The United States and the Commission of the European Communities intend
to pursue a successful conclusion to the Uruguay Round. As a result of
our discussions, we believe that we have achieved the progress necessary
to assure agreement on the major elements blocking progress in Geneva,
notably in agriculture, services and market access. A successful outcome
will be a positive factor for the trade and economic growth of the
economies of the world.

Our negotiators are returning to Geneva to work together to build the
comprehensive, global and balanced package we both seek from these
negotiations. We intend to work with GATT Director General Arthur Dunkel
in finalizing agreements in all areas outlined in the draft "Final Act,"
which he produced last December and in completing the access negotiations
which we all agree are an integral part of the overall Uruguay Round
result.

In agriculture we have resolved our differences on the main elements
concerning domestic support, export subsidies and market access in a
manner that should enable the Director General to move the negotiations
to a successful conclusion. We shall inform Director General Dunkel of
our progress and work with him to secure broad agreement in Geneva. For
our part, we have instructed our negotiators to complete the detailed
negotiations on our respective country schedules as rapidly as possible.
We are in full accord that an effective agreement on agricultural reform
requires the participation of all countries in the negotiations.

The United States and the Commission of the European Communities agreed
on how to resolve the oilseeds dispute.

On market access, the United States and the Commission of the European
Communities have found the basis to achieve an ambitious result that
meets their respective objectives as follows: detailed negotiations will
continue on specific sectors or products in order to make progress

0097

- 2 -   409 -3-3

towards the completion of a substantial and balanced package. Tariff
reductions will be maximized, with as few exceptions as possible,
including the substantial reduction of high tariffs, the harmonization of
tariffs at very low levels, and the elimination of tariffs in key
sectors. The prospect exists that the Montreal target could be
substantially exceeded. However, participation of third countries - not
only the developing countries, but other industrialized countries - and
elimination of non-tariff distortions are considered to be of essential
importance, and both parties will continue efforts to achieve maximum
results in this regard in Geneva during the coming weeks.

In addition, in the area of government procurement, substantial progress
has been made with respect to the expansion of coverage. U.S. and EC
negotiators are instructed to complete the details of the expansion of
coverage and improvements of the Code.

In services, we are in strong agreement that the market access offers
must form an integral part of the ambitious result we seek. We have now
agreed to take a common approach on financial services. In addition, we
discussed improvements in our respective offers, and have agreed to seek
maximum liberalization and minimum exemptions, with the expectation that
other participants in the negotiations will similarly improve their
offers.

We have full expectations that the breakthrough we have achieved will
unblock the negotiations and provide new impetus necessary to complete
the Round. We encourage our trading partners to return to the
negotiating table in Geneva, prepared to show the necessary flexibility
to bring these negotiations to a close.

Earlier this year at the Munich Economic Summit, G-7 leaders called for
conclusion of the Uruguay Round by the end of the year. Time is short,
but negotiators are returning to Geneva confident that substantial
progreess can be achieved to meet the intent of the G-7 leaders'
commitment, provided other countries are prepared to work with us to
secure an ambitious and far reaching result to these important talks.

0098

외 무 부

종   별 : 지 급

번   호 : ECW-1476   일   시 : 92 1120 2200

수   신 : 장 관(통삼,통기,경기원,재무부,농림수산부,상공부,기정동문)

발   신 : 주 EC 댓   사본:주미-중계망,주불,제네바-필

제   목 : 갓트/UR 협상

    연: ECW-1474

    연호 미.EC 간 금번 OILSEEDS 문제 및 UR협상의 주요 합의내용은 아래와 같은 것으로 파악됨

    1. OILSEEDS 문제가. EC 의 OILSEEDS 생산면적을 93년 15프로 휴경(SET-ASIDE) 토록하고, 이후 6년간 최소 10프로 추가 휴경함

    나. 현재까지 미.EC 는 OILSEEDS 의 생산물량제한 방식에서 생산면적을 제한하는 방식을 도입하여 합의한바, EC 의 OILSEDDS총생산면적을 5.128천 HA 이내로 감축키로 함(단, 총생산량은 10.9백만본 이내로 제한)

    2. UR 협상

    가. 농산물

    0 보조수출물량은 DUNKEL 초안상의 24프로에서 21프로 감축하는 것으로 하향 조정함

    0 11월초 시카고회담까지의 양측 합의사항 (EC/CAP개혁상의 직접소득보조는 감축대상에서 제외등) 을 재확인함

    나. 시장접근

    0 최대한의 관세인하와 비관세장벽의 철폐

    0 정부조달협정의 적용대상 범위확대 및 내용개선

    다. 서비스

    0 금융분야에서의 공동입장 채택

    0 서비스시장개방의 극대화및 예외의 극소화추구

    라. 향후 UR 협상 추진방향

    0 가급적 조속히 (빠르면 내주중) 제네바에서 다자협상을 재개함

통상국   통상국   안기부   경기원   재무부   농수부   상공부

PAGE 1   92.11.21   07:03 WG

외신 1과 통제관

0099

0 금번 미.EC 합의내용을 토대로 가능한한 정치적 타결을 추진함. 끝
(대사 권동만-국장)

0100

외 무 부

종 별 : 지 급

번 호 : ECW-1477   일 시 : 92 1120 2230

수 신 : 장관

발 신 : (통기,통삼,경기원,재무부,농림수산부,상공부,기정동문)

제 목 : UR 협상   사본:주미,불,독,영,제네바대사-필

연: ECW-1476

연호, 미.EC 간 농산물협상 타결에 대한 EC주요회원국 정부반응 및 EC 집행위평가등은 아래와 같음

1. 주요 회원국 반응

가. 영국 MAJOR 수상은 금번 미.EC 간농산물협상 타결로 최악의 무역전쟁을 피하게되었으며, 또한 UR 협상의 연내타결이 가능해짐으로서 세계 경제회복에 크게 기여하게될것이라고 평가함

나. 독일은 VOGEL 정부대변인 특별성명을 통해 금번 미.EC 간 협상타결을 환영하면서, 이를바탕으로 UR 협상이 조기에 타결될 것으로 기대하고, 금번 합의내용이 EC의 CAP개혁안 범위내에서 이행될수 있을 것으로평가함

다. SOISSON 프랑스 농업장관은 금번합의내용은 프랑스가 요구하고 있는 조건에부합되지 않아 수락할수 없다고 지적하고,보조수출물량 21프로 감축한다는 내용을프랑스의회가 동의하기 어려울 것이라고전망하였음. 또한 프랑스는 금번 합의내용의CAP개혁범위 이탈여부를 검토한후 의회와의협의를 거쳐 내주중 정부의 공식입장을 결정하게될 것이라고 말하였으나, 동합의내용에 대한VETO 여부에 대하여는 구체적인 언급을 회피함

라. 프랑스 농민단체(CNJA) 는 이미 무역전쟁은시작되었으며, 명일 대규모 농민시위를 벌일것이라고 선언함. 한편, 유럽 농민협회(COPA) 도금번 합의내용이 CAP 개혁안의 범위를 초과,유럽 농민들의 추가적 희생을 초래하였다고비난함

2. EC 집행위 평가

가. 금 11.20. 오후 개최된 집행위원회의에서표결없이 동 합의내용을 승인하였으며, 또한DELORS 위원장을 포함한 모든 집행위원들이별도의 이견을 제시하지

통상국   통상국   안기부   경기원   재무부   농수부   상공부

PAGE 1   92.11.21   07:12 CJ

외신 1과 통제관

0101

않은 것으로 알려짐

　　나. EC 집행위는 미.EC 간 협상과정에서계속 주요 회원국정부와 접촉하여 왔고,금번타결내용이 CAP 개혁내용의 범위를 벗어나지않았기 때문에 동 내용에 관해 이사회의승인을 얻는데 별다른 어려움이 없을 것으로예상하고 있음

　　다. 금번 미.EC 합의내용을 바탕으로 내주중제네바 TNC 회의를 개최, 다자협상을재개하여연말까지 UR 협상의 정치적 타결이 이루어질것이며, 93년초 까지는 세부적인 기술사항들에관한 협상도 종결지을수 있을 것으로 전망함.끝

　　(대사 권동만-국장)

長官報告事項

題 目 : UR 協商 動向 및 對策

---

1. Oilseed 협의 및 UR 협상 동향

o 92.11.18-19. 미.EC 각료회담이후 양측간 전화회담 및 국내협의 과정을
   거친후 양측은 11.20(금) 기자회견에서 oilseed 문제 및 UR 농업보조금 관련
   협상이 타결되었다고 발표

o 이에 따라, UR 협상의 연내타결 가능성이 커진 것으로 평가
   - 금년말까지 최종협정문안 확정
   - 93.2월까지 시장접근, 서비스분야 양허협상을 마무리, 미국 Fast Track
     시한내 협상종결 예상

o 내주초 제네바에서 TNC 회의를 개최, 향후 협상일정을 발표할 것으로 예상
   - 실질협상도 내주중 개시 예상

2. 아국의 대책

o 11.20(금) 대조실장 주재 UR 대책실무위(관계부처 국장 참석) 회의에서
   UR 협상 현황 및 대책 점검
   - UR 협상이 급진전 될 경우에 결정을 요하는 사항 점검
     . 15개 NTC 품목조정문제, 관세화 예외 추진전략, 관세화 예외 확보
       불가시 대안등

0103

ㅇ 내주초 관계부처 회의에서 구체적 협상대책 마련 추진

　　- 상기 요 결정사항에 대한 세부대책

　　- 단계별 협상전략

　　- 본부 상주 협상대표단 파견 문제등

3. 언론대책 :

ㅇ 별첨 관계부처 공동언론 대책에 따라 대응

첨부 : 언론 대응안. 끝.

0104

< 參考 > 美.EC 妥結發表時의 對應(案)

┌─────────────────────┐
│ 政府의 基本立場(案) │
└─────────────────────┘

1) 한국정부는 美國-EC間의 合意導出이 UR협상의 교착상태를
   벗어날 수 있는 重要한 契機를 마련하였다는 점을 확인하고자
   함.

2) 한국정부는 그러나 美國-EC間의 合意는 어디까지나 兩當事者間
   의 合意이며, 동 내용이 그대로 UR협상의 최종적 結果로 채택될
   수는 없다는 立場을 分明히 하고자 함.

3) 한국정부는 '92.1.13 TNC 회의에서 밝힌바와 같이 農産物등
   主要爭點에서 輸出國과 輸入國, 先進國과 開發途上國의 보다
   균형있는 合意의 導出이 必要하다고 보며 특히, 식량안보관련
   基礎食糧에 대하여는 반드시 關稅化의 例外가 인정되어야 함을
   다시한번 강조하고자 함.

4) 한국정부는 앞으로 보다 均衡있는 합의도출을 위하여 UR협상
   참가국 모두가 참여하는 多者化된 協商過程이 조속히 再開.
   進行될 것을 촉구하며 아울러 한국정부는 1986년 UR협상 개시
   이후 일관되게 보여온 바와 같이 UR협상의 成功的 妥結을
   위하여 계속 적극적인 참여와 협조자세를 견지할 것임.

國會, 言論에의 對應(案)

- 上記 基本立場을 説明하고 아울러 다음과 같은 背景説明을 追加

  1) 이번 美國-EC間의 合意로 UR妥結의 展望이 可視化된 것은 사실
     이며 또한 우리가 주장해오던 關税化例外認定이 더욱 어려운
     狀況에 놓이게 되었다는 事實을 부인할 수는 없음

  2) 그러나 UR協商은 어디까지나 GATT체제를 강화하려는 多者間協商
     이라는 측면이 強하기 때문에 兩陣營의 合意結果가 餘他國에
     그대로 강요되는 방식이 통용될 수는 없고 반드시 多者化시키는
     과정을 밟아야 한다는 것이 多數 協商參加國 특히 開途國들의
     확고한 입장이기 때문에 앞으로도 협상내용의 최종적인 마무리
     절충과정이 남아있는 것임.

     ㅇ 더우기 關税化例外認定과 관련하여서는 한국뿐 아니라 일본,
        캐나다, 스위스등도 계속 이견을 보이고 있으므로 아직
        최종적인 절충과정을 남겨놓고 있는 사안으로 볼수 있음.

  3) 앞으로 政府의 協商戰略은

     ㅇ 한편으로는 開途國들과 연대하여 미국-EC간 합의결과의
        多者化를 계속 촉구하고,

     ㅇ 한편으로는 예외없는 관세화에 반대하고 있는 국가들과
        연대하여 최종협정문안의 절충과정에서 關税化例外認定을
        반영시키기 위한 最大限의 協商努力을 傾注할 방침임.

  4) 정부는 이상과 같은 狀況 인식하에 향후 협상에 임할 것이기
     때문에 현단계에서 關税化 例外認定이 반영되지 못했을 경우를
     前提로하는 어떠한 對策도 고려하고 있지 않음.

  5) 政府는 현재 정부내에 구성되어 있는 UR對策實務委員會(委員長:
     經濟企劃院 對外經濟調整室長)를 常時稼動體制로 운영하여
     앞으로의 協商展開狀況에 기민하게 最善의 對應策을 강구해
     나가도록 할 것임.

8 - 5

0106

UR 協商 動向

外 務 部

美國과 EC가 11.20. 油脂種子(oilseed) 協商과
農産物 補助金 문제를 포함한 ~~건을~~ UR 懸案에 대해 合意
하였음을 公式發表 함에 따라 年內 UR 協商妥結 可能性이
커진바 關聯動向을 아래 報告드립니다.

---

1. 美國과 EC의 主要 合意內容

   o EC의 油脂~~作物~~ 경작면적 제한을 통한 生産減縮

   o UR 農産物 수출보조금 減縮物量을 현재 合意草案 24%에서
     21%로 調整

   o 市場接近, 서비스分野 협상의 촉진을 위한 共同努力

2. 美國과 EC의 合意 背景

   o 미국이 油脂~~作物~~ 紛爭과 관련 對EC 報復措置를 强行하는
     경우 兩側이 모두 커다란 被害를 보며 UR 協商妥結도
     불가능해 진다는 위기감이 兩側을 合意에 이르도록 함.

   o 내년 3월 總選을 앞두고 强硬立場을 고수하고 있는
     불란서를 무마하기 위하여 美國이 다소 讓步

0107

3. UR 協商展望

　o 금번 美. EC間 合意가 UR 協商 妥結의 돌파구를 제공
　　합으로써 11. 23. 시작주부터 제네바에서 UR 協商이 본격
　　再開될 예정

　　- 協商이 순조로운 경우, 年末까지 UR 最終協定文案을
　　　確定하고, 來年初에 農産物, 市場接近 및 서비스分野
　　　에서의 讓許協商 마무리

　　- 마무리 協商에 다소 시간이 걸릴 것으로 豫想되나,
　　　빠르면 來年 2月末, 늦어도 5月末까지 협상 最終終結
　　　展望

　o 단, 내년 3월 總選을 앞둔 프랑스가 금번 美. EC間 合意에
　　內容에 반발하여 EC 閣僚理事會에서의 인준과정에서
　　拒否권을 行使할 가능성이 있으며, 美國內에서도 大豆
　　협회 및 Clinton大統領 當選者등 民主黨의 반응도 변수로
　　作用할 것으로 豫想됨.

4. 우리나라에 미치는 影響

　o UR 協商이 파국을 모면함에 따라 主要國間의 貿易戰爭
　　勃發 및 國際貿易秩序의 와해와 이에 따른 우리 對外貿易
　　環境의 악화도 방지할 수 있게 됨.

　o 그러나, UR 協商의 最大 爭點인 농산물 보조금 문제에 관해
　　合意가 이루어 짐에 따라 우리나라. 일본의 최대 관심사인
　　關稅化 例外認定 문제가 協商爭點으로 부각될 展望

0108

3. UR 協商展望

   o 금번 美.EC間 合意가 UR 協商 妥結의 돌파구를 제공
     함으로써 11.23. 시작주부터 제네바에서 UR 協商이 본격
     再開될 예정

     - 協商이 순조로운 경우, 年末까지 UR 最終協定文案을
       確定하고, 來年初에 農産物, 市場接近 및 서비스分野
       에서의 讓許協商 마무리

     - 마무리 協商에 다소 시간이 걸릴 것으로 豫想되나,
       빠르면 來年 2月末, 늦어도 5月末까지 협상 最終終結
       展望

   o 단, 내년 3월 總選을 앞둔 프랑스가 금번 美.EC間 合意
     內容에 반발하여 EC 閣僚理事會에서의 인준과정에서
     비토권을 行使할 가능성이 있으며, 美國內에서도 대두
     협회 및 Clinton大統領 當選者등 民主黨의 반응도 변수로
     作用할 것으로 豫想됨.

4. 우리나라에 미치는 影響

   o UR 協商이 파국을 모면함에 따라 主要國間의 貿易戰爭
     勃發 및 國際貿易秩序의 와해에 따른 우리 對外貿易
     環境의 악화도 방지할 수 있게 됨.

   o 그러나, UR 協商의 最大 爭點인 농산물 보조금 문제에 관해
     合意가 이루어 짐에 따라 우리나라. 일본의 최대 관심사인
     關稅化 例外認定 문제가 協商爭點으로 부각될 展望

                                                    0109

   ● 농산물분야는 레위가 어려분야 나라 협장않은 우리나라
     임장에서 볼때 크게 어려움이 없는데, 장기적인 각도에서

우리와 ~~우리한~~ 측면이 ~~많이~~ 끔.

- 특히 今年 年末까지 UR 最終 協定案을 확정하는 방향
  으로 協商이 進行되는 경우 우리나라로서는 조속히
  關稅化 例外認定 문제에 대한 最終立場을 결정해야
  하는 負擔을 짐.

5. 對　策

　o 빠른 시일내에 經濟企劃院, 農林水産部등 關係部處와 협의,
　綜合的인 對策 마련

- 關稅化 例外確保등 旣存立場을 기초로 對策을 마련하되,
  90.12. 브랏셀 閣僚會議時와 같이 UR 協商의 妥結에
  지나치게 非協助的이라는 인상을 주지 않도록 ~~伸縮性~~ 유의
  ~~있게 對應.~~ 끝.

0110

UR 協商 動向

92. 11. 21.

外 務 部

美國과 EC가 11. 20. 油脂種子(oilseed) 協商과
農産物 補助金 문제를 포함한 UR 懸案에 대해 合意
하였음을 公式發表 함에 따라 年內 UR 協商妥結 可能性이
커진바 關聯動向을 아래 報告드립니다.

---

1. 美國과 EC의 主要 合意內容

   ○ EC의 油脂種子 경작면적 제한을 통한 生産減縮

   ○ UR 農産物 수출보조금 減縮物量을 현재 合意草案 24%에서
     21%로 調整

   ○ 市場接近, 서비스分野 협상의 촉진을 위한 共同努力

2. 美國과 EC의 合意 背景

   ○ 미국이 油脂種子 紛爭과 관련 對EC 報復措置를 强行하는
     경우 兩側이 모두 커다란 被害를 보며 UR 協商妥結도
     불가능해 진다는 위기감이 兩側을 合意에 이르도록 함.

   ○ 내년 3월 總選을 앞두고 强硬立場을 고수하고 있는
     불란서를 무마하기 위하여 美國이 다소 讓歩

0111

3. UR 協商展望

  o 금번 美.EC間 合意가 UR 協商 妥結의 돌파구를 제공
    함으로써 11.23. 시작주부터 제네바에서 UR 協商이 본격
    再開될 예정

    - 協商이 순조로운 경우, 年末까지 UR 最終協定文案을
      確定하고, 來年初에 農産物, 市場接近 및 서비스分野
      에서의 讓許協商 마무리

    - 마무리 協商에 다소 시간이 걸릴 것으로 豫想되나,
      빠르면 來年 2月末, 늦으면 5月末까지 협상 最終終結
      展望

  o 단, 내년 3월 總選을 앞둔 프랑스가 금번 美.EC間 合意에
    반발하여 EC 閣僚理事會에서의 인준과정에서 거부권을
    行使할 가능성이 있으며, 美國內에서도 大豆協會 및
    Clinton大統領 當選者등 民主黨의 반응도 변수로 作用할
    것으로 豫想

4. 우리나라에 미치는 影響

  o UR 協商이 파국을 모면함에 따라 主要國間의 貿易戰爭
    勃發 및 國際貿易秩序의 와해와 이에 따른 우리 對外貿易
    環境의 악화도 방지할 수 있게 됨.

    - 農産物分野를 제외한 餘他分野 UR 協定草案은 우리나라
      立場에서 볼때 크게 어려움이 없으며, 長期的인 觀點
      에서 우리에게 유리한 측면이 많음.

o 그러나, UR 協商의 最大 爭點인 농산물 보조금 문제에 관해
合意가 이루어 짐에 따라 우리나라의 최대 관심사인 關稅化
例外認定 문제가 協商爭點으로 부각될 展望

- 특히 今年末까지 UR 最終 協定案을 확정하는 방향으로
協商이 進行되는 경우 우리나라로서는 조속히 關稅化
例外認定 문제에 대한 最終立場을 결정해야 하는
負擔을 짐.

5. 對 策

o 빠른 시일내에 經濟企劃院, 農林水産部등 關係部處와 협의,
綜合的인 對策 마련

- 關稅化 例外確保등 旣存立場을 기초로 對策을 마련하되,
90.12. 브랏셀 閣僚會議時와 같이 UR 協商의 妥結에
지나치게 非協助的이라는 인상을 주지 않도록 留意. 끝.

0113

이시[여1]

관리 번호	92-859

외 무 부

종 별 : 지 급

번 호 : USW-5688   일 시 : 92 1120 1108

수 신 : 장관 (봉기, 봉이, 봉삼, 미일, 경기원, 농수산부, 재무부, 상공부)

발 신 : 주 미 대사   주제네바, EC 대사 - 중계필

제 목 : 미.EC간 UR 협상 및 OILSEED 분규 타결

    1. 미국과 EC 는 11.18-19 간 당지에서 개최된 UR 및 OILSEED 관련 각료회담결과, 주요 현안문제에 있어 큰 진전이 있었다는 내용의 공동성명을 11.20. 발표 하였음 (공동 성명문 별첨).

    또한, 부쉬대통령도 11.20. 특별기자회견을 갖고, 미.EC 간 UR 농업분야에서의 일괄 타결로 UR 협상의 돌파구를 마련하였으며, OILSEED 문제의 타결로 무역 전쟁을 피하게 되었다고 언급하였음. (기자 회견문 별첨)

    가. 미.EC 공동성명문 요지

    0 농업분야

    - 국내보조, 수출보조금, 시장접근에 관한 양자간 이견해소

    - 농업분야에서 성공적인 개혁을 이루기 위해서는 모든 국가가 협상에 참여하여야 함을 인식

    0 시장 접근

    - 협상타결을 위해서는 분야별, 품목별로 구체협상을 지속할 필요

    - 고관세 품목의 대폭관세인하, 저관세율로의 HARMONIZATION, 일부품목에 대한 무관세화등을 통해 최대의 관세 인하 노력

    - 시장접근 분야의 목표달성을 위해서는 제 3 국의 적극적 참여와 비관세 장벽 철폐가 중요함을 인식

    - 정부조달 부문에서도 COVERAGE 확대와 관련 상당한 진전이 있었음.

    0 서비스

    - MARKET ACCESS OFFER 가 서비스분야 협약안의 일부가 되어야 함에 합의

    - 금융분야에서 공동보조를 취하기로 합의

    - 기존의 양측 OFFER 를 개선키로 하고, 제 3 국이 개선된 OFFER 를 제출토록

일반문서로 재분류 1992. 12. 31

통상국 안기부	장관 경기원	차관 재무부	2차보 농수부	미주국 상공부	통상국 중계	통상국	분석관	청와대

PAGE 1

* 원본수령부서 승인없이 복사 금지

92.11.21   16:38

외신 2과 통제관 DI

0114

유도하기 위해 미.EC 양측은 최대의 시장개방과 최소의 예외를 추구 하기로 합의

0 여타국의 협상 적극 참여를 통해, G-7 정상회담에 합의한대로 금년말 까지의 UR 타결을 위해 노력

나. 백악관 기자회견 요지

0 OILSEED 문제 (MADIGAN 농무장관)

- EC 의 OILSEED 경작지를 향후 512 만 8 천헥타까지 감축 (1 차년도에는 15% 감축, 2 차년도부터 매년 10% 감축)

- 향후 EC 신규회원국 가입시는 OILSEED 생산량을 가입이전 3 개년도의 평균치로 산정

0 UR 협상 (HILLS 대표 및 MADIGAN 농무장관)

- 농업분야 협상의 난점은 농업분야에 관심이 큰 국가는 여타 분야에서 적극적 자세를 보이지 않는 점인바, 여타 분야에서의 협의를 병행 하여 이러한 국가들의 다자협상 참여를 유도 예정

- FAST TRACK 시한 (93.6.1)을 감안, 93.3.1 까지 협상을 종료하여야 할 것인바, 미 대표단을 11.23 부터 제네바에 파견, 크리스마스 이전 까지 적극적으로협상 추진 예정

- 국내보조는 총량기준 20% 감축에 합의

- 수출보조는 '86-'90 생산량을 기준으로 물량기준 21% 감축

- DUNKEL 사무총장이 내주중 TNC 회의 개최 전망

3. 상기관련 장기호 참사관이 USTR 의 DEWOSKIN UR 협상담당 부대표보와 국무부 KRISTOFF 동아태국 부차관보를 접촉한바, 동인들의 반응은 아래와 같음.

가. DEWOSKIN 부대표보

0 미.EC 양측은 끝까지 최선을 다해 협상을 진행, OILSEED 와 농산물 쟁점을 모두 타결한바, 양측이 합의할 수 있는 최선의 돌파구를 마련하였으며 금년중UR 타결이 가능할 것으로 봄.

0 EC 대표단 귀임후 EC 측으로 부터 동 타결안에 대한 EC 내부의 승인이 있었다는 MESSAGE 를 받았는바, 이제는 한국을 포함 각국이 제네바에서의 협상테이블로 돌아와 적극 협상에 임해야 할 시기임.

미국은 내주중 LAVOREL 대사를 제네바에 파견, 각 분야별로 구체적인 협상에 들어갈 것인바, 이제는 한국, 일본등 제 3 국의 협조가 긴요함.

PAGE 2

나. KRISTOFF 부차관보

0 금번 미.EC 간 합의로 UR 협상의 전기를 마련하였는바, 금년 12 월의 3 주간이 UR 협상의 고비가 될 것으로 봄.

0 일본이 쌀시장개방에 계속 반대하고 있지만 이를 지키기는 어려울 것으로봄.

일본 관리들은 일본 스스로가 전면에 나서 쌀시장개방에 계속 반대하는 경우 국제사회에 좋지못한 인상을 주어, 고립되는 것이 바람직하지 않다는 것을 충분히 인식하고 있음.

4. 한편, 김중근 서기관은 농무부 GRUEFF MTN 과장을 접촉한바, 동인의 언급내용은 아래와 같음.

0 국내보조는 20% 감축으로 타결된바, 동 감축비율은 DUNKEL TEXT 와 동일하나, 감축방식에 있어서는 DUNKEL TEXT 가 개별 품목별로 20% 감축인데 반해 금번 합의는 총량감축방식 (AMS)인 점이 다름.

0 수출보조는 DUNKEL TEXT 의 품목별 24% 감축에서 21%로 감축되었을뿐 여타 사항은 DUNKEL TEXT 의 초안과 유사함.

0 PEACE CLAUSE 문제는 상계관세부과에 있어 품목예외를 주장하는 EC 측 입장이 많이 반영되었는바, 전체적으로 DUNKEL TEXT 의 내용과 유사함. (다만 보조금 지급의 경우는 예외가 인정되지 않음)

0 REBALANCING 문제도 합의되었는바, EC 의 비곡물류 사료작물 수입이 일정수준이상으로 증가하는 경우, 미.EC 간에 협의를 갖기로 함.

5. 상기에 비추어 앞으로 UR 협상이 급진전할 가능성이 높아지고 있는바, 우리로서는 농산물을 포함, 분야별 대비책을 시급히 강구해 나가는 것이 긴요하다고 사료되며, 특히 UR 협상과 관련한 과거의 경험에 비추어 한국이 UR 협상 타결을 전면에서 발대하고 있다는 인상을 주지않도록 대책수립에 신중을 기하여야 할 것임.

또한, 앞으로 여러 교역국들로 부터 쌀등 농산물문제에 대한 우리의 입장을문의하는 사례가 많아질 것으로 보이는바, 이들에 대해 일관되게 설명할 수 있는 우리의 기본 입장을 작성, 조속 회시 바람.

6. USTR 로 부터 입수한 농무부 발표문도 별첨 송부함.

첨부 : USWF - 7388 (16 매)

(대사 현홍주 - 국 장)

예고: 92.12.31 까지

주 미 대 사 관

USW(F) : *7388*   년월일 :   시간 :

수 신 : 장   관 (통기, 홍이, 통산, 니이ㄴ) 73기가ㄷ

발 신 : 주 미 대 사 통수신뭐, 재쭈우, 상상우

제 목 : 원원뭐 국제기개막, 튼ㄴ 대식 (10 매)   (출처 :   )

(*7388*- 16 - 1

0117

Joint Press Statement
The Commission of the European Communities and
The United States of America
November 20, 1992

The United States and the Commission of the European Communities
intend to pursue a successful conclusion to the Uruguay Round. As
a result of our discussions, we believe that we have achieved the
progress necessary to assure agreement on the major elements
blocking progress in Geneva, notably in agriculture, services and
market access. A successful outcome will be a positive factor for
the trade and economic growth of the economies of the world.

Our negotiators are returning to Geneva to work together to build
the comprehensive, global and balanced package we both seek from
these negotiations. We intend to work with GATT Director General
Arthur Dunkel in finalizing agreements in all areas outlined in the
draft "Final Act," which he produced last December and in
completing the access negotiations which we all agree are an
integral part of the overall Uruguay Round result.

In agriculture we have resolved our differences on the main
elements concerning domestic support, export subsidies and market
access in a manner that should enable the Director General to move
the negotiations to a successful conclusion. We shall inform
Director General Dunkel of our progress and work with him to secure
broad agreement in Geneva. For our part, we have instructed our
negotiators to complete the detailed negotiations on our respective
country schedules as rapidly as possible. We are in full accord
that an effective agreement on agricultural reform requires the
participation of all countries in the negotiations.

The United States and the EC Commission agreed how to resolve the
oilseeds dispute.

On market access, the United States and EC Commission have found
the basis to achieve an ambitious result that meets their
respective objectives as follows: detailed negotiations will
continue on specific sectors or products in order to make progress
towards the completion of a substantial and balanced package.
Tariff reductions will be maximized, with as few exceptions as
possible, including the substantial reduction of high tariffs, the
harmonization of tariffs at very low levels, and the elimination of
tariffs in key sectors. The prospect exists that the Montreal
target could be substantially exceeded. However, participation of
third countries -- not only the developing countries, but other
industrialized countries -- and elimination of non-tariff
distortions are considered to be of essential importance, and both
parties will continue efforts to achieve maximum results in this
regard in Geneva during the coming weeks.

7388—16—2.

0118

-2-

In addition, in the area of government procurement, substantial progress has been made with respect to the expansion of coverage. U.S. and EC negotiators are instructed to complete the details of the expansion of coverage and improvements of the Code.

In services, we are in strong agreement that the market access offers must form an integral part of the ambitious result we seek. We have now agreed to take a common approach on financial services. In addition, we discussed improvements in our respective offers, and have agreed to seek maximum liberalization and minimum exemptions, with the expectation that other participants in the negotiations will similarly improve their offers.

We have full expectations that the breakthrough we have achieved will unblock the negotiations and provide new impetus necessary to complete the Round. We encourage our trading partners to return to the negotiating table in Geneva, prepared to show the necessary flexibility to bring these negotiations to a close.

Earlier this year at the Munich Economic Summit, G-7 leaders called for conclusion of the Uruguay Round by the end of the year. Time is short, but negotiators are returning to Geneva confident that substantial progress can be achieved to meet the intent of the G-7 leaders' commitment, provided other countries are prepared to work with us to secure an ambitious and far reaching result to these important talks.

Contact: USTR 202/395-3350

7388-16-3

0119

USDA Backgrounder

Roger Runninger (202) 720-4623

November 20, 1992

News Division, Office of Public Affairs, Room 404-A, U.S. Department of Agriculture, Washington, D.C. 20250

U.S. - EC AGREEMENT ON OILSEEDS AND THE URUGUAY ROUND

The agreement reached today by the European Community and the United States paves the way for a speedier resolution of the remaining agricultural issues in the GATT Uruguay Round negotiations. This will free up negotiations to continue in other areas of the Round.

Today's agreement spells out the conditions for resolving the oilseeds dispute in a manner that is satisfactory to both the United States and the European Community. It will halt the dramatic increase in European Community oilseed production.

Today's agreement also clarifies the position the two parties will take on other issues contained in the Dunkel Agricultural Text, which was proposed nearly a year ago by Arthur Dunkel, director general of the General Agreement on Tariffs and Trade. The Dunkel Text is a general form of an agricultural agreement which has been the guideline for the GATT Uruguay Round discussions throughout 1992.

The agreement reached today by the European Community and the United States contains the following guidelines:

OILSEEDS

The agreement contains an acreage trigger for European Community oilseeds production. If EC acreage exceeds the trigger, oilseed producers in the EC will receive smaller EC subsidy payments on all oilseed plantings. This will restrain plantings and oilseed production.

The European Community will ensure that any oilseed byproducts produced from oilseed plantings on EC set-aside acres will not undermine the market for oilseed exports.

If the United States believes the agreement has been breached, the European Community agrees to undertake binding arbitration.

The European Community also agrees to provide a reduced tariff rate on 500,000 tons of corn to Portugal beginning in 1993/94.

GATT URUGUAY ROUND

Internal Supports. The European Community and the United States agree to support a GATT Uruguay Round agreement that will require a 20% reduction from a 1985-88 base in the average level of farm supports across commodities as determined by the so-called Aggregate Measure of Support (AMS). These reductions are from a 1986-1988 base period and therefore have already been achieved in the United States so no further reductions are required for U.S. commodities.

- more -

0120

126　우루과이라운드 협상 동향 및 무역협상위원회 회의 4

- 2 -

Direct payments that are appropriately linked to production-limiting programs will not be subject to the reduction commitment if certain conditions are met (for crops: fixed acreage base/fixed yields or payments made on less than 85 percent of base level production; for livestock: fixed number of livestock head).

Export Subsidies. The United States and the European Community agree to support a GATT Uruguay Round agreement that reduces by 21% the volume of agricultural commodities that receive export subsidies and reduces subsidy outlays by 36%. These cuts are from a base period of 1986-90 as defined in the Dunkel Text.

Market Access. The United States and the European Community have agreed to instruct their negotiators to complete as quickly as possible their country lists of proposed reductions in agricultural tariffs (as well as farm subsidies).

Consultation on Non-grain Feed Ingredients. The United States and the European Community agree to consult if EC imports of non-grain feed ingredients increase to levels that undermine the implementation of the reform in EC farm programs.

GATT Rules. The European Community and the United States have agreed that during the six-year implementation period internal support measures and export subsidies that fully conform to reduction commitments and other criteria will not be subject to challenge under GATT rules on subsidies. However, countervailing duties will still apply if such subsidized imports cause or threaten injury.

OTHER BILATERAL ISSUES

The United States and the European Community have agreed on a resolution of current disputes between the two parties on corn gluten feed and malted barley sprouts.

The European Community also has agreed to extend into 1993 the agreement that permits the entry of 2 million tons of corn and 300,000 tons of sorghum into Spain under reduced import charges.

7388－16-5

SPECIAL WHITE HOUSE BRIEFING   RE: THE GATT AGREEMENT (WITH AN OPENING
STATEMENT BY PRESIDENT BUSH) BRIEFERS: AMB. CARLA HILLS, USTR; EDWARD
MADIGAN, SECRETARY OF AGRICULTURE   THE WHITE HOUSE
Z-20-01 page# 1   FRIDAY, NOVEMBER 20, 1992

dest=swh,mwh,doa,ustr,fortr,trdpol,gatt,eurcom,trdwar,uk,fns13129
data

     MR. FITZWATER: Ambassador Hills and Secretary Madigan have just
arrived and they are with the President now. The President will be in the
briefing room in just a few minutes, and he will have an opening statement
concerning the GATT agreement. And he will then leave for Camp David as
originally planned, and Ambassador Hills and Secretary Madigan will stay
and give you a further briefing and take your questions.

     So, Michael Bush will give you the two minute warning very soon.
Thank you.

     (Pause.)

     PRESIDENT BUSH: Come, Carla, you and Ed come on up here.

     Well, I want to salute Secretary Madigan and Ambassador Carla Hills.
My announcement relates to their work, and I am exceptionally pleased to
announce that the United States and the European Community's Commission
have reached unanimous agreement on an agricultur package that should
enable us to press forward the global trade negotiations to a successful
conclusion.

     These global trade negotiations, the so-called Uruguay Round under the
GATT, are fundamental to spurring economic growth, creating jobs, here at
home and, indeed, all around the world. And I am hopeful that the
breakthrough that we achieved today will spur movement across the board in
the ongoing negotiations among all the GATT parties in Geneva so that we
can achieve this comprehensive, global, and balanced agreement that we've
sought for so long.

     In addition, by agreeing to solutions to our differences on oil seeds
and other agricultural disputes, we've avoided a possible trade war. And
that is very, very important.

     I'm particularly pleased that Ambassador Hills and Secretary Madigan
are here with us today because they've done extraordinary work to achieve
this historic result. I salute their teammates who are with us here today
as well. And also, because they will remain with you to answer your
questions. Some of this is very, very technical. And they know how proud
I am of their work. I've seen them in action, both here and abroad,
hammering out this agreement.

     It's taken a long time, but it was sound, and it's been a long and
difficult course to the result that we have achieved today. I recall these
extensive and frequently vigorous -- I've chosen the word carefully --
discussions on agriculture and other trade issues at the economic summit
that we hosted in Houston in 1990 and at each of the summits that followed.
But I am now absolutely convinced that the work was well worth it.

     I talked to Prime Minister John Major this morning, had an opportunity

7388 - 16 - 6   0122

SPECIAL WHITE HOUSE BRIEFING   RE: THE GATT AGREEMENT (WITH AN OPENING
STATEMENT BY PRESIDENT BUSH)   BRIEFERS: AMB. CARLA HILLS, USTR; EDWARD
MADIGAN, SECRETARY OF AGRICULTURE   THE WHITE HOUSE
2-20-01 page# 2   FRIDAY, NOVEMBER 20, 1992

to thank him for his key role as the current president of the EC. And the
next step then will be for the United States and the EC and all the other
parties in the Uruquay Round to return to the negotiating table in Geneva
prepared to show the flexibility necessary to bring these negotiations to a
successful close.

     So, once again, I salute our partners in all of this, and I certainly
salute our extraordinarily effective team that has been able to bring this
about. And, with no further ado, I will turn it over to them to take all
your questions.

     Q   Mr. President, why didn't the White House stop the Clinton
passport search?

     AMB. HILLS: Are there any questions? Would you say who you want to
direct your question to.

     Q   For Ms. Hills, Kathleen Tandy (sp), with Features World News.
Does the US have retaliation proceedings in place if the enforcement
mechanism on the -- (inaudible) -- oil seeds deal do not prove ironclad?

     AMB. HILLS: We have a --

     Q   Would you repeat the question?

     AMB. HILLS: The question is, do we have enforcement procedures in
place in the event that the European Community breaches the agreement that
we have entered into? And the answer is yes. We have a binding
arbitration within the agreement. We also have dispute settlement
procedures that we can resort to.

     Q   Mrs. Hills, how important do you think the threat of a trade war
and the proposed tariffs on white wine were in concentrating the minds of
those EC ministers to come to the agreement that the President announced
today?

     AMB. HILLS: I think, in fact, that it may have had a therapeutic
effect. (Laughter.)

     Q   Mrs. Hills --

     Q   Can you spell out some details of --

     Q   -- could you please spell out some of the details of the
agreement on oil seeds and on the broad agreement involving the Uruguay
Round?

     AMB. HILLS: Let me ask the Secretary of Agriculture to speak to the
oil seeds arrangement, and then I will follow up with discussion on the
Uruquay Round issues.

     SEC. MADIGAN: The principal elements of the oil seed agreement are

7388--11-7   0123

SPECIAL WHITE HOUSE BRIEFING   RE: THE GATT AGREEMENT (WITH AN OPENING
STATEMENT BY PRESIDENT BUSH) BRIEFERS: AMB. CARLA HILLS, USTR; EDWARD
MADIGAN, SECRETARY OF AGRICULTURE   ·THE WHITE HOUSE
Z-20-01 page# 3   FRIDAY, NOVEMBER 20, 1992

that the European Community agrees to limit their oil seeds production in
the future to 5.128 million hectares of land, to reduce or to set aside 15
percent of that land in the first year and a minimum of 10 percent of that
land in all subsequent years. And this goes beyond the six years of the
GATT accord. This is forever._ And, as Ambassador Hills has pointed out,
there is a dispute resolution procedure that includes binding arbitration.
And, in addition to that, there is a provision·with regard to any new
countries that might join the European Community in the future. And that
provision says that if new countries do join the European Community in the
future, their oil seeds production in the future can only be the average of
what it was for the three years prior to their joining. Those are the
highlights of the agreement.

        Q   What kind of production would the EC -- would you anticipate the
EC coming up with?

        SEC. MADIGAN: That will always depend upon seed varieties, weather
conditions, and other things. But we estimate that this agreement creates
a range of 8.5 million tons to 9.7 million tons, depending upon weather,
depending upon seed varieties, and also depending upon the effectiveness of
the changes that they have made in the method of compensation for their oil
seeds producers. Their production per hectare dropped considerably this
year from about 2.35 million tons per hectare down to 2.08 million tons per
hectare --

        Q   (Off mike.)

        SEC. MADIGAN: -- 2.35 average in the past to 2.08 this year. Now --

        Q   Metric tons?

        SEC. MADIGAN: Metric tons per hectare.

        (MORE)

0124

SPECIAL WHITE HOUSE BRIEFING   RE: THE GATT AGREEMENT (WITH AN OPENING
STATEMENT BY PRESIDENT BUSH) BRIEFERS: AMB. CARLA HILLS, USTR; EDWARD
MADIGAN, SECRETARY OF AGRICULTURE   THE WHITE HOUSE
Z-20-02   page# 1   FRIDAY, NOVEMBER 20, 1992

dest=swh,mwh,doa,ustr,fortr,trdpol,gatt,eurcom,trdwar,uk,fns13129,forag
data

And Mr. MacSharry, the European Commissioner, and others, say that is
because of the initial effects of their CAP reform showing up in the
decisions being made by oil seeds producers. And if that holds up in the
future, then this will be, from a standpoint of total production, something
that is very, very favorable to the US oil seeds producers. But if it goes
to the high range of 9.7, that is still considerably below the 13 million
tons that they are currently producing, or could produce in the future.

     Q   Ambassador Hills, for those of us who don't follow GATT on a
regular basis, we've been given to understand over the months and years
that agriculture was the big hang-up in getting a final agreement. So now
that you have an agreement of some sort on that issue, where does that
leave us in terms of finishing the round?

     AMB. HILLS: It leaves us sending our negotiators to Geneva to bring
the remaining of the 108 parties that are negotiating, into the process.
But we did agree with Europe to achieve maximum liberalization on access
for all sorts of goods, to try to harmonize the low tariffs, bring down the
high tariffs, and to open markets on services, to move forward on
procurement. So that I think we have a good path for trade liberalization
in the future. And I do believe that there's a handout that gives you the
agreed text on the issues that go beyond the agricultural sector.

     Q   Well, have we gone now --

     Q   What about --

     Q   If I can follow-up. Have we gone now from a questions of "if"
to a question of "when"?

     (Cross talk.)

     Q   Have we gone now from a question of "if" to a question of "when"
-- it's just a matter of time before we complete an agreement now? There
seemed to be some question in the preceding weeks as to whether there would
be an agreement at all.

     AMB. HILLS: We definitely have gone from -- to a positive posture.
But keep in mind, we have to bring in other industrialized countries. They
must make their contribution. Trade negotiations are reciprocal. We must
also bring in developing countries. The problem we faced with the
difficulty over agriculture is those who cared only about agriculture were
not prepared to move in the other areas. Having cleared away the
agricultural problems, and at least moving them into the multilateral forum
of Geneva, we now have the optimum chance of securing a multilateral
agreement that could have a considerable positive effect upon all of our
economies in the world trading system.

     Q   But there's a question about the timing here, Mrs. Hills.

0125

SPECIAL WHITE HOUSE BRIEFING   RE: THE GATT AGREEMENT (WITH AN OPENING
STATEMENT BY PRESIDENT BUSH)   BRIEFERS: AMB. CARLA HILLS, USTR; EDWARD
MADIGAN, SECRETARY OF AGRICULTURE   THE WHITE HOUSE
Z-20-02   page# 2   FRIDAY, NOVEMBER 20, 1992

There's a deadline of March 1st on the negotiating authority from Congress.
Isn't it likely that this next lap, round of negotiations on all these
other issues will drag out through the spring, indeed, maybe the summer?
There are people who say it could last nine months. And thus, the next
administration is going to sign the actual Uruguay Round agreement?

    AMB. HILLS: I hope that our negotiators can return to Geneva Monday.
And that I -- having talked recently to Director General Arthur Dunkel, I
would hope that there would be aggressive negotiations between Monday, the
23rd, and the Christmas break. Tremendous progress can be made in these
three weeks with goodwill and energy on all sides. I have no perfect
crystal ball.

    Q   What about the earliest you think you can possibly bring home a
final deal?

    AMB. HILLS: When we have an adequate package that presents trade
liberalization across the trading system.

    Yes, John?

    Q   Ambassador Hills --

    Q   Ambassador Hills, can we get some numbers on the overall deal?

    Q   Excuse me. Excuse me. Mrs. Hills, or Secretary Madigan, in the
agriculture deal, can you tell us if there is some level of production at
which the US would automatically have a right to arbitration or a right to
retaliation? Or is it all tied to the acreage?

    SEC. MADIGAN: Tied to the land area.

    Q   So there's no cap on production? They could go way above that
if for some reason their efficiency went way, way up, and we have no
recourse if they did?

    SEC. MADIGAN: The fact of the matter is that the elements of their
CAP reform package discourage the kind of activities that would cause the
per hectare yields to increase considerably. I mean, the incentives to
increase production per hectare are removed when you take away the payment
per product and put in its place a payment per land area. And essentially,
that's what they've done. So the desire on the part of the producer to use
more fertilizer or a more expensive, higher-yielding seed, the incentive
for that kind of thing has been removed by their CAP reform.

    Q   But they can --

    Q   Excuse me. If I can follow-up. Will they be able to grow oil
seeds for industrial uses on their setaside lands?

    SEC. MADIGAN: Only under certain very restricted circumstances.

7388 -- 16 -- 10

0126

SPECIAL WHITE HOUSE BRIEFING   RE: THE GATT AGREEMENT (WITH AN OPENING
STATEMENT BY PRESIDENT BUSH) BRIEFERS: AMB. CARLA HILLS, USTR; EDWARD
MADIGAN, SECRETARY OF AGRICULTURE   THE WHITE HOUSE
Z-20-02 page# 3   FRIDAY, NOVEMBER 20, 1992

     Yes, you've had your hand up since we came in here.

     Q   Mr. Secretary, I'm afraid the question is for both you. I wish
-- (inaudible). The President has pointed to -- given very high visibility
to a report that this agreement was delayed until after the election for
political purposes.

     (MORE)

SPECIAL WHITE HOUSE BRIEFING   RE: THE GATT AGREEMENT (WITH AN OPENING STATEMENT BY PRESIDENT BUSH)   BRIEFERS: AMB. CARLA HILLS, USTR; EDWARD MADIGAN, SECRETARY OF AGRICULTURE   THE WHITE HOUSE
2-20-03   page# 1   FRIDAY, NOVEMBER 20, 1992

dest=svh,mvh,doa,ustr,fortr,trdpol,gatt,eurcom,trawar,uk,fns13124,forag
dest+=agsub
data

What evidence do you have that that report was true or false? And could you tell us any more about it? The one that said that a Clinton intermediary had dealt with Delors on this issue prior to the election. And the President talked about that during the campaign.

     SEC. MADIGAN: I have no personal knowledge about that other than what I have read in the newspapers.

     Q   Ambassador Hills, could you tell us what your estimate of that report was?

     Q   What is the compensation that US farmers will get out of this --

     Q   Excuse me. Ambassador Hills, could you tell me what your estimate of that report was and whether it had any truth?

     AMB. HILLS: We do know that someone from the Democratic Party did contact the Europeans. I know nothing more than what has been in the press.

     Q   Could we go back to the unanswered question about the rest of the agriculture deal? (Inaudible) -- GATT that Mrs. Hills was going to take?

     SEC. MADIGAN: On the question of internal supports, the agreement calls for a 20 percent reduction across the board in aggregate measures of internal support. Under the terms of our 1990 Farm Bill, we've already achieved that. So there is nothing in this agreement that requires any further reduction in internal supports for US agriculture producers.

     On the question of export subsidies, this calls for a 36 percent reduction over six years in the amount of money spent to subsidize agriculture exports and a 21 percent reduction, a clean 21 percent reduction, in the volume of subsidized exports based on the '86 to '90 base period. That is an actual reduction of 38 percent from the European Community current level of activity, because their current level of activity for 1991 and 1992 is much higher than the level of activity during the '86 to '90 base period.

     So, we think that provision will result over the six years of this agreement in our agriculture producers being able to regain many of the lost markets that they have experienced over the years as a result of this European subsidizing activity. And we think that it is a very, very good agreement for American agriculture producers.

     Q   (Off mike) -- when you'll be going back to Geneva?

     SEC. MADIGAN: We won't be going back.

0128

SPECIAL WHITE HOUSE BRIEFING   RE: THE GATT AGREEMENT (WITH AN OPENING
STATEMENT BY PRESIDENT BUSH) BRIEFERS: AMB. CARLA HILLS, USTR; EDWARD
MADIGAN, SECRETARY OF AGRICULTURE   THE WHITE HOUSE
Z-20-03 page# 2   FRIDAY, NOVEMBER 20, 1992

there that do that.

     AMB. HILLS: We have people in Geneva now, but we will send our lead
negotiators over at the earliest moment when the international community
can be gathered. I would expect Arthur Dunkel to announce a trade
negotiating committee meeting early sometime next week.

     Q   Mrs. Hills, when you said you wanted to get finished before the
Christmas break, is December 20th the kind of date that you're shooting for
to get the round done?

     AMB. HILLS: I'd like to have it done tomorrow. Maybe that's
incorrect. I'd like to have it done yesterday. It's up to Arthur Dunkel
when he calls the break, but it's in that period of time where I think we
could make substantial progress on access for services, for goods, and in
the procurement area.

     Q   Mr. Madigan, if the arbitration part doesn't apply to production
limits, what does it? I mean, what does the dispute resolution arbitration
apply to? What could be the problems --

     SEC. MADIGAN: If it was found at some point in the future that there
was more than 5.128 million hectares in oil seeds production or less than
the minimum set aside that is guaranteed by the agreement, it would apply
to those kinds of things. And that is -- I might tell you, from our
experience with running farm programs in the United States, those kinds of
things do occur. In fact, it's necessary for our ASCS people frequently to
-- with regard to certain producers, to frequently check on the amount of
land that they have actually set aside by going out by measuring it because
of people having a tendency to want to test how efficient we are.

     Q   How do you judge --

     Q   Was compensation for American farmers discussed in this
breakthrough deal, Secretary Madigan?

     SEC. MADIGAN: I'm sorry. I didn't hear.

     Q   Was any compensation discussed for American farmers that
supposedly were losing hundreds of millions of dollars because of that
European subsidy? Was that discussed at all?

     SEC. MADIGAN: I think that the compensation question goes only to the
oil seeds issue. And under the existing GATT agreement, it was not
necessary for the European Community to address compensation to our oil
seeds producers even though they are the people that the GATT panel found
had been injured by the European practices. Under the present GATT terms,
they could have offered us compensation on candy bars or iron bars or
anything that they would have wanted to.

     The challenge to Mrs. Hills and to myself was to try to keep the
negotiations on compensation in the realm of oil seeds so that our oil

                     7385-16-13   0129

SPECIAL WHITE HOUSE BRIEFING   RE: THE GATT AGREEMENT (WITH AN OPENING
STATEMENT BY PRESIDENT BUSH) BRIEFERS: AMB. CARLA HILLS, USTR; EDWARD
MADIGAN, SECRETARY OF AGRICULTURE   THE WHITE HOUSE
Z-20-03 page# 3   FRIDAY, NOVEMBER 20, 1992

seeds producers would be made whole for the injury that they had sustained.
We succeeded in doing that, and it took a lot of effort on the part of
Ambassador Hills and Ambassador Katz and Mr. O'Mara (sp) and other people
to do that. But, clearly, that was a victory to keep this discussion in
oil seeds. And we did keep it in oil seeds, and we do have a result where
they are going to reduce their production of oil seeds and are going to
agree to a set aside provision, every year, ad infinitum.

    (MORE)

0130

SPECIAL WHITE HOUSE BRIEFING   RE: THE GATT AGREEMENT WITH AN OPENING
STATEMENT BY PRESIDENT BUSH.   BRIEFERS: AMB. CARLA HILLS, USTR; EDWARD
MADIGAN, SECRETARY OF AGRICULTURE   THE WHITE HOUSE
Z-20-04-E page# 1   FRIDAY, NOVEMBER 20, 1992

dest=swh,mwh,doa,ustr,fortr,trdpol,gatt,eurcom,trdwar,uk,fnsl3129,foraq
dest+=aqsub,corn
data

7388-16-15

    These are things that they didn't want to do in the beginning that
they ultimately agreed to do. And they certainly in the beginning did not
want to agree to the binding arbitration provision. So, I think that we
have done very, very well for the oil seeds producers under the
circumstances to just keep the debate in oil seeds. And I -- just on
behalf of American farmers, I would express my appreciation to the **0131**
Ambassador and to her staff and to all the people at USDA who worked so
hard on this.

Q   (Off mike) -- rebalancing allowed in the Uruguay Round agreement?

AMB. HILLS: No, there is no rebalancing.

And let me tell you that the Secretary of Agriculture is far too modest.   This agreement would not have been reached without his really very creative and energetic efforts.   And in addition to the agreement, because under the panel report what was called for was "fix the system," and through his efforts and other's -- efforts of Ambassador Katz and Joe O'Mara (sp), we have fixed the system, but also compensation will be paid in terms of some tonnage of corn, 500,000 tons of corn.   We have fixed other agricultural disputes that have been between us.   Corn gluten is one. The malted barley sprouts is another.   And --

SEC. MADIGAN: Or sprouting barley malts.

AMB. HILLS: Or sprouting barley malts.   (Laughs.)   Or you can do it the other way around.   (Laughter.)   But it is a very good agreement, and it targets both the fix and the compensation on the industrial sector, the farm sector, that suffered the injury.

MR. FITZWATER: We'll take the final question, please.

Q   Mr. Secretary, last week in talking to farm broadcasters, you made it clear that the EC production had increased by a large number of metric tons since the GATT case was brought.   And you said the US wanted to restrict their production to a tonnage basis of eight million, I believe. We are now above that number, and it's not tonnage; it's acreage.   Why did you shift?

SEC. MADIGAN: Well, let me make a couple of points because there are always details -- I mean, you cannot bore people to death in these interviews with details has been my experience.   And Spain and Portugal have joined the EC in recent years, and they are oil seeds producers.   And Germany has been reunited, and East Germany is a major oil seed producer. And those things all have to be factored into these calculations.

Thank you very much.

SPECIAL WHITE HOUSE BRIEFING   RE: THE GATT AGREEMENT (WITH AN OPENING STATEMENT BY PRESIDENT BUSH)   BRIEFERS: AMB. CARLA HILLS, USTR; EDWARD MADIGAN, SECRETARY OF AGRICULTURE   THE WHITE HOUSE
Z-20-04-E   page# 2   FRIDAY, NOVEMBER 20, 1992

END

0132

외 무 부

종 별 : 지 급

번 호 : FRW-2384   일 시 : 92 1121 1200

수 신 : 장관(통기,봉삼,경일,구일)

발 신 : 주 불 대사

제 목 : 농산물 협상 타결에 관한 주재국 반응

11.20. EC-미국간 타결된 농산물 협상 결과에관한 주재국 반응을 아래 보고함(관련동향추보함)

1. 당지 TV 방송은 11.20. 저녁뉴스에서 금번타결(안)이 당초 예상보다는 OILSEED 생산량의 면적에 의한 제한등 EC 측에 유리하게 타협된 것으로 평가하고, 불정부가 EC각료이사회 최종심의에서 거부입장을 취하더라도 다수결 표결이므로 동 타결(안)의 채택 저지는 불가능할 것으로 전망 함. 이와관련, 금번타결내용에 따라 불농민이 감수해야 할 불이익이 EC 각료이사회에서 VETO권을 행사해야 할정도의 중대한국익침해에 해당되는지 여부에대한 국가적 차원의 판단이 이제 관건이 되고있다고 논평함.

2.불농민 단체들은 금번타결(안)이 CAP개혁범위를 일탈하는 것으로 동(안)의 채택저지를 위한 시위를 불국내적 및 EC농민단체와 연대하여 계속할 것임을 천명하고,불정부가 EC 각료이사회등에서 강력한대응자세를 취할 수 있도록 정부에 대한 모든지원을 다 할 것이라고 강조함.

3.J.P.SOISSON 농업장관은 11.20. 저녁 TV회견을 통해 그 동안 견지해온 불정부의단호한 입장으로 인해 OILSEED 분야에서 일부양보를 얻어냈으나 금번 타결(안)은 CAP개혁과 양립되지 않는다고 평가하고 EC각료이사회 심의시 거부할 것이며, 이를 위해내주중 (11.25 예정) VETO 권 사용여부 등관련문제에 관한 국가적 입장 정립을 위한의회 개최를 예정대로 추진할 것이라고 함. 이에덧붙여 동 장관은 이로 인해 유럽내위기가초래되는 것은 원하지 않으나, 불농민의이익보호를 위해 할수 있는 모든 조치를 취할것임을 확언함. 끝

(대사 노영찬-국장)

통상국   구주국   경제국   통상국

PAGE 1   92.11.22   00:02 DX
                                          외신 1과 통제관

0133

외 무 부

종 별 :

번 호 : ECW-1472 일 시 : 92 1120 1730

수 신 : 장관(통삼,통기)경기원,재무부,농림수산부,상공부,기정동문)

발 신 : 주 EC 대사 사본: 주미-중계필,주불,제네바-직송필

제 목 : 갓트/UR 협상동향

표제협상과 관련, 최근 당지의 동향을 아래 보고함

1. 미.EC 양자협상

가. 11.20. EC 집행위 대변인은 워싱톤 회담에서 미.EC 는 OILSEEDS 및 농산물 보조문제에 상당한 의견접근이 있었으나, 구체적인 합의는 없었다고 말하고, 미합의가. 회담결렬을 의미하는 것은 아니라고 강조함. 동인은 또한 양측이 최종적 합의를 도출하기 위해서 다시 회동할 필요는 없을것으로 보며, 아직까지 추가회담 계획도 없다고 말하였으나, 전화등을 통해 접촉할 계획임을 시사함

나. 한편, 11.20 당관 주철기참사관은 당지 미대표부의 RICHARDS GATT 담당관을 접촉하고 워싱턴회담 결과에대해 문의한바, 동참사관도 금번 회담에서 OILSEEDS 및 UR 농산물협상 현안에대해 거의 합의단계에 이르렀으며, EC 측은 금일 1600 시에 동 회담결과를 집행위원회에 보고한후, ANDRIESSEN-HILLS, MAC SHARRY-MADIGAN 간에 전화를통해 회담을 계속할 것으로 안다고 언급함. 또한 동인은 미.EC 간의 합의가 이루어지는 경우 UR 협상문제는 제네바에서 다자협상으로 추진될 문제이며, OILSEEDS 문제는 별도로 EC 이사회에 보고될 사항이나 이럴경우 UR 문제도 EC 이사회에 같이 보고될 것으로 본다고 말함

다. 한편 EC 집행위 관계관에 의하면 금번회담에서 EC 측은 OILSEEDS 생산감축 문제와 관련하여 생산량 감축보다는 생산면적의 감축을 보장한다는 제의를 하였으나 당시 미측대표는 동 제의의 수락여부를 결정할만한 권한을 갖고 있지 못하여, 동 제의를 BUSH 대통령에게 보고한 것으로 안다고 말하고, 미측으로서는이를 수락하기 어려울 것으로 전망함. 한편 동 관계관은 CEREALS 의 보조수출 물량을 21% 감축한다는데 대체적으로 합의가 이루어진 것으로 안다고 말한 것으로 알려짐

2. EC 회원국 동향

통상국	장관	차관	2차보	통상국	분석관	정와대	안기부	경기원
재무부	농수부	상공부	중계					

CAP 개혁범위를 초월한 미.EC 협상결과는 거부할 것임을 경고해온 불란서는 현재 EC 이사회의장국인 영국을 비난하고 있는바, STRAUSS-KAHN 무역장관과 SOISSON 농무장관은 영국이 대미협상에서 EC 회원국에 불리한 방향으로 EC 이사회를 유도하고 있다고 비난하고 있음. 끝

(대사 권동만-국장)

관리
번호 92-863

외 무 부

종 별 :

번 호 : GVW-2194   일 시 : 92 1123 1900

수 신 : 장관(봉기,경기원,재무부,농수산부,상공부,특허청)

발 신 : 주 제네바 대사   사본:주미,일,EC,불 대사(본부중계필)

제 목 : UR 협상

대: WGV-1799

1. 미.EC 간 OILSEEDS 분쟁, UR 농산물 분야등에 대한 합의가 이루어짐에 따라, 향후 당지에서의 다자협상 재개 및 동 작업일정(PROGRAMME OF WORK) 수립을 위한 TNC 회의가 11.26(목) 10:00 개최 예정(확정)이며, 이에 앞서 그린룸회의를 11.25(수) 15:30 개최, 사전 의견 조정을 거칠 예정임.

2. 현재로서는 사무국의 구체복안이나 이에 대한 주요 참가국의 반응의 향방을 정확히 예측키 어려우나, 당관이 사무국 및 주요국에 타진한바 그 반응은 아래와 같음.

가. 사무국은 T1, T2, T3 협상은 가능한 한 조속 재개하는 것으로 하며, 사무총장이 제시할 작업일정안(PW)에 개시일자까지 구체적으로 명시하고자 하는 의도를 갖고 있으면서도 T4 에 대해서는 T1, T2 협상의 의미있는 진전을 위해서는 TEXT 확정이 선행되어야 한다는 입장만 표시하고 있을 뿐 태도를 명확히 하지 않고 있음.(T4 필요성은 간략히 언급하되 개시일자를 구체적으로 적시하지 않고 관계국과 협의하겠다는 선에서 TNC 회의시 제의 가능성)

나. 향후 작업계획 관련 미.EC 의 입장이 역시 가장 중요한 변수로 작업할 것으로 예상되는바, 현재 미.EC 간 성탄휴가 직전을 협상의 새로운 DEADLINE 으로 설정하는 문제를 협의중에 있는것으로 관측되고 있음.(REVISED FINAL ACT 의 제택을 봉한 T4 의 공식 마감일)

다. 앞으로의 남은 일정을 감안할때 년말까지 TEXT 의 최종확정이 필요하다는 것이 현재 지배적의견이며, 이를 위해서는 미.EC 합의 내용 수용에 필요한 T4개방이 불가피하나, T4 개방 또는 T4 협상의 범위나 방식은 예상키 어려움.(DUNKEL 총장의 평소 입장에 비추어 이해관계국간 접촉을 봉해 합의된 방향에 대해서만 반영해 주는

통상국	장관	차관	1차보	분석관	청와대	안기부	경기원	재무부
농수부	상공부	특허청	중계					

PAGE 1   92.11.24   04:58

외신 2과 통제관 FK

0136

극히 제한적 형태가 될 가능성도 있음)

　라. 미.EC 는 가급적 12 월 이전 T1, T2, T3 협상도 사실상 마무리 지으려고 할 것이라는 일부 의견이 있으나, 이는 현실적으로 어려울 것이라는 견해가 지배적임.

　마. 한편 인도대사는 어떠한 경우에도 T1, T2 의 실질적 진전(각국의 최후 협상카드 제시등)을 위해서는 TEXT 확정이 앞서야 된다고 보나, 아직도 미국, 불란서의 입장이 가변적인 변수로 작용할 가능성도 언급함.(특히 불란서가 시청각,해운 써비스 등 농산물 이외의 분야에서 다시한번 제동을 시도할 가능성도 있음을 언급)

　3. 상기와 같이 향후 작업일정포함 상황은 아직도 다소의 가변성을 내포하고 있으므로 향후 UR 협상 전개 방향 및 종결 전망을 정확히 예측키는 어려우며,11.26. TNC 회의 이후 보다 확실해 질 것으로 보임.

　4. 동건 관련 진전사항 추보 예정임.

　첨부: TNC 개최 통보문 1 부 끝

　(GVW(F)-708)

　(대사 박수길-국장)

　예고 92.12.31. 까지

PAGE 2

0137

외신과장 결재 이미지(상단 우측)

원 본

외 무 부

종 별 :

번 호 : FRW-2388   일   시 : 92 1123 1810

수 신 : 장 관 (통기, 경일, 경기원, 농수산부, 상공부)사본:주EC, 제네바대사-필

발 신 : 주 불 대사

제 목 : UR 협상/ 주재국 동향

연:FRW-2384

11.20 EC-미국간 농산물 협상타결 이후, 이에대한 대응문제가 연일 주재국의 최대 현안문제로 논의되고 있는바, 관련 동향 아래 보고함.

1. P.BEREGOVOY 수상은 11.22. 저녁 TV 회견을 통해 농산물 타결안은 수락할수 없으며 VETO 권 행사가 불란서 입장을 표명하는 최종수단일 경우 불란서는 VETO 권에의존할 것이라고 언급하고, 영,독등에게 불란서와 입장을 함께하여 유럽의 결속을 도모할 것으로 촉구하였음. 또한 오는 11.25 불란서 의회의 갓트문제 토의와 관련, 현위기에 대처하기 위해서는 국가적 결속이 필요함을 강조하고 의회가 당파적 이해관계를 초월하여 정부입장을 지원해 줄 것으로 요망하였음. SOISSON 농업장관은내주중특별 EC 농업 장관 회의의 개최를 요청할 예정임을 밝힘.

2. 한편 R.DUMAS 외상은 11.22 저녁 TV회견에서 현단계에서 VETO 권 사용은 불란서의 패배를 자인하는 것이 될것이며, VETO권 사용여부는 농업분야 뿐만아니라 전체적인 UR 협상이 완결된 시점에 가서 최종결정되어야 할것으로 본다고 언급하므로써 VETO권 사용 결정은 아직 시기상조임을 시사함.

3. JACQUES CHIRAC, RPR 야당 당수는 11.21. 불농민의 이익을 중대하게 손상하는타결안에 대해 VETO 권 행사밖에 남아있는 것이없다고 하고 불정부가 VETO 권을 행사토록 촉구하는 성명을 발표하였으며, PIERRE MEHAIGNERIECDS 야당 당수 또한 금번 타협안은 수용 불가능하다는 입장을 표명함.

4. FNSEA, CNJA 등 불 농민단체는 농산물협상타결 발표후 즉각 이에대한 반대와정부에 대한 VETO 권 행사 요청을 결의하고 11.20저녁부터 거부 시위에 돌입, P.BEREGOVOY 수상의 자제 요청에도 불구하고 지방 각지에서 산발적으로 시위를 계속하고 있으며, 금 11.23 에는 파리 인근에서 일부 농민들이 코카콜라 공장을

통상국   경제국   경기원   농수부   상공부

PAGE 1   92.11.24   06:25 EI

외신 1과 롱제관

0138

점거하는 사태가 발생함. 주재국 농민단체들은 동 문제가 불란서 의회에서 논의되는 11.25 에는 전국적인 대규모 연합시위를 추진중에 있는 것으로 보도됨. 끝.

    (대사 노영찬-국장)

	분류번호	보존기간

발 신 전 보

WUS-5251   외 별지참조

번   호 : _____   종별 : _____

수   신 : 주   수신처참조   대사. 총영사   검 토 필(1992.12.31) 孝

발   신 : 장 관 (통 기)

제   목 : UR 협상 전망에 대한 ~~정부입장~~ 대응방향   검 토 - 93 6.30.

1. 92.11.20. 미.EC간 Oilseed 문제 및 UR 협상 주요문제에 대해 양측이 합의
   사실을 발표함으로써 UR 협상은 급진전될 가능성이 큰 것으로 예상되며, 이에
   따른 ~~우리정부의~~ ~~외론입장~~을 아래 통보하니 주재국 정부나 언론의 문의가 있는
   경우 활용바람.

   가. 한국정부는 미.EC간 합의가 UR 협상의 교착상태를 벗어날 수 있는 중요한
       전기를 마련하였다는 점을 평가함.

   나. 그러나, 이는 양측 당사자간의 합의이므로 그 내용이 UR 협상의 결과로
       채택되기 위해서는 다자간 협상과정을 거쳐 협상참가국의 이익이 균형되게
       반영되어야 하며 특히, 한국정부는 농산물등 주요쟁점에서 수출국과 수입국,
       선진국과 개도국간에 보다 균형있는 합의의 도출이 필요하다고 봄.

   다. 한국정부는 UR 협상의 성공을 위해 계속하여 적극적인 참여와 협조적인
       자세를 견지할 방침임.   다만, 각국의 이익이 균형있게 반영된 협정을
       이루어야 한다는 점에서 한국으로서는 관세화에 대한 예외가 꼭 이루어
       져야 한다고 봄.   / 계속...

	보안통제	世

앙고재 92년 4월 24일	통상기구과	기안자 성명	이시기=0	과장 世	심의관	국장 전결	차관	장관 발	외신과통제

0140

2. 한편, 국내언론에 대하여는 정부가 현단계에서 관세화 예외가 인정되지 않을
   경우를 전제로 한 대책은 고려하지 않고 있다는 입장을 설명하고 있음을
   참고바람.   끝.

(통상국장   홍 정 표)

수신처 : 주 미, 일, EC, 카나다, 호주, 뉴질랜드, 영국, 불란서, 독일, 이태리, 스위스,
        태국, 싱가폴, 말레이지아. 인도, 브라질

0141

WUS-5251   921124 1454 WG

WJA -4971 WEC -0909 WCN -1143 WAU -0957 WNZ -0338
WUK -2055 WFR -2365 WGE -1682 WIT -1159 WSZ -0449
WTH -2006 WSG -0756 WMA -0906 WND -0894 WBR -0890

이시 (외)

외 무 부

종   별 : 긴 급

번   호 : GVW-2202   일   시 : 92 1124 2100

수   신 : 장관(봉기, 경기원, 재무부, 농수산부, 상공부, 특허청)

발   신 : 주 제네바 대사

제   목 : UR 협상/DUNKEL 총장 오찬

일반문서로 재분류 (1992. 12. 31)

1. 본직은 금 11.24(화) 스위스, 멕시코, 홍콩등 대사와 공동으로 DUNKEL 총장을 오찬에 초청, 향후 협상 작업계획 및 아국등의 핵심 이해사항 처리문제 등을 협의한바, 동 결과 아래 보고함.

가. DUNKEL 총장은 협상 계획과 관련 아래와 같이 자신의 구상 및 전망등을 밝힘

1) 내주부터 시장접근 협상을 진행 하는것을 필두로 조속 모든 TRACK 을 망라한 다자 협상 절차를 재개함.

2) 미.EC 간의 농산물합의내용은 내주개최 예정인 TRACK I 에서 미국.EC 공동으로 또는 개별적으로 정식보고토록 함.

3) 12.22 경까지 미.EC 간의 합의내용의 반영을 포함한 협정문안 확정 및 기타 시장 접근, 서비스 양허협상의 결과를 포함한 전반적 POLITICAL PACKAGE 에 합의를 이룩함.

4) 명년 1-2 월에는 세부조정 작업(FINESSING)을 완료함.

5) 상기 구상을 명 11.25 그린룸 회의 및 11.26 TNC 회의에 제시, 승인을 받고자함.

6) 협정문안 확정 작업은 필연적으로 농산물 협정, MTO 협정, 분쟁해결 TEXT 에 집중될 것임.

나. 이어 동총장은 아국, 일본의 쌀문제와 관련 아래사항을 언급함.

1) 이제 미.EC 간 합의가 이루어졌으므로 관세화문제가 가장 중요한 장애 요소로 남아있어 일본, 한국등 관세화에 반대하는 국가의 태도에 관심이 집중될 것임.

2) 또한 관세화문제는 12. 7 주간으로 부터 12.22 까지 핵심적인 문제로 등장, 동 기간중 처리가 완료가 될것으로 예견됨.

3) 앞으로 UR 협상의 성패는 한국, 일본등 관세화에 반대하는 국가들의 태도에

통상국 재무부	장관 농수부	차관 상공부	2차보 특허청	외정실	분석관	청와대	안기부	경기원

PAGE 1   92.11.25   07:40

외신 2과 통제관 CM

0143

달려있다고 보는바 원칙논적 반대입장 표명단계는 이미 지났음을 인식, 이제는 협정문안에 대한 구체적인 대안 (또는) 양허계획의 수정안등을 제시하면서 이해 관계국과 협상을 추진하는 합리적인 자세를 취해야 할것임을 강조함.

다. 상기에 대해 본직은 미.EC 간 10 개월이 소요되어 문제를 해결한 것과는 대조적으로 관세화문제를 갖고있는 국가들에 대해서는 불과 수일만에 대안을제시하라는 요구는 균형을 상실한 접근 방식임을 지적하고, 미국.EC 가 아직도 구체적 양허계획을 제시하지 않고 있을뿐만 아니라 여타문제에 대해서도 그들의 최종 입장이 확인되지 않은 상황에서 관세화문제가 초점으로 등장, 12 월 22일 까지 확정을 지어야 한다는 주장은 납득할수 없다고 말함.

라. 이에대하여 DUNKEL 총장은 미.EC 양측이 내주중 구체적 양허계획을 제출할 것으로 이해하고 있으며, 불제출시는 협상 참여국이 압력을 가해서라도 이를 제출토록 해야 할것이며, T4 는 전면 개방될 경우 협상 결과의 붕괴를 초래하게 되므로 농산물협정으로 국한해야 하며 따라서 관세화문제도 T4 를 통하든 다른 방식을 통하든 12.22 까지는 결말이 나야 할것임을 재차 강조함.

(동인은 또한 본직에게 별도로 한국이 구체적 대안을 제시할 경우 하시라도진지하게 협의에 응할 용의가 있다고 시사함)

마. 금번 방미결과와 관련 동 총장은 BUSH 행정부는 물론 신정권에서 핵심역할을 할 BENTSEN 상원재정위원장, ROSTOWSKI 하원세출입 위원장으로 부터도 확고한 UR 협상 조기 종결 의지를 확인하였다고 전하고, EC 집행위의 경우에도 신년도 집행위원 교체에 앞서 협상을 사실상 종결지으려는 확고한 의지를 갖고 있으므로 협상 성공 여부는 여타 참가국의 정치적 의지에 달려있다고 강조함.

사. EC 의 바나나 문제에 관해서는 동 총장이 중재안을 갖고 개입할 예정이며 (9월 이사회 이전에 남미국가가 총장에게 중재요청, 9 월이사회 보고참조), 이를 기초로 문제가 해결될 것으로 전망함.(단, 본직의 한. 일 양국의 쌀문제에 대한 총장의 적극적 개입 필요성 언급에 대해서 동인은 문제의 성격상 자신의 중재로 해결될 것으로 기대하지 않는다고 답변함)

2. 본직을 포함 참석대사들은 DUNKEL 총장이 과거 수차 일부국가 대사 (11개국) 와의 오찬 모임등을 통해 주요사안에 대하여 비공식협의를 가져온 점과 관련 한국, 멕시코, 스위스, 홍콩 4 개국은 동 무역 및 경재규모, UR 전분야에 걸친 적극적 참여실적, UR 타결후 동 결과에 가장 광범위한 영향을 받게될 국가들 임을 상기시키고

종래와 다른 그러한 절차는 많은 국가의 반발을 초래함으로써 협상 타결에 아무런 도움을 주지 못한다고 강력히 지적함.

이에대해 동 총장은 그러한 모임에서 아무런 중요한 토의가 진행된바 없다고 말한후 앞으로 새로운 상황에 맞게 실질이해관계국 중심의 CORE GROUP 운영방안을 구상중인바 아국등 4 개국의 참여를 보장하겠다고 말함.

3. 내주 GATT 총회 직후부터 시작될 당지에서의 다자협상 본격화에 대비 농산물등 핵심 이슈에 대한 협상 전략 및 특히 농수산부 고위간부를 포함한 본부대표단 파견 방안등 철저한 대비책을 미리 강구하는 것이 시급한것으로 판단됨.

4. 한편 본직은 내주초 관세화문제에 이해를 같이하는 카나다, 스위스, 일본, 멕시코대사 등과 회동 공동대책을 협의키로 하였음을 참고로 첨언함. 끝

(대사 박수길-장관)

예고:92.12.31. 까지 '

외 무 부

종 별 :

번 호 : ECW-1484   일 시 : 92 1124 1800

수 신 : 장 관(통상,통기)경기원,재무부,농림수사부,상공부,기정동문)

발 신 : 주 EC 대사   사본: 주 제네바,미,불,일대사-중계요망

제 목 : GATT/UR 협상

연: ECW-1494

일반문서로 재분류 (1992 12.31)

1. 표제관련, EC 집행위 PASCAL GATT 담당과장은 11.24. 당관 주철기참사관의 접촉시 하기내용을 언급함

가. EC 집행위는 명 11.25(수) 의 집행위원회의에서 연호 미-EC 간 타결내용의 본질문제에 대한 심층토의를 갖고, 특히 미국과의 농산물 타협내용이 EC 의CAP 개혁안과 양립한다는 내용의 이사회앞 보고서를 채택할 것으로 예상됨. 동회의결과에 따라 11.26(목) 제네바에서 개최될 TNC 회의에 대비한 훈령을 보내게 될것이며, PAEMEN 부총국장도 동 회의결과에 따라 제네바로 향발케 될것으로 봄

나. 11.27(금) 에는 EC 의 113 조 위원회가 고위관계관들의 참석리에 개최되어 집행위로부터 특히 미-EC 간 OILSEEDS 관련 타결내용을 보고받고 토의 예정이며, UR 관계 타결내용도 함께 검토될 것으로 봄. 동 회의결과 OILSEEDS 문제에대한 113 조 위원회의 승인이 없게될 경우 이문제는 앞으로 있을 EC 일반이사회의 토의안건으로 제기되게 될것으로 봄

다. 현재 크리스마스까지 남은 시간이 충분치 못하고, EC 로서도 GATT 다자차원 협상에서 최소한 15 개 이상의 핵심국가와 집중적으로 협상을 해야하는등 물리적요소에 비추어, 금년말까지 제반문제의 타결이 가능할 것인지는 의문임

라. 현재 불란서가 마지막 수단으로 고려하고 있다는 VETO 문제와 관련해서는 제네바 UR 다자협상을 거쳐, 전반적인 합의 PACKAGE 가 완성되어, 이사회에 제출되기 전까지는 VETO 권 행사의 문제가 제기될수 없는 것으로 봄. 자신의 개인적인 견해임을 전제하고 불란서 미테랑대통령 정부로서는 11.25.(수) 의 국회토의 결과를 바탕으로 지지기반을 확대하여, 가급적 최대한 협상의 완결을 지연시켜, 가능한한 93.3. 의 총선시기를 넘기는 전략으로 나갈것으로 봄

통상국 상공부	장관 중계	차관	2차보	통상국	안기부	경기원	재무부	농수부

PAGE 1   92.11.25   05:28
                                            외신 2과 통제관 FL
                                            0146

2. 상기관련 11.27(금) 의 113 조 위원회그 만약에 OILSEEDS 관련 대미타결내용을 승인케 될 경우, 동문제는 앞으로 최우선적으로 개최될 이사회에서 별도토의 없이 채택되어 그대로 제네바 GATT 이사회로 보내게 될것이나, 프랑스등 기타국가가 이를 승인치 않을 경우에는 COREPER 대사급회의의 추가적 토의를 거쳐 결국 12.7. 의 EC 일반이사회의 토의안건으로 제기될 가능성이 큰 것으로 파악됨. 한편 OILSEEDS 문제(양자차원) 와는 별도인 UR 타결문제는 제네바 다자협상이 끝난 단계에서 이사회 앞으로 공식 제기되어 결정을 보는 것으로 추진될 전망이 큼

3. 불란서가 EC 의 대미협상내용이 수반할 제반 문제점들을 지적하면서 현재 덴마크, 화란등 농업국가들의 동조및 지지확보를 위해 노력하고 있는것으로 파악되고 있는 가운데, 유럽 농민조합(COPA) 은 11.25(수) 당지에서 긴급총회를 가질 예정이며, 12.1. 에 있을 불란서 농민의 대대적인 시위계획 지원 문제등을 논의할 것으로 알려짐. 끝

(대사 권동만-국장)

예고: 92.12.31. 까지

PAGE 2

0147

외 무 부

종 별 :

번 호 : USW-5775   일 시 : 92 1124 1923

수 신 : 장 관(통기,통이,통삼,경기원,농림수산부,재무부,상공부)

발 신 : 주 미 대사

제 목 : UR 협상 언론보도

연: USW-5739

금번 미. EC 농산물 협상 타결에 대한 11.24.당지 언론보도의 주요 요지 하기 보고함.

1. 금번 미. EC 간 농산물 협상 타결에 대해 강한 반발을 보여왔던 프랑스가 강경입장에서 다소 후퇴하고 있음.

- 프랑스 고위관리는 EC 회원국의 거부권행사는 EC 집행위가 각료회의에 제출하는 정식 법적 문서에 대해서만 가능한 것이므로 금번 미. EC 간 합의는 거부권 행사의 대상이 되지못한다고 인정

다만, UR 협정문안이 확정되어 EC각료회의에서 이를 심의할 때에는 거부권행사가 가능할 것이라고 강조함으로써, 여타 분야협상에서 보다 많은 양보를 얻어내고자함을 시사

- 프랑스의 입장 변화는 내부적으로 농업이외 여타산업계의 UR 실패에 대한 우려 (프랑스는 미국에 이어 서비스 상품의 제 2 수출국)와 대외적인 고립 우려 (특히독일과의 관계약화)에 기인

2. 독일은 프랑스와의 충돌을 피하고자 프랑스의 반발에 대해 고위급에 설득노력을 피하고 실무적차원으로 대처하고 있으며, 금번 합의 결과를 EC내부적으로 조정하는 과정에서 프랑스에게 추가보상을 해주는 방향으로 정책을 검토하고 있음.

3. 미. EC 간 농산물 문제 타결 이후 UR성사의 최대관건은 일본의 쌀시장개방문제임. 일본은 아직도 쌀시장 개방에 반대입장을 견지하고 있으나, 일본이 GATT체제의 최대 수혜국인 점, 기존입장 견지시파급효과를 우려하는 일본 전자, 자동차산업계등의 입장도 고려하여야 할 것임.끝.

첨부: USW(F)-7490(7 매)

(대사대리 반기문 - 축장)

통상국	통상국	통상국	경기원	재무부	농수부	상공부

PAGE 1   92.11.25   10:25 WG

외신 1과 통제관 ✓

0148

외 무 부

종 별 :

번 호 : USW-5774   일 시 : 92 1124 1923

수 신 : 장 관 (봉이, 경기, 정총, 미일, 경기원, 농림수산부, 재무부, 상공부)

발 신 : 주 미 대사대리   사본: 주 미 대사, 경제수석, 외교안보

제 목 : 주요 봉상문제 의견 교환

일반문서로 재분류 (1982. 12. 31)

1. 당관 장기호 참사관은 11.24. SANDREA KRISTOFF 국무부 부차관보와 오찬을 갖고 관심사항에 대해 의견 교환한바 동인 발언요지 아래와 같음.

  가. CLINTON 대통령 당선자는 미국민의 대외경제 이익을 조정하기 위해 ECONOMIC SECURITY COUNCIL 을 설치할 것이며, 이때에는 지금까지 대외 봉상교섭을 전담해온 USTR 의 기능을 축소시키는 한편 잇슈별로 직접 관련된 부서의 기능을 보강시키는 방향으로 개편할 것이라고 봄.

  나. 특히 USTR 은 미 의회로 부터 봉상교섭권을 부여받고 주로 외국인의 시장 개방에 촛점을 맞춘 교섭 기능을 수행해 왔으나, 관련 부처와의 협조, 조정이 미흡하고 대외교섭을 독주함으로써 각 부서의 균형된 이해관계를 반영하지 못하고 있다는 비난을 받고 있어 앞으로는 USTR 의 교섭 기능을 여타 부서의 수준으로 낮추고 상기 ESC 의 조정 기능을 강화할 필요성이 있다는 의견이 지배적임.

  이러한 봉상교섭 기구는 오직 미국에만 존재하고 있는 독특한 기구이므로 새로운 여건에 맞게 재조정 되어야함.

  다. NANCY ADAMS USTR 부대표보는 지금까지 18 년간을 USTR 에 근무해 왔기 때문에 이제는 다른 기관이나 업계로 자리를 이동하여도 놀라울 만한 일이 아니라고 언급함으로써 앞으로 ADAMS 부대표보가 USTR 로 부터 움직일 가능성을 시사함. 만약 새로운 인물이 들어오면 당분간 업무관계에 DISRUPTION 이 있을 가능성이 있을 것임.

  라. 자신이 작성중에 있는 신정권에 제출할 보고서 내용에는 UR 의 중요성, APEC 의 기능 강화 앞으로 주요 아시아 국가들과의 INVESTMENT FRAME NETWORK (싱가폴, 필리핀등과 타결한 부자자유화 협정 MODEL) 설치 필요성을 강조할 것임. SUPER 301 조 등 강경수단에 대해서는 이를 PLAY DOWN 할 생각인바, UR 이 어떤 수준에서 타결될 것인지가 중요한 기준이 될 것임. UR 타결이 아시아 교역국들에 줄 분야별 시장

봉상국 정와대	장관 정와대	차관 안기부	2차보 경기원	미주국 재무부	미주국 농수부	경제국 상공부	외정실	분석관

개방의 효과가 미국의 기대수준에 미치지 못한다고 판단될 경우 미국은 이를 보완하는 양자수단을 강구해 나갈 것임.

마. UR 다자협상이 급진전될 경우에 대비 일본정부는 내면적으로 관련부처 회의를 개최, 대책을 강구하고 있다는 주일 미국대사관의 보고가 있었다고 하고, 일본정부내에는 외무성과 통산성이 쌀시장 개방을 지지하는 반면 농무성과 대장성이 이에 반대하는 그룹으로 나누어져 있으나 대체로 일정부 관리듈은 일본이국제적으로 고립되어서는 안된다는 시각이 강하기 때문에 결국 쌀시장 개방 가능성이 높다고 설명함.

바. (KRISTOFF 부차관보는 UR 협상 급진전시 쌀시장 개방에 한국이 어떤 입장을 취할 것인지를 문의하면서, 미국의 대베트남 교역 규제 방침은 멀지않아 BUSH 행정부의 잔여 집권기간중 이를 해제하여 CLINTON 신정권이 베트남에 대한 융통성 있는 정책을 취할수 있도록 여건을 마련할 것으로 보는 바, 한국도 퇴임하는 정권이 정치적 부담이 많은 쌀 시장 개방에 선도적 역할을 하는 것이 후임정권의 대미관계를 원만히 관리해 주는 방법이 되지 않느냐고 언급함)

이에대해 장참사관은 한국의 농가인구가 전인구의 17%를 점하고 있기 때문에 일본이 쌀시장 개방에 따라 받는 DAMAGE 의정도와는 비교될 수 없게 심각한 피해를 입을 것이며 국내정치적으로도 12 월 중순에 대통령 선거가 예정되어 있기 때문에 쉽게 거론할 수 있는 사안이 아니라고 대응하였음.

사. KRISTOFF 부차관보는 대외적으로 언급할 사안이 아니지만 참고로 알려준다고 전제하고, APEC 사무국 유치문제와 관련 APEC 주요 회원국간에 비공식적 의견 교환이 있었는데 싱가폴과 한국을 비교, 아직도 한국이 싱가폴에 비교하여 시장 개방등 사회의 개방상태가 미흡하다는 점이 지적된 바, 이러한 요인도 APEC 사무국 장소 결정에 작용하였다고 언급함.

아. PEI 와 관련 한..미간에 부자문제에 관해 12 월 이후에도 계속 협의해 나가자는 자신의 의도에 대해 한국측의 이해가 있기를 바라며, 앞으로 6 개월내에 한.미간의 부자자유화 협정 (싱가폴 모델) 체결 문제를 제기할 것을 검토중에있다고함.

아. 미국무부는 'TASK 2,000 YEAR' 라는 국무부 조직개편 보고서를 준비중에 있는바, 이는 주로 국무부의 대외 통상. 경제기능을 어떻게 강화해 나가느냐에 초점을 두고 있음.

PAGE 2

0150

2. 상기 KRISTOFF 부차관보가 언급한 PEI 부자협의 계속 제의에 대해서는 앞으로 있게될 PEI 협의에서 양측 수석대표간에 충분한 협의가 가능하도록 준비바람. 끝.

(대사대리 반기문-국장)

예고: 92.12.31. 까지

원 본

외 무 부

종 별 :

번 호 : FRW-2417   일 시 : 92 1125 1900

수 신 : 장관(통기,통삼,통이,경일,구일),사본:주 EC,제네바대사-필

발 신 : 주 불 대사

제 목 : UR 협상/주재국 동향

1. 금 11.25 전국 각지에서 상경한 약 3,000 명의 농민이 의회 부근에서 대규모 시위를 벌이고 있는가운데,주재국 의회는 예정대로 15:00 경 GATT문제에 대한 논의를 개시하였음. P.BEREGOVOY수상은 불정부가 포괄적이고 균형된 UR 협상타결을 계속 추구할것이나 불란서는 물론EC 의 근본적이익(INTERET FONDAMENTAL)을 침해하며 92.5월CAP 개혁 내용을 일탈하는 11.20자 EC-미국간 농산물 타결안을 수락할수없으며 이러한 불 입장이 관철되지 않을 경우 최종수단으로 LUXEMBOURG 타협에 근거한 VETO권을행사할 것이라는 정부 입장을 밝히고동 요지의 선언문 채택을 지지하여줄것을 의회에 요청함.

2. 이에 대해 각 정당대표의 입장 개진 연설이있었는바,사회당과 공산당은 전폭지지입장을 표명하였음에 반해,RPR, UDF, CDS 등 야당은 기본적으로 정부입장은 지지하나 금일의 사태가 초래되도록 농산물 협상을 제대로 수행치 못한점을 비난하고 , 3개월후나 6개월후의 VETO 권 행사에반대하며 당장 내주중 EC 각료 이사회에서 불란서 입장을 관철하여 EC 집행위가 즉시 미국과 재협상토록 조치할것을 강력히 요청하였음.

3. 불정부는 제출 선언문 초안에 대한 의회표결은 금일 밤늦게 예정되고 있으며별문제없이 통과될 것으로 보이는바 결과 추보함.끝.

(대사 노영찬-국장)

통상국   구주국   경제국   통상국   통상국

관리	
번호	92-882

외 무 부

종 별 :

번 호 : GVW-2210

일 시 : 92 1125 2210

수 신 : 장관(봉기,경기원,재무부,농수부,상공부)

발 신 : 주 제네바 대사   사본:주미,EC,일,불대사(중계필)

제 목 : UR 협상/그린룸협의   일반문서로 재분류 (19 92 .12 .31

명 11.26(목) TNC 회의 사전 준비를 위한 그린룸 협의가 예정대로 금 11.25오후 개최된바, 동 결과 아래 보고함.

가. DUNKEL 총장은 먼저 금일 회의의 목적이 명일 TNC 에서 자신이 발표할 STATE MENT 의 사전 점검 및 동 TNC 운영방식 논의에 있다하고, 후자관련 가급적 토의없이 회의를 종결하기를 희망한다고 함.

(당관이 파악한바로는 미.EC 양측이 토의지양 희망을 사무국에 요청한바 있음)

나. 동 총장은 이어 아래와 같이 자신의 STATEMENT 의 개략적 내용을 밝힘.

1) 11.10 TNC 가 부여한 MANDATE 에 따라 미.EC 를 방문, 고위관계자를 접촉한바, UR 협상 타결에 관해 양측 모두로 부터 극히 긍정적인 반응을 접했으며, 양측은 이미 진지한 협상을 진행하고 있었음.

2) 향후 작업계획을 제출하라는 11.10 TNC 가 부여한 2 번째 MANDATE 에 따라, 금일 (AS OF TODAY, TNC 당일인 11.26) 부터 협상을 즉각개시, UR 협상의 성공적인 정치적 타결안 (POLITICAL PACKAGE)에 대한 합의를 금년말 이전에 이룩토록 하겠음.

3) 작업계획의 요소로서 1.13 TNC 에서 합의된 4 TRACK 방식 및 동 방식의 대전제인 GLOBALITY (4 개 TRACK 간 상호 연관성 및 PARALLELISM) 및 전체가 합의되기 이전에는 아무것도 합의되지 않는 것으로 본다 "NOTHING IS AGREED UNTIL EVERYTHING IS AGREED" 는 2 가지 원칙이 그대로 유효함을 확인함.

4) UR 협상의 최종결과는 최종의정서와 양허표로 구성되는바, 최종 의정서는 12.20 초안에 대한 다자간 검토 및 확정 (MULTILARERALLY REVIEWED AND FINALIZED) 절차를 거칠 것임

5) 상기 절차, 특히 T4 절차에 있어서 1.13 TNC 에서 합의된 사항 (집단적 합의 필요, 전체 PACKAGE 를 와해시키지 않는 범위에서 신속, 조용 (LOWKEY), 실무적

통상국	장관	차관	2차보	분석관	정와대	안기부	경기원	재무부
농수부	상공부	중계						

* 원본수령부서 승인없이 복사 금지   외신 2과 통제관 CM

0153

(PROFESSINAL 으로 처리)에 유념, 각참가국의 자제 (DISCIPLINE SELF- RESTRAINT) 가 중요함.

6) 상기 MULTILATERAL REVIEW 에는 T1 및 T2 (상품 및 서비스 양허협상) T3 (특히 MTO 등 제도문제, 분쟁 해결절차) 로 부터의 적절한 FEEDBACK 이 필요함. T1, T2 에서의 양허표 확정이 공식적으로는 수주내 가능하지 못하다는 점은 인정하나, 동 사실이 POLITICAL PACKAGE 의 내용을 년말까지 확정하는데 장애가 되어서는 안될것임.

7) TRACK 별 구체적 협상일정은 각 TRACK 의장이 조속 결정 시행하며, 금년말까지 협상자 전체가 집단적 성공을 자축하는 결과를 갖게 될것을 확신하며 이러한 목적을 수행하기 위하여 TNC, GNG 는 대기상태 (ON CALL)에 둠.

다. 상기 DUNKEL 총장의 구상에 대해 아국포함 대다수 국가는 원칙적인 지지 의사를 표명하면서도 아래와 같은 질의 및 의견 개진이 있었음.

1) 다수국이 6)항의 구체적 의미에 대한 질문을 한바, 동 총장은 여러 제약 여건 및 경험에 비추어 단시일내 공식적인 양허표 확정은 불가하나, 동 양허의 실질적 내용에 대한 개략적 지식없이는 POLITICAL PACKAGE 합의도 어렵다는 점을 강조하고, 협상의 PARALLELISM (TEXT 확정 작업과 양허표 확정 작업간의) 을강조함.

2) 스위스, 브라질, 카나다, 인도, 일본, 뉴질랜드등은 미국.EC 간 합의 내용의 상세 사항을 밝혀야 한다는 점 및 미.EC 양측이 LINE-BY-LINE 양허 계획을 조속 제출해야 한다는 점을 강조한바, EC 는 이제부터의 협상에서 교섭되어야 할 사항이며 동진행 결과를 보아 가면서 개선될 양허안을 제출해 나가겠다는 입장을 표명하고, 미국은 농산물 (특히 TARIFFICATION 대상품목) 분야를 언급하면서 예외없는 관세화에 입각한 완전한 양허표를 낸 국가가 거의 없다고 대응함.

3) 본직은 미.EC 간 합의를 환영하고, DUNKEL 총장의 작업계획에 대해 원칙적으로 지지하며 년내 합의를 위해 협력할 용의가 있다고 전제한후, 아래사항을 지적함.

- 미.EC 간 이견해소에 10 개월이 소요된바, 여타국의 핵심이해 사항을 수주내 처리코자 하는 구상에는 형평성(FAIRNESS) 차원에서의 문제가 있음.

- 적절한 수준의 형평성 보장이 없이 DUNKEL 총장이 언급한 기본원칙이 충족될 수 있을지 의문임.

- 정부의 훈령이 있을수도 있으므로 명일 TNC 에서 아국입장을 밝힐 가능성도 충분히 있음.

4) 일본대사도 미.EC 이외의 국가의 관심사항도 처리되어야 할 것이며, 일본이

PAGE 2

0154

안고 있는 문제에 관하여 국내에서 정치적 논의가 진행중에 있으며, 이에는 상당한 시간이 필요하다고 언급한후, 명일 TNC 에서 발언할수도 있음을 시사함.

    5) 기타 발언중 특기사항

    - 싱가폴 (ASEAN)은 여타국의 문제점도 (아국 등의 관심사항을 암시) 해결책이 강구되어야 한다는 점을 이해하며, 이를 위해 통제 가능한 수준 (MANAGEABLE PROPORTION) 에서 T4 활동이 필요함을 언급함.

    - 미국은 어느정도의 T4 (SOME SORT OF T4) 필요성은 인정한다는 언급을 하였으며, 아울러 미.EC 양측의 지도부 교체시기가 오히려 UR 타결에 도움이 될것이라고 함. (EC 도 집행위 개편전 타결 필요성을 언급)

    - EC 는 예외없는 관세화는 확고한 원칙 (BOUND BY COMPREHENSIVE TARIFFICAT ION) 이라는 점을 강조함.

    라. DUNKEL 총장은 회의결과를 종합하면서, 본직의 형평성 언급과 관련, 아래 사항을 언급함.

    1) 자신은 가능한한 모든 국가와 협의토록 최대한 노력 예정임.

    2) 그러나 문제가있는 참가국은 마지막 순간까지(12 월 18 일을 수차언급: 크리스 마스 휴가를 염두에 둔듯) 기다리지말고 속히 협상을 통해 구체적 대안등제안함으로써 문제 해결을 위해 노력해 줄것을 강조함.

    3) 또한 T4 운영과정에서 모든 참가국의 자제력 행사를 당부함. 끝

    (대사 박수길-장관)

    예고:92.12.31. 까지

向後 UR 協商日程 및 對應 方案(案)

(部内 報告資料)

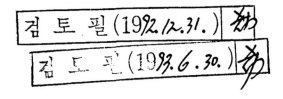

검 토 필 (1992. 12. 31.)

검 토 필 (1993. 6. 30.)

1992. 11. 25.

通 商 局

0156

- 目 次 -

1. UR 協商現況 및 展望 ------------------------------ 1

2. 向後 UR 協商日程 展望 ------------------------- 2

3. 對 策 --- 3

    가. 基本 考慮事項 ------------------------------- 3

    나. 段階別 對應 方案 ---------------------------- 3

첨부 : 쌀 關稅化 問題 檢討

0157

1. UR 協商現況 및 展望

o Dunkel 事務總長은 92.12.22까지 最終協定文案 확정 및 시장접근
(農産物 減縮 履行計劃 포함), 서비스 분야의 讓許協商 결과를 포함한
一括 妥結案(Political Package)를 마련한다는 協商計劃을 제시

o 동 協商計劃이 순조롭게 진행되는 경우 93년 1-2월중 細部 調整作業을
거쳐 93년 2월말까지 協商終結 예상

- 農産物 協定案 確定, 서비스 讓許協商등 복잡하고, 어려운
協商課題가 남아 있으므로, 일부 未決事項은 93년 1-2월중 계속
協議될 가능성도 尙存

o 美國.EC가 협력하여 早期 終結을 추진하고 있으므로 協商이 급진전될
것으로 豫想

- 불란서의 立場이 강경하나, EC執行委는 協商 package가 합의되는
最終段階以前에는 UR 農産物 問題를 EC이사회 決定에 회부하지
않음으로써 불란서의 반대를 우회가능

- 日本은 표면적으로 例外없는 關稅化에 반대하고 있으나, 이미 猶豫
期間 확보등 代案을 檢討, 미측과 非公式 協議한 바도 있으므로
마지막 段階에서 입장 변화 가능성 尙存

- Cairns 그룹이 美.EC間 農業補助金 관련 合意內容에 불만을 표시할
可能性도 있으나 여타분야의 成果를 고려, 전체 package에 反對치
않을 것으로 豫想

- i -

2. 向後 UR 協商日程 展望

○ 1단계 : package 確定段階 (던켈 總長의 作業計劃)

　(92. 11. 26)　TNC 會議 開催, 협상계획 確定

　(92. 11. 30)　시장접근 讓許協商(Track 1) 개시
　　　　　　　　※ 92. 12. 2-3. GATT 총회 개최

　(92. 12. 7)　서비스 讓許協商(Track 2) 개시

　　　　　　　　法制化 協商(Track 3 ; MTO 및 분쟁해결) 개시

　　　　　　　　협정문 修正 協商(Track 4) 개시

　(92. 12. 22)　TNC 회의 개최

　　　　　　　　- Track 1-4 協商終了, 일괄타결안(Political Package)
　　　　　　　　　合意

○ 2단계 : 細部調整 段階

　(93. 1월-2월)　讓許協商, 협정문안등 細部 技術的 조정 협상 진행

○ 3단계 : 協商終結 段階

　(93. 2월말)　TNC 회의 및 각료급 GATT 總會 開催, 협상종결

　　　　　　　　- 협정문안 및 각국의 양허표 最終確定 및 採擇

　　　　　　　　- 協商結果 이행을 위한 MTO 설립 협정안 採擇

　(93년중)　　協定 수락을 위한 각국의 國內節次

　(93년 가을)　UR 협정 發效日字 결정을 위한 각료회의 개최

　　　　　　　　- 각국의 UR 協定 受諾 현황을 검토, 협정 發效日字 決定

　(94. 1. 1 예상)　UR 協定 發效(96. 1. 1까지 수락 개방)

- 2 -

0159

3. 對策

가. 基本 考慮事項

o 美. EC間에 農産物 協商이 妥結되었으므로 금번에는 UR 協商이
   실제 終結될 것이라는 관점에 입각한 對應策 마련 필요

o 協定文案 修正(Track 4) 協商에서 관세화 例外確保가 불가능한
   것이 확실시되는 시점에서 代案을 검토하는 것은 時期的으로
   늦으므로 가능한한 事前에 代案을 준비 필요

   - 11. 25. 경기원장관은 UR 協定案이 確定되면, 그때가서 對應
      方案에 대해 國内 各界와 의견수렴을 거칠 것이라고 함.

o 協商過程에서 韓國이 協商進展을 block 한다는 인식을 주지
   않고, 앞으로의 協商過程에서 배제되는 일이 없도록 유의

   - 단, 關税化 例外確保 관련, 관세화 문제는 協定文 修正協商
      (Track 4)에서 충분히 協議되어야 한다는 점을 지적

o 農産物 協商관련, 日本의 立場 변화에 대비하여 我國이 農業
   分野에서 開途國임을 강조함으로써 日本과 다른점을 부각

   - 我國은 開途國이므로 開途國優待가 적용된다는 점을 指摘

   - 단, 日本의 立場 변경이 공식화 되기전에는 共同步調 계속

나. 段階別 對應 方案

o 1단계 협상(92. 11. 26-12. 22)

   - 상품, 서비스 讓許協商 대비 我國의 기존 offer 再檢討, 修正

- 3 -

0160

- 農産物分野 15개 NTC 품목수 調整, 양자협상에 제시
- 協定文 修正(Track 4) 협상관련, 關税化 問題 대응
- 경기원 대조실장, 농수산부 기획관리실장 및 關係部處 국장급
  대표 派遣
- 농수산부 차관등 고위관리를 主要國 수도에 派遣, 농산물
  관련 協議 實施

o 일괄타결안 合意를 위한 TNC 會議(92.12.22. 또는 93.1월초)
- 我國立場 未反映 상태에서 일괄 타결되는 경우, 協商結果中
  受諾할 수 없는 부분에 대한 立場을 밝히되 consensus에는
  反對치 않는다는 立場 表明

o 2단계 協商(93.1-2월)
- 관세화 문제, 개별품목 殘餘 協商 계속
- 狀況에 따라 본부대표단 현지파견 對應

o 3단계 對策(93.2월말 이후)
- 協商經過 및 我側 대안 마련 경위를 보아 追後檢討

끝.

- 4 -

첨부 : 쌀 관세화 문제 검토

1. UR 협상타결시 쌀 관세화 관련 아국의 의무내용

   o UR 협상이 93.2월말까지 타결되는 경우 협상결과가 94.1.1부터 발효 예상

   o 동 발효일 이전까지 아국이 협상결과를 수락한다고 전제할 경우, 아국은
      94년부터 UR 농산물 협정상의 의무(쌀시장 개방) 이행 필요
      - 아국이 94년 이후에 협상결과를 수락하더라도 개방의무(관세율 인하)는
         소급하여 적용

   o UR 농산물 협정상의 쌀 관세화 관련 아국의 의무 ([   ] 부분은
      개도국 우대 적용시)

      가. 이행기간 : 1994.1.1-2000.12.31. 까지 6년간 [2003년까지 10년간]
      나. 의무내용
         1) 관 세 화
            o 쌀에 대한 수입제한 조치를 관세로 전환
            o 최소 감축폭 : 15% [10%]
               - 이행기간중 매년 동일한 비율로 관세를 감축해야 하므로
                  매년 1.5 [1] %씩 감축
         2) 최소시장접근 허용
            가) 수입허용물량
               o 1994년(초년) 수입허용물량 : 국내소비량의 3% [2%]
               o 2000년(말년) 수입허용물량 : 국내소비량의 5%
                                              [2003년 3.3%]
            나) 관세율 5%

0162

2. 관세화 예외확보가 불가능한 경우의 대안

ㅇ 쌀시장 개방과 관련한 두가지 의무, 즉 관세화 및 최소시장접근 의무를
  적절히 조합, 아래 대안 상정가능

  ① 최소시장접근만 수용

    - 유예기간(3-10년)후 최소시장접근만 허용(일본이 미국과 협의한 대안)

    - 최초년도(1994)부터 최소시장접근만 허용

  ② 관세화만 수용

    - 유예기간(3-10년)후 관세화만 실시

    - 최초년도 부터 관세화만 실시

  ③ 관세화, 최소시장접근 모두 수용

    - 유예기간(3-10년)후 관세화 실시 및 최소시장접근 허용

    - 최초년도 관세화 실시, 최소시장접근은 유예기간후 허용(반대의
      경우도 가능)

    - 최초년도 부터 관세화, 최소시장접근 모두 수용하되 감축 또는
      확대의무 부적용

  ※ 상기 모든 대안에서 관세화 및 최소시장접근은 년도별로 감축 또는
    확대하지 않고 최초 이행년도 수준에서 동결하는 대안도 상정가능

  ※ 관세화 실시시에는 국내가격과 국제가격의 차액에 더하여 일정수준의
    관세를 추가로 부과

  ※ 스위스는 10년 유예기간 후에 관세화 및 최소시장접근 허용 방안 제시

  ※ 던켈총장 방한시 일정 유예기간후 관세화하는 방안 언급.

ㅇ 최소시장접근 및 관세화 의무를 모두 수용하되, 수입 허용되는 쌀에서
  Japonica는 제외하는 방안도 상정가능 (던켈총장 방한시 언급)

0163

3. UR 농산물 협정안 수정문제

o 상기 모든 대안은 엄밀한 의미에서는 농산물 협정문안의 수정을 요함.

   - 따라서 우리의 대안 내용에 따라 협정문 수정협상(Track 4)에서
     현 협정문에 대한 수정안을 제시 필요

o 그러나 아국이 관세화 및 최소시장접근을 수용하되 유예기간을 확보코자
  하는 경우에는 쌀시장 개방이 아국에 극히 민감한 사안임을 다수 협상
  참가국들이 인식하고 있으므로, UR 농산물 협정문안을 수정하지 않고
  의무이행 방법상 융통성을 부여받는 방안이 가능할 것으로 예상

   - 즉, 주요국과의 막후절충이 이루어지는 경우, 협정문안을 수정함이 없이
     (관세화 및 최소시장접근 원칙 수락) 개방계획 내용을 아국의 농산물
     양허표에 명시함으로써 기정사실화 가능시. 끝.

0164

외 무 부

종 별 :

번 호 : USW-5812

일 시 : 92 1125 1910

수 신 : 장 관 (통이,미일,통기,경기원,농림수산부,상공부) 사본: 주미대사

발 신 : 주 미 대사대리

제 목 : 언론인 접촉

1. 당관 장기호 참사관은 11.25. 당지 JOURINAL OF COMMERCE 일간지의 JOHN MAGGS 아시아담당 기자와 오찬을 갖고 의견교환한 바, 동인 발언 요지 아래 보고함.

가. 한. 미 통상관계는 현재 일본, 중국과의 관계와 달리 큰 잇슈가 없이 매우 조용 (QUIET)한 상태에 있음.

무역수지가 균형을 이루고 있는 것도 한국으로서는 다행스런 일임.

나. 다만 앞으로 UR 다자협상과 관련 한국, 일본이 쌀시장 개방문제에 어떤 입장을 취하느냐가 중요한 잇슈가 될 것으로 보며, 일본은 아직도 대외적으로는 쌀시장 개방에 반대하고 있는 입장을 취하고 있지만 이를 계속 고집할 수는 없을 것임.

다. 미국은 대미 무역흑자국인 일본, 중국, 대만을 TARGET 로 한 대외 통상정책을 강화시킬 것으로 전망함.

CLINTON 신정권이 국내문제에 대한 정책의 방향을 정한후인 내년 가을 부터는 이들 3 개국에 대한 SUPER 301 조 부활 논의가 의회 및 행정부 내에서 있을 것이며, CLINTON 대통령은 SUPER 301 조 협상 법안을 적극 지지하지 않을 수 없을것임.

라. 미 의회내에서는 과거 SUPER 301 조 협상이 성공한 사례로 한국이 거론되어 왔으며, 일본, 중국, 대만등에 대한 무역적자 해결을 위해서는 SUPER 301 조 협상을 적용해야 한다는 강한 의견이 나올 것으로 예상됨.마. CLINTON 당선자가 주창한 백악관내 ECONOMIC SECURITY COUNCIL 은 설치는 실현될 것으로 보며, 동 위원회의 정책적 기능이 어떻게 규정되느냐에 따라 USTR 의 대외교섭 기능은 더욱 강화 또는 약화될 것으로 보기 때문에 아직은 예상할 수 없음.

2. 장참사관은 한. 미간의 통상관계가 매우 HEALTHY 한 관계에 있으며 양국이 한.미 간에 합의한 PEI 을 적극 이행해 나가고 있음을 설명해 주고 향후 수시접촉키로 하였음. 끝.

통상국 안기부	장관 경기원	차관 농수부	차보 상공부	미주국	미주국	통상국	분석관	청와대

PAGE 1

* 원본수령부서 승인없이 복사 금지

92.11.26   13:07

외신 2과 통제관 CM

0165

(대사대리 반기문 - 국 장)
예고: 92.12.31. 까지)

PAGE 2

0166

외 무 부

종 별 :

번 호 : ECW-1500

일 시 : 92 1126 1730

수 신 : 장관 (통기,~~통상~~,경기원,농림수산부,기정동문)GV,FR:중계필,사본:주미대사

발 신 : 주 EC 대사

제 목 : 갓트/UR 협상 동향

표제 관련한 당지의 주요동향을 아래 보고함.

1. 11.25. 개최된 EC 집행위원회는 최근미.EC간 합의한 농산물협상 결과가 CAP개혁의 범위를 초과하고 있지 않음을 만장일치로 확인하고, 동 분석 자료를 회원국등에 배포함(별전 송부). 동 위원회 개최후, MACSHARRY 집행위원은 미.EC협상에 대해 일부 회원국들이 이견을 갖고 있어, 미.EC CAP 개혁범위 즉 UR 협상 MANDATE와 부합됨을 확신시켜 동 협상이 무리없이 마무리 되도록 하기 위해 동 자료를 배포하였다고설명함. 한편, EC 집행위 관계관들은 미.EC 협상결과는 CAP개혁과 부합됨은 명백하나, 일부품목에 대하여는 이의 제기소지도 있을 수도 있을 것이라고 말함.

2. 불란서 농민들의 과격시위가 계속되고 있는 가운데, 11.25 저녁 불란서 의회는 미.EC협상 결과에 반대하고 있는 불란서 정부의 입장을 지지키로 결정함. 그러나, 미.EC 협상을 재개하여야 한다는 야당우파 (신드골당) 의 요구는 받아드려지지 않았음. BEREGOVOY 불란서 수상은 동 의회연설에서 미.EC 협상결과는 90.11에 이사회가부여한 MANDATE를 초과하고 있다고 주장하고, 조속한 시일내에 EC 의 외무,농업연석이사회 소집을 요구함.

3. 한편, KOHL 독일수상은 불란서가 미.EC 협상결과를 수락해 줄 것을 희망하나, 그러나,불란서 정부의 입장도 이해해 주어야 할것이라고 말함. 끝.

(대사 권동만 - 국장)

통상국   통상국   안기부   경기원   농수부

92.11.27   07:30 EJ

외신 1과 통제관 ✓

0167

외 무 부

종 별 : 지 급

번 호 : GVW-2214

일 시 : 92 1126 1730

수 신 : 장관(통기,경기원,재무부,농림수산부,상공부,특허청)사본: 주미,일,EC,

발 신 : 주 제네바 대사

불대사-중계필

제 목 : UR/TNC 회의

연: GVW-2210

1. 표제회의가 금 11.26(목) 던켈 TNC 의장 주재로 개최된바, 던켈 의장은 별첨 발언문을 통하여 지난 11.10 TNC 가 부여한 MANDATE 에 따라 자신이 미.EC 를 방문한 결과를 보고하고, 향후 작업계획(상세내용 연호 및 별첨 발언문 참조)을 제안, 이에대한 TNC 의 승인을 요청함

2. 참가국들은 대부분 발언을 자제하는 가운데 브라질, 일본, 한국, 탄자니아, 모로코, 이집트, 인도등 7 개국이 발언하였으며, 주요내용은 아래와가 같음.

0 브라질: T-4 협상과 관련하여 최대한의 SELF-RESTRAINT 필요하며, DFA 의 UNRAVELLING 은 회피하여야 함.

0 일본: (1) 미.EC 간 협상 타결과 UR 협상의 재개(REACTIVATE) 를 환영하며, 일본은 성실(GOOD FAITH)하게 협상에 참여할 것임. (2) 미.EC 간 농산물, 시장접근, 서비스분야의 타결의 상세 내용을 제시할 것을 촉구함. (3) 앞으로 도출될 정치적 PACKAGE 여타 협상 참가국들의 관심사항이 반영되기를 희망함. (4) 시간적 제약에도 불구, 협상이 졸속한 방법(SHORT CUT) 으로 처리되어서는 안될것임. (발언문 별첨)

0 한국(상세 내용 별첨 발언문 참조): (1) 미.EC 간 협상타결 및 협상재개를 환영하며, 모든 협상에 적극 참여 용의 표명 (2) 금년말 도출될 정치적 타결안은 협상 참가국들의 필수적 관심사항을 반영한 균형된 것이어야 하며, (3) 모든 국가들이 협상결과에 동참하기 위하여서는 한국포함 수개국들이 표명해온 중요관심사항이 반듯이 공정하고 진지하게 수용되어야 함.

0 탄자니아 : LLDC 의 경제능력에 비추어 신분야의 협상결과를 수용할 능력이 없는 만큼, MTO 조직과 MANDATE 에 관한 협상시 유의 요망

0 이집트 : 순식량 수입국의 관심사항이 T-4 협상을 통해 UR 결과에 반영되기를

통상국 재무부	장관 농수부	차관 상공부	2차보 특허청	외정실 중계	분석관	정와대	안기부	경기원

92.11.27   05:10

* 원본수령부서 승인없이 복사 금지

외신 2과 통제관 BZ

0168

희망

　　0 인도 및 모로코: 미.EC 협상 결과의 상세사항 제시 촉구 및 협상 재개 환영

　　3. 던켈 의장은 자신이 제안한 향후 작업계획에 대하여 참가국들의 반대가 없으므로 금일 TNC 가 자신의 작업계획을 승인하였다고 밝히고, T-1, T-2, T-3 의 구체적 협상일정은 각 의장 책임하에 조속 확정토록 하라고 한후 현재 다수 협상 참가국의 주요 협상책임자들이 본국으로 부터 제네바에 오고있는 중인만큼 다른 참가국들도 협상 책임자들이 금일부터 재개된 협상에 참가할수 있도록 필요한 조치를 취해 줄것을 요청함.

　　4. 금일 회의에는 일본의 경우 ENDO 대사가 카나다의 DENIS 의장등이 직접 참석하였으며, 미국의 LAVOREL 대사도 금주중 당지에 도착 예정으로 되어있는등 다수국에서 주요협상가들이 당지에 조만간 도착할 것으로 예상되는 만큼 아국도 당지 협상에 참석할 정부대표 파견문제를 미리 검토해 둠이 필요할 것으로 판단됨.

　　첨부: 1. 던켈 의장 발언문 1 부

　　2. 아국 발언문 1 부

　　3. MTN.TNC/W/103 1 부

　　4. 일본 발언문 1 부

　　(GVW(F)-0712). 끝

　　(대사 박수길-장관)

　　예고:92.12.31. 까지

주 제 네 바 대 표 부

번 호 : GVW(F) - 0712   년월일 : 2/26   시간 : 1

수 신 : 장   관 (통기, 경제원, 재명부, 동력자원부, 상공부, 특허청)

발 신 : 주 제네바대사   사본 : 추미 ·농·토 ·불대사

제 목 : UR /TNC 회의

총   10 매 (표지포함)

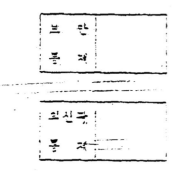

TRADE NEGOTIATIONS COMMITTEE
Meeting at Official Level
26 November 1992

<u>REMARKS BY THE CHAIRMAN</u>

1.   I call this twenty-third meeting of the Trade
Negotiations Committee at official level to order.

2.   The agenda for this meeting, as set out in GATT/AIR/3374,
is the following: "to review developments since the meeting
of 10 November, and to take appropriate action". I take it
that it is adopted.

3.   At its last meeting, the Trade Negotiations Committee
requested its Chairman at official level to bring the concerns
of participants to the notice of the authorities in charge of
the Uruguay Round in Brussels and Washington. These concerns
are outlined in paragraph 12 of document MTN.TNC/26.

4.   I can now inform the Committee that through my meetings
on 11-12 November in Brussels, and on 15-17 November in
Washington, I have carried out my mandate. Both the Brussels
and Washington authorities organised these meetings at the
shortest possible notice. Both parties responded to your
message in the most positive and constructive terms, even more
so because they were already engaged in a process of intensive
consultations. As you are aware, these consultations have led
to the understanding communicated to this Committee in
document MTN.TNC/W/103. This document has been circulated at
the request of both parties.

5.   At the last Trade Negotiations Committee meeting, I was
asked "to propose a concrete work programme as soon as
developments indicated a genuine readiness by all governments
to engage in substantive negotiations in Geneva on the basis
of transparency and mutual trust".

6.   Taking into account the joint communication to which I
have just referred, and also basing myself on intensive
consultations I have carried out with participants in the
Uruguay Round, I propose we agree that substantive
negotiations in Geneva be re-activated as of today with a view
to achieving a successful political conclusion of the Uruguay
Round before the end of this year.

job 2168

0171

7.   As to the overall strategy for concluding these negotiations, I see no reason to change the approach which this Committee had agreed in January this year (document MTN.TNC/25). In other words, the four-track approach outlined then remains fully valid even today. This implies also that two basic concepts which underpin the four-track approach must not be forgotten:

- one, the concept of globality requiring us to keep constantly in mind the interlinkages between each of the four tracks and parallelism among them; and

- two, the concept that nothing is final until everything is settled.

8.   Turning specifically now to the work programme, I would like to make the following comments:

(i)   The final and complete results of the Round will be consolidated in a document consisting essentially of two elements: the Final Act and the Schedules of Concessions;

(ii)   In respect of the Final Act, we have had a draft before us since December last year. This draft document has, of course, to be multilaterally reviewed and finalized. And this exercise, so critically important for the success of the Round, can only be credible if we all recognize that there can only be one such review. This will call for discipline and self-restraint from all participants, but without this, a quick conclusion of the Round to which I know you all are now clearly committed will not be possible.

- May I remind you that at the Committee's meeting in January, I had indicated that Track 4 was established with a view to examining whether it was possible to adjust the Draft Final Act in certain specific places, that these adjustments should be concentrated entirely on what all could collectively agree to without unravelling the package and that the exercise also would have to be conducted rapidly, in a low-key professional manner, in full consciousness of the very limited time available. These comments remain equally valid today.

0172

(iii)   the elements included in the multilateral review of
        the Draft Final Act will be as follows:
        -   feedback from the establishment of detailed
            Schedules under Tracks 1 and 2 as far as
            progress in negotiations on market access and
            initial commitments in services is hindered by
            differing interpretation by participants of
            specific elements of the Draft Final Act. At
            first sight, this feedback may be expected
            mainly from Track 1.
        -   feedback from Track 3 as far as it becomes
            clear that some specific questions raised under
            this track go beyond technical or legal
            drafting. Two questions which already appear
            to fall in this category are certain
            institutional issues and dispute settlement.

9.   Coming now to the establishment of Schedules under
Tracks 1 and 2, I recognize that it will not be possible to
formally conclude the process in the next weeks. However,
this should not prevent participants from moving rapidly to a
stage where the overall shape, content and value of the trade
liberalization package in goods and services can be clearly
assessed.

10.   The Chairmen of the different tracks are already in the
process of consulting participants with a view to establishing
the calendar and the modalities of the work programme they
have been entrusted to carry out.

11.   The Trade Negotiations Committee will remain on call, as
will the GNG. I sincerely hope that well before the year-end
break, you will be able to congratulate each other on your
collective success.

0173

1. In compliance with your obvious desire, which is also the desire of many participants, to relaunch the multilateral process of negotiations promptly following this meeting I shall be very brief. I sincerely hope that you understand why my delegation has to take the floor at this TNC meeting where we will all finally pledge to work toward a political conclusion of the 6 year-long multilateral negotiations by the end of the year.

2. During the past few weeks, the international press has focused its attention on the negotiations between the two most important trading parties in the world, and the Korean press reflecting the concerns of Korean farmers and the Korean people at-large was no exception. As a country which does have a great stake in the outcome of the Round, and in strengthening the rule-based multilateral system, I sincerely welcome the breakthrough that the US and the EC achieved last week. This breakthrough was needed not only for a successful conclusion of the Round, but to avert a trade war which could have had a devastating effect on the already ailing world economy.

3. Now the main blockage that stood in the way of the successful conclusion of the Round has been removed and there now indeed seems to be a genuine readiness on the part of all participants to reengage in the multilateral process here in Geneva. For our part, this delegation is ready to participate fully in all aspects of the negotiations under the work program which you have put forward, and which we consider reasonable. As we have always been, we will continue to remain a constructive player throughout all stages of negotiations with a sense of discipline and self-restraint you have underlined in

0174

your statement.

4.   My Chairman, in pledging the fullest cooperation of this
     delegation in the conduct of the negotiations, I would like
     to stress the two important points with utmost seriousness.
     The political package which we, with concerted effort
     intend to bring into existence by the end of the year must
     indeed be a balanced package reflecting the interests of
     all participants so that we can together celebrate our
     collective achievement. This means that issues of vital
     interest to some countries should be dealt with in a serous
     and most equitable manner. I must emphasize that this is a
     question of principle and fairness.

5.   This delegation is not only never tired of, but extremely
     happy with the repeated confirmation by you of the
     fundamental principle that underlies any multilateral
     negotiations, namely "nothing is agreed until everything is
     agreed." Let me be clear that we are serious about this
     principle, not because we intend to drag our feet, but
     because we want to emphasize the imperative of enabling all
     participants to actively cooperate in the creation of a new
     healthy, well-functioning multilateral trade system.

6.   Mr. Chairman, before concluding my remarks, let me express
     my admiration for the mission you have successfully
     accomplished based on the mandate entrusted to you at the
     last TNC meeting.

MULTILATERAL TRADE

NEGOTIATIONS

THE URUGUAY ROUND

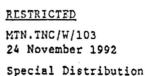

RESTRICTED

MTN.TNC/W/103
24 November 1992

Special Distribution

Trade Negotiations Committee

Original: English

COMMUNICATION FROM THE EUROPEAN COMMUNITIES
AND THE UNITED STATES

The following joint communication, dated 24 November 1992 and addressed to the Chairman of the Trade Negotiations Committee at official level, has been received from the Permanent Delegation of the Commission of the European Communities and the Office of the United States Trade Representative.

We are pleased to report to you our recent progress in resolving certain bilateral disagreements over the Uruguay Round Final Act. Enclosed is a joint press statement which describes the outcome of our recent discussions.

JOINT PRESS STATEMENT

The Commission of the European Communities and
The United States of America

20 November 1992

The United States and the Commission of the European Communities intend to pursue a successful conclusion to the Uruguay Round. As a result of our discussions, we believe that we have achieved the progress necessary to assure agreement on the major elements blocking progress in Geneva, notably in agriculture, services and market access. A successful outcome will be a positive factor for the trade and economic growth of the economies of the world.

Our negotiators are returning to Geneva to work together to build the comprehensive, global and balanced package we both seek from these negotiations. We intend to work with GATT Director-General, Arthur Dunkel, in finalizing agreements in all areas outlined in the draft "Final Act", which he produced last December and in completing the access negotiations which we all agree are an integral part of the overall Uruguay Round result.

In agriculture we have resolved our differences on the main elements concerning domestic support, export subsidies and market access in a manner

./.

GATT SECRETARIAT
UR-92-0110

0176

1/2 - 10 - 7

that should enable the Director-General to move the negotiations to a successful conclusion. We shall inform Director-General Dunkel of our progress and work with him to secure broad agreement in Geneva. For our part, we have instructed our negotiators to complete the detailed negotiations on our respective country schedules as rapidly as possible. We are in full accord that an effective agreement on agricultural reform requires the participation of all countries in the negotiations.

The United States and the EC Commission agreed how to resolve the oilseeds dispute.

On market access, the United States and EC Commission have found the basis to achieve an ambitious result that meets their respective objectives as follows: detailed negotiations will continue on specific sectors or products in order to make progress towards the completion of a substantial and balanced package. Tariff reductions will be maximized, with as few exceptions as possible, including the substantial reduction of high tariffs, the harmonization of tariffs at very low levels, and the elimination of tariffs in key sectors. The prospect exists that the Montreal target could be substantially exceeded. However, participation of third countries -- not only the developing countries, but other industrialized countries -- and elimination of non-tariff distortions are considered to be of essential importance, and both parties will continue efforts to achieve maximum results in this regard in Geneva during the coming weeks.

In addition, in the area of government procurement, substantial progress has been made with respect to the expansion of coverage. US and EC negotiators are instructed to complete the details of the expansion of coverage and improvements of the Code.

In services, we are in strong agreement that the market access offers must form an integral part of the ambitious result we seek. We have now agreed to take a common approach on financial services. In addition, we discussed improvements in our respective offers, and have agreed to seek maximum liberalization and minimum exemptions, with the expectation that other participants in the negotiations will similarly improve their offers.

We have full expectations that the breakthrough we have achieved will unblock the negotiations and provide new impetus necessary to complete the Round. We encourage our trading partners to return to the negotiating table in Geneva, prepared to show the necessary flexibility to bring these negotiations to a close.

Earlier this year at the Munich Economic Summit, G-7 leaders called for conclusion of the Uruguay Round by the end of the year. Time is short, but negotiators are returning to Geneva confident that substantial progress can be achieved to meet the intent of the G-7 leaders' commitment, provided other countries are prepared to work with us to secure an ambitious and far reaching result to these important talks.

0177

Statement by Ambassador Minoru ENDO
at the TNC meeting, 26 November 1992

Let me first of all welcome the fact that the
multilateral process in Geneva is now re-activated. We have
anxiously waited for a long time. I congratulate negotiators
of the United States and the European Community for having
been able to resolve their differences.

I have listened carefully, Mr. Chairman, to your remarks
in which you have outlined a work programme. I assure you
of my government's readiness to participate in good faith
in the multilateral process. I would ask as the necessary
first step that the United States and the European Community
share with us the understandings they have reached in the
areas of agriculture, market access and services. All
participants must know, precisely and in detail, as to what
are the actual changes they want to make in the Draft Final
Act.

I remind all other participants in the negotiations
of what my delegation has expressed time and again concerning
our position on the Draft Final Act. I will not repeat
it, but I will say that the difficulties which we find in
the Draft Final Act must be resolved appropriately in the
process ahead.

0178

- 2 -

While I share your hope that we should try to achieve
a successful political consensus before the end of the year,
all of us must collectively try. We say in Japan, "When
in hurry, never take short-cuts."

관리
번호 <u>92-885</u>

계시(안)

원 본

외 무 부

증 별 :

번 호 : FRW-2428   일 시 : 92 1126 1720

수 신 : 장 관(통기,통삼,경일,구일),사본:주EC, 제네바대사-직송필

발 신 : 주 불 대사

제 목 : UR 협상관련 주재국 동향

연:FRW-2417

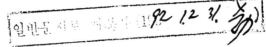
일반문 서로 재분류 (1992.12.31.)

1. 연호 11.25 밤늦게 아래 요지의 <u>UR 협상관련 정부 선언문이</u> 의회의 표결에
회부되어 찬성 301 표(사회당 및 공산당), 반대 251 표(RPR, UDF 등 야당), 기권 6
표로 통과되었음.(금 11.26 에는 상원에 회부 심의 예정임)

0 불란서는 86.9 월 UR 협상이 시작된 이래 농업, 산업, 서비스 및 지적재산권등
모든 협상 분야에서 포괄적이고 균형된 협상 타결을 희망하여옴.

0 11.20 자 EC-미국간 농업분야 합의안 내용은 90.11 월 EC 이사회가 위임한 협상
권한을 일탈한 것으로서 불 농업으로서는 수용할수 없는 결과를 가져올 것임.

0 불 정부는 EC 외무 및 농업장관 회의의 조속한 개최를 요청하며, 불란서의
근본적 국익에 반하는 모든 협상안에 대해 VETO 권을 행사할 것임을 확인함.

2. 금번 표결에서 야당이 정부 선언문에 반대입장을 취한 배경은 아래와 같이
분석되고 있음.

0 정부의 VETO 권 행사 의지등 강경자세에는 입장을 같이하나, 정부 선언문에
동의할 경우 현 사태를 초래한 정부의 실책(교섭)을 용인하는 결과를 가져오게
되므로서, 현 사회당 정부를 신임하는 결과가 됨.

0 사회당 정부가 VETO 권을 즉시 행사하지 않고 향후 포괄적 UR
협상결과와연계시키는등 VETO 권 행사를 93.3 월 총선(야당 승리 가능성 농후) 이후로
지체할 가능성에 대한 야당측 우려

3. 이와관련, 당관 관찰 및 평가사항 아래 보고함.

0 불 정부는 금번 의회표결을 통해 21% 보조수출 감축이 92.5 월 CAP 개혁내용을
초과함을 들어 이에대한 반대를 분명히하고 EC 통합의 위기를 무릅쓰고 VETO 권
행사라는 최종 수단을 통해서라도 불 입장을 관철 시키겠다는 강경한 입장을

통상국   구주국   경제국   통상국

PAGE 1   92.11.27   05:35
* 원본수령부서 승인없이 복사 금지   외신 2과 통제관 FL

0180

대내외적으로 재확인함.

0 의회 토의시 야당측으로 부터 전반적 UR 협상안이 나올때까지 VETO 권 행사를 기다리지말고 금번 농업분야 합의안에 대해 즉각 VETO 권을 차기 이사회에서 행사하라는 강력한 요청이 있었으나 불 정부는 "협상 절차의 모든 단계에서 VETO 권을 행사할것" 이라는 입장 표명에 그침으로서 VETO 권 행사시기에 관해서는 분명한 언급을 회피함.

0 상기 불란서의 입장은 불정부 요청으로 <u>내주중</u> 개최될 <u>EC 각료이사회</u>와 <u>12.11-12 EC 정상회담</u>을 통해 표명될 것인바, CAP 개혁내용과의 양립 여부에 대한 판단, 불란서의 고립여부 특히 독일의 불란서 입장 지지여부가 관심의 초점이되고있음. 이와관련, KOHL 독일 수상이 11.25 독일연방 의회연설을 통해 불란서가 EC-미국간 타결내용을 수락할 것을 희망하나, 동시에 불란서의 어려운 입장도 이해해야 한다고 언급한 것으로 보도되고 있어,12.3-4 본에서 개최된 불.독 정례 정상회담 결과가 주목되고 있음.

4. 연호 국회의사당 부근에 운집한 수천명의 농민은 미 성조기와 EC 기를 불태우고(지방시위에서는 영국기도 불태움) 미국산 수입 사료를 세느강에 폐기하는등 시위를 벌인후 인근에 위치한 수상실 및 농업성 청사로 이동하려는 과정에서 이를 저지하는 경찰과 격렬한 충돌이 있었으며, 이로인해 경찰 56 명(이중 5 명은 입원), 농민 수십명이 부상당한 것으로 보도됨. 끝.

(대사 노영찬-국장)

예고:92.12.31. 까지

이시.

외 무 부

종 별 :

번 호 : GVW-2228   일 시 : 92 1127 2000

수 신 : 장관(총인,통기) (사본: 주 쿠웨이트 대사 - 중계필)

발 신 : 주 제네바 대사

제 목 : 부임연기 건의

대: WGV-1785

1. 대호 당지 UR 협상이 최근 미국과 EC 간 협상 타결이후 급진전됨에 따라당관 UR 협상 실무자인 신종원 서기관의 주 쿠웨이트 대사관 부임 일자를 미국등 주요국이 UR 협상 완료 예정 시한으로 생각하고 있는 93 년 2 월말 이후 (3.15) 로 연기하여 줄것을 건의함.

2. 신서기관은 UR 협상에서 법제화 작업에 관한 TRACK 3 를 전담하여 협상에 참여해 왔는바, 동 작업의 세부 기술적 성격상 신규 직원으로 대체가 어려움.끝

(대사 박수길 - 차관)

종무과   차관   통상국   중계

외신 2과 통제관 DI
                                                                    0182

제기가원, 학생영 사본 (2개2의4 기사)
이서(요)

관리 번호	92-891

외 무 부

종   별 :

번   호 : FRW-2436   일   시 : 92 1127 1730

수   신 : 장 관 (통기, 통삼, 구일, 정보, 상공부)

발   신 : 주 불 대사

제   목 : GATT 관련 미-EC 갈등

　　88 년도 노벨 경제학상 수상자인 MAURICE ALLAIS 는 표제관련, 자유무역주의는 미국의 이익을 확보키 위한 위선적인 수단에 불과하며, 공동정책이 제도화되지 않는한 완전한 무역자유화는 실현 불가능한 것으로 보고 있는바, 농산물 협상을 요요한 최근의 미-EC 분쟁에 대한 동인 분석 내용 아래 보고함.

　　1. GATT 협정 기본정신의 변질

　　O 30 년대 대공황을 초래한 과도한 보호무역주의 억제를 통한 세계 경제발전을 기본목표로 출범했던 GATT 의 기본정신이 점차 변질되어 가고 있음.

　　O GATT 는 DILLON ROUND 에서 최근의 URUGUAY ROUND 에 이르기까지 과도한 보호무역 억제에서 자유무역을 신장하는 방향으로 기능을 발휘하였으며, 이들 ROUND 는 모두 미국에 의해 주도(EC 창설이후에는 EC 에 대항하는 방향에서) 되어왔음.

　　O 미국은 EC 농산물 가격을 국제시장 가격에 연동시키려 하고 있음. 미국은 EC 역내 농산물 생산감축 및 이에따른 EC 의 농산물 수입증대를 꾀함으로써 미농산물의 수출증대를 시도하고 있는 바, 사실상 자유무역 주의는 미국 자신의 이익확보를 위한 위선적인 수단에 불과함.

　　O 미국은 농산물을 포함한 모든 분야에서 "인위적인 가격"을 지양, 자유경쟁에 따른 "진정한 가격" 형성을 주장하고 있으나, 국제가격이 DOLLAR 로 표시되어 있고, DOLLAR 는 DM 이나 FF 에 비해 저평가되어 있으므로, 미 농산물을 EC 농산물에 비해 상당한 환율상의 이득을 보고있음.

　　O 미국이 의도적으로 저금리를 고수, DOLLAR 가치의 인위적인 저평가를 유도하는 상황에서 관세장벽등에 관한 논의는 무의미함.

　　2. 환율 저평가를 통한 미국의 시장지배(전 BIS 총재인 GUILLAUME GUINDEY 의 주장:73 년)

통상국 상공부	장관	차관	2차보	구주국	통상국	외정실	분석관	청와대

O 미국은 71 년부터, 양차 세계대전 기간중 전세계를 풍미했던 소위 달러화의 경쟁적인 저평가 (COMPETITIVE DEVALUATION) 전략을 도입, 만성적인 환율 불안, 여타 기축통화에 대한 DOLLAR 의 저평가 및 이에따른 국제교역의 직.간접 혼돈을 초래함.

O EC 는 이의 해결을 위해 미국의 달러화 DUMPING 을 상쇄하는 차원에서

1) 대미 수입품에 대한 부가세 (SURTAXE) 부과 또는

2) 대미 수출품에 대한 장려금 (PRIME DE CHANGE)를 지급하는등 관세상의 조치로 대응할수 있었음.

O 상기 대응방안은 20 년이 지난 현재에도 유효하나, 그동안 EC 측은 정부 및 일반업계를 막론하고 통화정책 담당자들이 미국의 비위를 거슬리지 않기 위해동 방안을 과감히 실행에 옮기지 못하였음.

3. EC (프랑스)의 대응방안

O UR 협상에서 DOLLAR 가치의 저평가 문제를 분리해서 논의할수 없음. EC 는 상기 GUINDEY 의 처방대로 부가세 또는 장려금을 통해 미국의 부당한 환율 이익을 상쇄해야 하며, 필요시 수량규제를 실시, 이를 보완할 수도 있을 것임.

O 프랑스는 현재

1) 향후 20 년내에 농업인구를 2% 정도로 줄이든가 (이는 자유무역주의라는미명하에, 프랑스에 비해 상대적으로 유리한 입장에 있는 미, 뉴질랜드, 호주,알젠틴과 같은 국가들에 굴복하는 결과가 됨)

2) 또는 현재처럼 최소한 6% 의 농업인구를 유지하든가 (농업인구의 적정수준 유지와 함께 농산물 자급자족 확보) 하는 양자택일의 기로에 서 있음.

O 프랑스의 농업보호는 경제뿐만 아니라, 정치.사회.문화적 차원에서도 사활이 걸려있는 과제임. (농업인구가 6% 로 유지되지 못할 경우 대규모 이농현상 및 도시로의 인구집중으로 주택난등 심각한 사회문제 야기)

O 이를 위해서는 CAP 의 수정도 있을수 있으며, 특히 수입대체 농산물의 개발이 필요함. CAP 의 개혁은 역내 농산물의 자급자족 및 농업인구의 현수준 유지라는 2 대 과제를 해결하는 범위내에서 검토되어야 함.

O 정상적인 농산물 가격은 직접생산비와 함께 간접생산비(EC 역내 농업정책운용에 따른 비용)를 포함하므로, EC 역내 가격이 국제시장 가격보도 높은 것은 당연함. EC CAP 운영에 기인한 비용은 EC 자체가 부담하고 있고, 사실상 역내가격과 국제가격간 차이는 조세상의 특징 (FISCAL CHARACTER)에 기인하며, 어차피수출은 국제가격으로

PAGE 2

0184

이루어질수 밖에 없으므로, 이를 DUMPING 으로 간주할수 없음.

　4. 결론

　O 공동정책이 제도화되지 않는한 일반적으로 교역의 완전한 자유화는 실현불가능하며, 동시에 바람직하지도 않음. 이갈은 상황에서 <u>과도한 자유무역 정책의 추구는 장기적으로 NATIONALISM 을 촉발시킬수 밖에 없음.</u>

　O 적정한 농업구조 확립을 위해서는 경제는 물론 정치적 차원의 통화안정이필수적이며, 이는 저평가된 DOLLAR 표시 국제가격과 양립할수 없음.

　O EC 농업정책이 현상황에 기초를 둔채 계속 추진될 경우 실업을 비롯한 경제불안정은 물론, 나아가 EC 통합 자체의 실패로 이어질 것임. 끝.

　(대사 노영찬 - 국장)

　예고: 93.6.30. 까지

PAGE 3

원 본

외 무 부

종 별 : 지급

번 호 : GVW-2229
일 시 : 92 1127 2120

수 신 : 장관(통기,경기원,재무부,농수산부,상공부)

발 신 : 주 제네바 대사

제 목 : UR 협상일정   --- 추가배포분 ---

연: GVW-2214

1. 11.26(목) 개최된 TNC 회의시 던켈 총장은 UR 협정문안의 연내 확정 일정을 제시, 전 협상국이 아무도 반대하지 않음으로써 동일정이 공식 승인된바 있으며 이에따라 협정문 확정을 위한 MULTILATERAL REVIEW OF DFA(T-4)가 개시되고, 동 T-4 의 대상은 주로 T-1 그리고 T-3 (MTO 및 분쟁해결등) 협의과정에서 나오는 문제점으로 T1, T3 차원에서 해결되기 어려운 사항이라고 동총장은 밝혔음.

2. 이상 밝힌 협정문안 확정을 위해 검토내지 추진되고 있는 TRACK 별 협상 일정을 아래와같이 파악 보고함.

가. T-1

1) 12.1(화) 오후에 비교적 광범위한 규모의 국가가 참여하는 비공식 협의 개최

- 미.EC 측에의한 미.EC 간 합의내용의 보고(투명성 제고 차원)

- 조속한 시일내 각국별로 완전한 공산품 및 농산물 C/S 제출 촉구가 예상되나 아래와같은 C/S 제출 불가 입장 개진 예상

0 한국, 일본, 스위스, 카나다등 농산물 TEXT 의 변경없이는 완전한 C/S 의 제출이 불가능하다는 입장 개진 예상 (미.EC 간 합의로 EC 측 입장만 반영하는 것은 형평의 원칙에도 위배 주장)

0 대다수 국가는 미.EC 등 주요국의 조속한 C/S 제출을 촉구하고, 한편 미.EC 등은 분야별 무세화 내지 관세조화 협상에 대한 원칙 타결없이는 공산품 분야 C/S 제출이 무의미하다는 입장고수 예상

0 인도등 일부 국가에 의한 섬유 협정문의 ECONOMIC PACKAGE 수정주장 가능성

- 결국 DENIS T-1 그룹의장은 T-4 가동에 의한 협정문의 우선적 확정없이는 실질적인 T-1 협상 진전이 불가능하다는 요지의 보고를 던켈 총장에게 하게될것임

통상국 농수부	장관 상공부	차관	2차보	분석관	정와대	안기부	경기원	재무부

* 원본수령부서 승인없이 복사 금지

92.11.28   20:08

외신 2과 통제관 FR

0186

2) 12.4(금) 농산물 분야에 대한 비교적 소규모 국가가 참여하는 비공식 협의회 개최

- 동 협의가 T-1 차원이 될것인지, T-4 차원의 협의가 될 것인지 다소 불명확하나 사실상 T-4 차원 협상의 시작이 될 것으로 보임.

3) DENIS 의장은 이에 앞서 주요관심국과의 개별협의 절차를 거칠 예정이며, 한국과는 11.30(월) 중 협의를 갖게 되어 있음.

4) 12.7 주간부터 분야별 무세화 내지 관세조화 협상 계속

5) 이상은 DENIS 의장 및 HUSSAIN 차장보를 접촉 파악한 내용임.

나. T-2

0 현재까지 확정적인 협상 개시 일정이 확정된바 없으나, 내주중 WORK PROGRAM 협의를 위한 실무비공식 협의 개최 및 12.7 주간부터의 양자 및 다자 협상 재개 가능성이 예상되고 있음.

0 HAWES 호주대사가 T-2 그룹 의장직을 맡을 가능성 큰것으로 파악되고 있음.

다. T-3

0 12.4(금) 오전 WORK PROGRAM 논의를 주요국간 비공식 협의가 갓트 사무국으로부터 통보되어 있으며, 12.7 주간부터 협상재개 예상 (MATHUR 의장은 현재 해외 여행중)

라. T-4

0 상술한 바와 같이 12.4(금) 농산물 분야 협의 개시가 사실상 T-4 차원 협상의 시작이 될것으로 보임.

0 이어서 12.7 부터의 2 주간이 본격적인 T-4 협상기간이 될것이며, 한국의 관심분야인 농산물 협정안 개정문제도 이기간중에 처리 될것으로 봄.

0 T-3 로부터의 문제점은 MTO 와 분쟁해결이 포함되는 것은 이미 던켈총장이 공표하였으며, 나머지 T-3 및 T-2 로 부터의 FEED-BACK 은 미지수임.

마. 협정문안 확정을 위한 TNC 및 후속 협상

0 X-MAS 휴가전에 금번 가동된 T-4 협상 결과를 반영한 협정문안 또는 POLITICAL PACKAGE 에 대한 수락 여부를 결정하는 TNC 개최 예정

0 문안이 일단 확정되면 내년 1-2 월 기간중 T-1, T-2, T-3 협상 본격 가능예상

3. 농수산부 대표 조기 파견

0 이상과 같이 사실상 내주부터 농산물 분야 협정 개정을 위한 논의가 본격화 되고

PAGE 2

X-MAS 이전까지 모든 협정문안이 확정될 가능성에 비추어 농수산부 고위 대표를 12.3(목) 까지는 당지에 파견 바람.

    0 일본은 시와꾸 농산부 차관이 11.29(일) 밤 당지 도착 예정인 것으로 파악됨. 끝
(대사 박수길-국장)

예고:92.12.31. 까지

외 무 부

110-760 서울 종로구 세종로 77번지   / (02)720-2188   / (02)720-2686 (FAX)

문서번호   통기 20644-406

시행일자   1992.11.28.(   )

취급		장 관
보존		
국 장	전 결	
심의관		제2차관보:
과 장		
기안	이 시 형	협조

수신   수신처참조

참조

제목   UR 협상관련 주한 영국대사 면담결과

---

1. Wright 주한 영국대사는 11.27(금) 우리부 허승 제2차관보를 면담하고,
    EC 의장국인 본국 정부 훈령임을 전제하면서 UR 협상타결을 위한 우리나라의
    협조를 요청하였읍니다.

2. 상기 면담요록을 별첨 송부하오니 참고하시기 바랍니다.

첨부 : 면담요록. ·끝·

외 무 부 장 관

수신처 : 대통령 비서실장(외교안보수석, 경제수석), 경제기획원, 재무부,
            상공부, 농림수산부장관.

0189

제2차관보 Wright 주한 영국대사 면담요록

(92.11.27. 15:00-15:30)

Wright 대사 :

o EC의 의장국인 본국 훈령에 따라 UR 협상과 관련 EC측 입장을 전달
  하고자 함.

o 미.EC간 합의에 따라 UR 협상이 급진전될 것으로 보이는 바, 문제는
  시간이 촉박하다는 점임. (미국의 Fast Track 시한 감안)
  EC로서는 집행위 첫번째 mandate에 따라 미.EC간 합의를 이룩하였으며,
  두번째 mandate에 따라 Dunkel 총장의 협상타결 노력을 적극 지지할
  것임.

o 한국으로서는 대통령 선거가 임박해 있어 입장이 더욱 어려운 것으로
  알고 있음. 그러나, 현재 세계는 자유무역체제를 위한 중요한 시기에
  와있음.

o 협상의 성공적 종결을 위해 다음 수주일이 매우 중요하며, 한국의
  역할도 중요하기 때문에 많은 국가들이 한국을 주시하고 있는 만큼
  한국의 입장에 진전이 있기를 희망함.

2차관보 :

o 어제 TNC 회의에서 아국 대사가 언급한 바와 같이 금후의 모든 협상에
  적극 참가할 것임. 또한 금년말 도출될 정치적 타결안은 협상
  참가국들의 필수적 관심사항을 반영한 균형된 것이어야 함.

o 협상에 임하는 정부의 입장은 부처간 대책회의에 따라 나올 것으로 봄. 끝.

0190

2차관보님 Wright 주한 영국대사 면담요록

(92.11.27. 15:00-15:30)

Wright 대사 :

○ EC의 의장국인 본국~~에서 보내온~~ 훈령에 따라 ~~최근~~ UR 협상 현황에 대해 한국입장을 ~~들고자~~ 함. *EC측 과 관련 '11.28 등*

강앙하려고

○ 미.EC간 합의에 따라 UR 협상이 급진전될 것으로 보이는 바, 문제는 시간이 촉박하다는 점임. (미국의 Fast Track 시한 감안) EC로서는 집행위 첫번째 mandate에 따라 미.EC간 합의를 이룩하였으며, 두번째 mandate에 따라 Dunkel 총장의 협상타결 노력을 적극 지지할 것임.

○ 한국으로서는 대통령 선거가 임박해 있어 입장이 더욱 어려운 것으로 알고 있음. 그러나, 현재 세계는 자유무역체제를 위한 중요한 시기에 ~~와~~있음.

○ 협상의 성공적 종결을 위해 다음 수주일이 매우 중요하며, 한국의 역할도 중요하기 때문에 많은 국가들이 한국을 주시하고 있는 만큼 한국의 입장에 진전이 있기를 희망함.

2차관보 :

○ ~~금~~일 TNC 회의에서 아국 대사가 언급한 바와 같이 금후의 모든 협상에 적극 참가할 것임. 또한 금년말 도출될 정치적 타결안은 협상 참가국들의 필수적 관심사항을 반영한 균형된 것이어야 함. *작*

○ 협상에 임하는 정부의 입장은 부처간 대책회의에 따라 나올 것으로 봄. 끝.

공람	통상기구과	92년11월28일 0417=0	담당	과장	심의관	국장	차관보	차관	장관
			朴						

0191

정 리 보 존 문 서 목 록					
기록물종류	일반공문서철	등록번호	2020030181	등록일자	2020-03-16
분류번호	764.51	국가코드		보존기간	영구
명 칭	UR(우루과이라운드) 협상 동향 및 TNC(무역협상위원회) 회의, 1992. 전5권				
생 산 과	통상기구과	생산년도	1992~1992	담당그룹	
권 차 명	V.5 12월				

내용목차	∗ 1.13. TNC 회의
	   - 수석대표: 조일호 농림수산부 농업협력통상관
	   - Dunkel 협정문 초안(91.12.20.)을 기초로 협상(양자.다자) 추진 결정
	   - 4 track(상품 양허, 서비스 양허, 협정조문 법적 정비, 협정초안 수정 작업) 협상 전략 제시
	 11.10. TNC 회의
	   - 미국.EC 간 양자협상 타결 촉구
	 11.20. 미국.EC 농산물 협상 타결
	   - 공산품, 서비스 등 여타 분야 협상 결렬
	 11.26. TNC 회의
	   - 협정문안 연내 확정 일정 승인
	 12.18. TNC 회의
	   - 1992년 초 협상재개 결정				

0001

외 무 부

관리번호 92-903

종 별 :

번 호 : GVW-2251

일 시 : 92 1201 2200

수 신 : 장관(봉기, 경기원, 재무부, 농수산부, 상공부)

발 신 : 주 제네바 대사

제 목 : 공통이해 관계국 대사간 UR대책 비공식협의

1. 본직은 금 12.1(화) 예외없는 관세화에 반대하는 주요국가 대사(카나다 SHANNON 대사, 일본 ENDO 대사, 스위스 ROSSIER 대사 및 멕시코 SEADE 대사)를 조찬에 초청, UR 협상의 정치적 PACKAGE 성립이 임박함에 즈음하여 관세화 반대에 이해를 공유하는 국가들이 단순한 반대입장의 개별적 표명에서 한걸음 더나아가 긴밀한 의견교환 및 공동대처를 하는 것이 필요할 것으로 본다고 전제하고, 동문제에 관한 대책 협의를 제의한바, 참석대사들도 이에 동의하면서, 각자 아래와 같이 자국의 입장, 견해등을 밝힘.

가. 카나다 SHANNON 대사

- 12.4(금) DENIS 의장주재 농산물 회의(15-18 개국 참석 예상)에서는 관세화 문제가 최우선적 잇슈로 등장할 것으로 봄.

- 카나다는 헌법 개정안에 대한 국민투표 부결이후 정치적으로 관세화를 수용하기가 더욱 어려워 진것은 사실이나

- 미국, EC 양측이 관세화가 농산물 교역 자유화의 방편이지 그자체가 목적일 수 없다는 점을 인식하여, 관세화의 조건(TERMS OF DEAL)을 정함에 있어서 카나다의 입장을 수용할 경우 카나다는 전향적 입장을 취할 수 있음.

- 예외없는 관세화 반대국가가 취할수 있는 대안은 1) 각국이 1 개 품목씩 선정 예외화하는 방안(ONE COUNTRY, ONE EXCEPTION)과 2) 스위스 방식의 2 가지라고 봄.

- 전자의 경우 미국의 PEANUTS. 낙농제품등의 국내 로비에 비추어 특정 1 개 품목을 선정하기 어려워 SECTION 22(농업조정법)예외 대상 품목 전체를 계속 보호하고자 하는 입장을 취할 것이므로 현실성이 없음.

- 후자의 대안은 완전히 만족스럽지는 않으나 스위스, 카나다등의 입장에서는 고려해 볼만한 대안임.

검 토 필 (1992. 12. 31)

통상국 장관 차관 2차보 분석관 정와대 안기부 경기원 재무부
농수부 상공부

일반문서로 재분류 (1993. 6. 30)

PAGE 1

92.12.02 08:42

외신 2과 통제관 BX

0002

- 카나다의 경우 국내 정치적 어려움이 있는 것은 사실이나, 아래 2 가지 사항에 비추어 정치적 PACKAGE 합의를 방해하면서까지 관세화 반대입장을 관철할것인지는 확언할 수 없음.

  O 미국, EC 와의 긴밀한 유대 및 그들로부터의 압력

  O ~~년말까지 정치적 PACKAGE 성립이~~[84fo 년말까지 정치적 PACKAGE 성립이 이루어져야 한다는 카나다의 확고한 입장등

나. 일본 ENDO 대사 (외무성 UR 협상 전담대사)

- 솔직히 일본의 입장은 변화(EVOLVING)하고 있다고 일본정부로서는 무언가선택해야 할(SOMETING MUST BE DONE) 입장임을 절감하고 있음.

- 이에따라 첫째 시장접근 부문에서 다소의 신축성을 보이면서 관세화의 예외를 얻어내는 방향에서 검토를 진행중임

- 미국, EC 와의 양자적 대화를 통해 1 국 1 개 품목 예외 방안을 이미 논의해 보았으나 미국은 수용불가 입장을 명백히 함.

- EC 도 물론 바나나 쿼타문제를 안고있으나 내부적으로 독일이 이를 강력히 반대, 종국에 가서는 바나나 수입을 관세화 하지 않을수 없을 것인바, 따라서EC 도 관세화 예외에 반대할 것이 분명히 예견됨.

- 일본은 공식적으로 발표는 않고 있으나 현재 쌀 및 낙동제품의 최소시장 접근을 적절한(MANAGEABLE) 수준(1-1.5% 등을 고려중)에서 개방하는 문제를 고려하고 있음. 그밖에 고율의 TE 설정, 세이프 가드 강화 방안도 검토중임.

- 결국 일본의 입장에서는 최소시장접근에서는 융통성이 있으나 관세화 자체는 아직 받을수 없는 상황이므로 년말까지 TAKE IT OR LEAVE IT 의 상황이 될 경우 결국 내년 3 월(미국의 신속승인 절차 시한)까지는 수락도 거부도 하지 않는 모호한 입장을 취하게 될 가능성이 많음.

- 당면 대책으로는 미.EC 간 농산물 분야 합의내용의 문제점을 공격하면서 가급적 일본 입장이 많이 반영될 수 있도록 대처해 나갈 수 밖에 없음.(언도대사의 말 인용 불원)

다. 스위스 ROSSIER 대사

- 이미 관세화 원칙은 받아들이되, 동 시행을 연기하느 제안을 제시해둔바, 이를 반영하는 형식에 대한 구체적 방안을 아직 밝히기 어려우나

- 이를 관철코자 하는 정치적 의지는 변함없음.

라. 멕시코 SEADE 대사

PAGE 2

0003

- NAFTA 협정으로 장기적인 관점에서 관세화를 수락한 것은 사실이나, 현재로서는 민감품목에 대한 관세화에 반대하고 있음.

- 그러나 결국에는 관세화 조건(TERMS OF DEAL)에 따라서 관세화의 원칙을 받게될 수 밖에 없는 입장이 될것임.

2. 본직은 아국의 변함없는 입장을 재강조하고, 앞으로도 가능한 범위내에서 공동대처해 나갈 것을 제의한바, 참석대사들이 이에 동의함으로써 차기 접촉시에는 놀웨이, 이스라엘, 인도네시아등을 포함하여 협의를 계속키로 일단 합의함.

3. 그러나 금일 협의과정에서 멕시코, 스위스, 카나다 3 개국은 결국 관세화를 수용하되 시행을 연기하는 방향으로 선회하여 관세화 원칙의 수락, 거부보다는 구체적 조건(TERMS OF DEAL)에 더 관심을 보이고 있고, 일본은 최소시장 접근 등에서 상당한 융통성을 보이고 있으나 유독 아국만이 전혀 융통성을 보이지 않는등 각국의 구체적 입장에 뚜렷한 차이가 있다는 점이 확연히 들어났고, 또한여타 모든 협상 참가국이 년말이전 정치적 합의 성립에 확고한 의지를 보이고있는 상황에서 5-6 개국이 동 대세를 거슬리는 방안을 논의(CONSPIRING) 한다는인상을 회피해야 한다는 일부 의견도 대두됨으로써, 공동전략의 수립, 시행에는많은 한계가 있는 것으로 판단됨.

4. 인니 대사는 자국도 FOOD ADEQUACY POLICY 에 입각, 예외없는 관세화에 반대한다고 하고 유사 입장 공유국의 회동에 참가하기를 희망하였으므로 명일(12.2)멕시코, 인니대사등과 회동 공동관심사를 계속 협의할 예정임.끝

(대사 박수길-장관)

예고:93.6.30 까지

PAGE 3

0004

외 무 부

관리번호 92-91호

종 별 :

번 호 : ECW-1534   일 시 : 92 1202 1730

수 신 : 장관(통기,통삼,경기원,재무부,농림수산부,상공부,기정)

발 신 : 주 EC 대사   사본: 주 미,주제네바-본부중계필

제 목 : GATT/UR 협상

일반문서로 재분류(92.12.31)

1. EC-미국간 UR 농산물관련 합의사항을 문서화시키기 위한 양측 실무자회담이 금주초 이래 당지에서 개최되고 있는바, 이와관련 당관 주철기참사관이 12.2. 당지 미국대표부 GATT 담당관 RICHARDS 로부터 파악한 내용은 아래와같음

가. 미국 USTR 의 O MARA 농업담당 대표및 MS. EARLY 대표보가 현재 브랏셀에서 EC 관계자들과 함께 11.20 워싱턴에서의 농산물합의 결과를 보완, 문서화시키기 위한 작업을 진행중임

나. 동 문서화작업은 빠르면 금 12.2. 또는 12.3. 까지는 완료될 것으로 보이며, 그 경우 미국대표단은 곧 제네바로 가서 GATT/UR 협상회의에 미-EC 간 농산물 분야 합의내용을 문서로서 제출케 될것임

다. 동 합의문서에는 UR 농산물 합의내용과 OILSEEDS 관계 합의내용을 함께 포함할 것으로 봄. 미국은 OILSEEDS 문제가 UR 협상타결 문제와 분리될 수 없다는 것을 일관되게 주장해왔고, EC 로서도 현재 그러한 맥락에서 추진하고 있는것으로 앎

라. EC 집행위가 작주 공표한 EC-미국간 합의내용이 EC 의 CAP 개획과 양립한다는 보고서 내용에 대하여 미국으로서도 전반적으로 이의가 없으나 다만 농산물 수입시장접근 (수입제도) 면의 추가적 개선과 바나나를 포함한 완전관세화를 EC 가 받아드릴 것을 EC 측에대해 거듭 촉구하고 있음

마. 불란서의 요청에따라 EC 는 12.7. 로 예정된 외상급 이사회시 농업상들도 함께 참석시켜 UR 문제를 토의케 될것으로 보나, 불란서가 그 단계에서나 에딘버러 정상회담 개최단계에서는 UR 문제에대한 VETO 권 행사를 시도하지 않을 것으로 봄

2. 동담당관은 미국 상무성의 11.30 대 EC 철강관계 상계관세 잠정부과조치와 관련하여, EC 가 크게 자극받고 있는것은 사실이나 미국이 철저히 GATT 규정의 범위내에서 이문제를 제기했음으로 EC 로서도 대응하는데 어려움이 있을 것이고, 또

| 통상국 | 장관 | 차관 | 2차보 | 통상국 | 분석관 | 청와대 | 안기부 | 경기원 |
| 재무부 | 농수부 | 상공부 | 중계 | | | | | |

* 원본수령부서 승인없이 복사 금지   외신 2과 통제관 FR

0005

미국의 금번조치는 예비적 조치이기 때문에 이문제에 대한 미국의 최종 공식조치 발표가 있기전 까지는 EC 로서도 어떤 대응 보복조치를 발표케 되지는 않을것으로 본다 말함

    3. 한편 EC 의 COREPER II 회의(대사급회의) 가 12.2. 개최되어, 12.7. 각료 이사회 의제와 UR 및 OILSEEDS 문제에 대해 토의했음. 끝

    (대사 권동만-국장)

    예고: 92.12.31. 까지

PAGE 2

0006

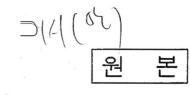

관리 번호	92-132

외 무 부

종 별 :

번 호 : GVW-2280 　　　　　　　일 시 : 92 1206 2100

수 신 : 장 관(봉기,경기원,재무부,농수산부,상공부,특허청)

발 신 : 주 제네바대사

제 목 : DUNKEL 총장 관저 만찬회동

1. DUNKEL 총장은 12.4(금) 자신의 관저만찬에 본직포함 19 개국 대사를 초치, 미국,EC 합의후의 현황평가 및 UR 협상 운영방안에등에 관해 의견을 가진바 동 결과 아래보고함.

　　가. DUNKEL 총장은 지난 1 주간의 활동을 긍정적으로 평가하고 내주부터는 본격적인 움직임이 있을 것이라고 말한후 4 가지 TRACK 의 운영에 관해 아래와 같이 자신의 견해를 피력함

　　1) TRACK 4 에 부의될 사항

　　　검 토 필 (1992.12.31.)

　　- 동 TRACK 에서는 아래 4 가지 종류의 문제가 제기될 것임

　　O T1 에서 유래하는 농산물협정문안 수정동의 문제(관세화 문제포함)

　　O T3 에서 나오는 MTO, 분쟁해결절차문제(특히 MTO 문제는 법적문제와 정치적 문제가 혼합된 성격이 될것임)

　　O T2 에서 나오는 문제(큰문제는 없을것으로 추측)

　　O T1, T2, 등에 속하지 않는 T4 자체의 문제(반덤핑등을 예시)

　　- T4 운영에 있어 자신은 TNC 의장 입장에서 HONEST BROKER 역할만 하겠으며, 따라서 DFA 의 수정은 참가국들이 협상을 통해 합의, 결정토록 해야 함.

　　2) TRACK 1 작업

　　- 금일(12.4) 농산물분야부터 본격적으로 시작되었다고 봄

　　- DENIS 의장 보고에 의하면, 동회의에서 미.EC 합의내용이 보고되고, 미.EC 에 의한 내주중 합의문서 제출약속, EC 의 농산물분야 C/S 제출등을 포함 유익한 의견교환이 있었다고 이해함.

　　- 공산품분야에서는 내주부터 양자 및 다자간 협상을 본격화 할것이며 　일반문서로 재분류 (1993. 6. 30.)

　　- 내주말 DENIS 의장이 종합평가(GENERAL ASSESSMENT)를 내릴 예정임

통상국 농수부	장관 상공부	차관 특허청	2차보	분석관	청와대	안기부	경기원	재무부

- 열대산품에 대해서는 12.10(목) 회의 예정임

3) TRACK 2 작업

- 금일 다자협의 결과 성과가 좋음

- INITIAL COMMITMENTS 에 관한 양자협상이 12.7(월) 부터 시작되며

- 통신, 해운분야에서도 협의가 진행중임

4) TRACK 3 작업

- MTO 와 분쟁해결이 현안으로서

- T3 와 T4 간의 INTERPLAY 를 인정치 않을수 없음.

나. 이어 DUNKEL 총장의 요청에 따라 참석대사들이 각자의 의견을 개진한바, 많은 국가들은 동총장의 정세평가에 동의를 표하고 TRACK 4 운영을 세심하게 통제할 필요성을 강조한바, 각국별로 특기할만한 언급내용은 아래와 같음.

1) 카나다:

- T1 에서, 가장 중요한 문제는 예외없는 관세화임

- 미.EC 가 국내보조, 수출보조문제만 주로 다루고 시장접근문제를 취급안한 것은 균형에 맞지 않음

- EC 가 BANNA 문제관련 WAIVER 를 요청할것이라는 설이 있는바, 이에대한 분명한 입장표명이 필요함

- 기타 시장접근협상에서 TARIFF PEAKS, ZERO FOR ZERO 등이 시급히 다루어져야 함.

2) 미국:

- T4 에서는 농산물 및 섬유가 가장 중요한 문제이며, 이는 시장접근(T1)과직결됨

- T3 에서는 MTO, 분쟁해결, GATT 93 의 3 가지 문제가 중요하며, 특히 MTO는 충분한 교섭을 거치지 않아 문제가 많음

- 모든 현안문제는 한꺼번에 제기해 놓고 걸러나가는 방식으로 처리하는 것이 좋으며 (미국으로서는 READY TO PUT THINGS ON THE TABLE), 동 과정에서 상당수 문제는 해석 (INTERPRETATION), 양해 (UNDERSTANDING)등으로 해결 될수도 있음

- 그럼에도 불구하고 DFA 상의 PACKAGE 는 엄격(TIGHT) 하게 유지해야 할것임

3) EC:

- 불란서의 강한 반대에도 불구 내주중 농산물 C/S 제출 예정임

- BANNA 문제는 예외없는 관세화를 존중하면서도 관계국가의 이익을 고려하는

PAGE 2

0008

방향에서 처리될것임

(C/S 에 BANNA 에 관한 OFFER 포함여부 불명)

- T1,2,3 포함 모든문제는 GLOBALITY 를 갖고 있으므로 모든 분야에서 동시에 협상해야 하며

- T4 잇슈는 CONSENSUS 에 의해 처리되어야 함.

- MTO 가 충분한 협상을 거치지 않았다는 미국의 언급에 대해, 이를 인정함

5) 인도 :

- PLIITICAL CONSTITUENCY 가 있는 것은 EC 뿐만이 아니며

- 이점에서 인도는 <u>농산물</u> 및 <u>섬유</u>등의 문제가 국내정치적으로 민감하고, 중요한 사안임

- MTO, 분쟁해결문제는 반드시 T4 에서 처리되어야 하는것은 아니나, 일부 정치적 결정을 요하는 사항도 있음.(<u>GATT 93 의</u> 검토는 MTO 가 설립된다는 전제에서만 진행해야 함)

- 미.EC 간 국내보조, PEACE CLAUSE 등에 관한 합의내용은 개도국 이익의 균형을 더욱 상실케 하는 내용임.

6) 일본:

- 미.EC 합의내용은 <u>DFA 의 불균형을 더욱 확대함</u>

- 일본의 관심사항에 대해 현재 국내정치권에서는 상당한 관심을 표시하고 있으나 기본적으로 DELIVER 할수 없다는데 문제가 있음

- T1 잇슈는 T4 와 직결되어 있고, T2, T3 에도 미결사항이 많이 남아있음.

7) 칠레 :

- 공산품분야에서 TARIFF PEAKS 가 반드시 해결되어야 함

8) 스위스 :

- 스위스로서는 농산물협정문의 조정(ADJUST)가 필요함(이행기간문제를 염두에 둠)

- 시장접근문제가 곧 T4 로 연결되는 것이 사실이며, 따라서 시장접근문제는 신중히, <u>모두가 만족하는 방향으로 해결해야 함.</u>

- T2 는 큰문제가 없으나, T3 에서는 어려운 문제가 상당수 있을 것으로 봄.

9) 홍콩 :

- T1, T2 에서는 양자협상이 특히 중요함

- 반덤핑등 규범분야에 협상을 재개함으로써 전체 PACKAGE 의 붕괴를 가져와서는

PAGE 3

0003

안됨

10) 호주, 싱가폴:

- 미국이 농산물 검역 TEXT 까지 다시 점검할 의사를 표시한것이 주목하며 호주로서는 동문제를 협상결과로서 이미 끝난것으로 보고있음

11) 기타 항가리(T4 운여에 관한 규칙을 사전에 설정), 알젠틴(T4 에는 반드시 합의된 TEXT 의 서면제출등을 의무화하는등 일정규칙 설정), 홍콩, 호주등은 T4 운영에의 규율 및 자제를 강조함.

다. 본직은 예외없는 관세화문제에 관한 아국정부의 입장이 확고하다는 것을 전제하고 협상운영에 관해 아래 사항을 언급함.

1) 아국의 경우 여러분야에서 불만이 없는 것은 아니나 농산물분야 관심사항이 반영되면 다른분야는 현 DFA 대로 수용하는데 큰문제는 없음

2) 미국, 인동 일부국가가 제기한 관심사항을 각각 국내정치적 이유도 있는만큼 이해있는 태도를 갖고 다루는 것도 필요하다고 봄. (아국도 같은 문제를 갖고있다는 입장에서 동정 표시).

이러한 사항들은 결국 POLITICALLY FILTERING PROCESS 가 필요할수 있으며 반드시 T4 에서 처리될 필요는 없음.

3) T2 잇슈는 자체로 처리가능하며 T4 로 가겨올 필요가 없다는것이 아국의 평가이며 T3 문제도 같은 차원에서 해결 가능하다고 봄.

라. 본직은 또한 앞으로의 협상구조와 소위 POLITICAL PACKAGE 성립시기 및 시간이 없고 또 CONSENSUS 가 없는 상황에도 총장자신이 POLITICAL PACKAGE 를 만들어 TAKE IT OR LEAVE IT 상황으로 이끌어 갈 것인지의 여부등에 대해 DUNKEL 총장의 의견을 문의했던바 DENKEL 총장은 POLITICAL PACKAGE 는 중요한 내용이 합의되어 협상자가 정부에 최종적 가부결정을 물음수 있는 시기를 말하며, 협상 구조 TAKE IT , OR LEAVE IT 상황가능성등 문제는 협상참가국이 협의 결정할 사항이라고 답변함.

(마 항 부터 GVW-2279 로 계속됨)

외 무 부

종   별 :

번   호 : GVW-2279   일   시 : 92 1206 2100

수   신 : 장관(봉기,경기원,재무부,농수산부,상공부,특허청)

발   신 : 주 제네바대사

제   목 : DUNKEL 총장 관저만찬 회동

검 토 필 (1992. 12. 31.)

일반문서로 재분류 (1993. 6. 30.)

마. DUNKEL 총장은 만찬회동의 결과를 아래와 같이 요약, 평가함.

1) 이번 회동에서도 SUBSTNACE 와 PROCESS 가 함께 토의되어 다소 혼란이 있었으나, 자신의 대체적평가(OVERVIEW) 에 대한 각국 협상책임자의 견해를 청취하자는데 뜻이 있었음

2) 미.EC 간 농산물분야 합의로 그동안의 정체되었던 협상이 전기를 맞았으며 미.EC 의 협상종결을 위한 확고한 정치적 의지가 확인되었음.

3) 금일 회동결과는 평가하기에 따라서는 CAT AND MOUSE GAME 같은 느낌도 있으므로 앞으로의 협상과정을 잘 통제(CONTROL)해지 않을 경우 다시 위기에 빠질 위험(WE ARE IN A VERY RISKY OPERATION) 이 있음을 인식해야 함

4) 따라서 앞으로의 협상 과정에서는 누군가가(자신을 뜻함) FULL CONTROL 을 가져야 할 필요성이 있음.

5) T4 운영은 철저히 통제된 상황에서 각국이 최대한의 자제력을 갖고 임해야 하며 또한 시간적 요소도 고려해야 함.

6) 따라서 본인은 T4 운영방법등 PROCESS 문제에 관한 구체적 방안을 12.7(월)까지 마련하여 즉시 협상을 가동시키도록 하겠음.

2. 금일 만찬 회동결과에 대한 본직의 관찰은 아래와 같음.

가. 미.EC 합의후 제일 중요한 정치적 쟁점은 역시 예외없는 관세화문제로 부각되었음

나. EC 는 내주까지 농산물 C/S 제출의사를 표명하는등 적극적인 자세였으나 미국의 경우에는 MOT, 분쟁해결등 분야에서 아직도 해결되어야 할 사안들이 많이 남아있는 듯한 인상을 주었으며 특히 MTO 문제에 대해서는 상당히 주저하는입장이 감지되었음.(MTO 설립으로 미국의회의 봉상협상권이 제약되는등 미국 국내 정치적

통상국   장관   차관   2차보   분석관   청와대   안기부   경기원   재무부
농수부   상공부   특허청

PAGE 1   92.12.07   17:49

민감성을 염두에 둔듯)

다. 심지어 섬유문제도 미국, 인도등이 중요한 현안중의 하나로 거론함으로써 T-4 운영 여하에 따라서는 LAUNDRY LIST 식의 요구사항들이 제기되어 연내 타결 전망을 흐리게할수도 있을 것으로 감지됨.

라. 단, 대부분의 참석자들이 T-2 사항들은 T-4 로 이전되지 않은채 해결될전망이 큰것으로 관측하였음.

3. 동 만찬에 초대된 대사들은 아래와 같음.

미국, EC, 일본, 카나다, 호주, 한국, 홍콩, 싱가폴, 태국, 멕시코, 칠레, 헝가리, 브라질, 스웨덴, 스위스, 모로코, 뉴질랜드, 인도, 아르헨틴.끝

(대사 박수길-장관)

예고:93.6.30 까지

외 무 부

종   별 :

번   호 : FRW-2519   일   시 : 92 1207 1800

수   신 : 장관(통기,통삼,경일,경기원,농수부,상공부) 사본:주EC, 제네바대사-본

발   신 : 주 불 대사부중계필

제   목 : UR 협상관련 주재국 동향(EC 외무.농업장관 회담)

연:FRW-2465,2515

1. 금 12.7. 브랏셀 개최 EC 외무.농업장관 회담에서 불란서는 연호와 같이 EC 집행위에 대해 미.EC 농산물 타협안과 CAP 간 양립분가에 관련된 질문서와 여타 14 개 분야 UR 협상에 있어 회원국 이해관계의 반영을 촉구하는 메모란덤등 2 개의 문서를 제출할 예정임.

2. 농산물 분야에 있어 불란서는 관련협상의 "GLOBALIZATION" 을 촉구하느 공세적 입장을 취함으로써 불란서가 UR 협상 타개의 유일한 장애물이라는 국제적 편견을 부식시키고자 시도할 예정임.

3. 이와관련 불란서는 EC 집행위와의 "숫자 논쟁" 을 피하기 위해 상기 질문서를 통해 대미 타협안 수용에 있어 양적인 문제점보다 질적인 문제점을 중점 거론할 것으로 보임. 불란서는 이러한 자국의 접근방식에 독일이 동조할 것으로 기대하고 있으며, 불측제기 문제점에 대한 집행위측의 해결방안이 DUNKEL 사무총장이 UR 협상의 새로운 타협안 작성 시점으로 제안한 12.20. 이전에 제시될것을 촉구할 계획임.

4. 현편 농산물을 제외한 여타 UR 협상에 있어 집행위가 시장접근 및 써비스등 2 개분야에 협상력을 집중시키고자 하는 경향이 있음에 비추어, 불측은 메모란덤을 통해 보조금, 분쟁해결, 지적소유권 보호등 여타 주요 분야에서도 회원국의 기본적 이해가 적극 반영 될수 있도록 집행위에 촉구할 것이며, 스페인등 EC 내 빈국의 적극적 동조를 기대하고 있음.

5. 금번 회담에서는 동건 연구검토를 위한 전문가 그룹이 구성될 것으로 예상되며, 불측은 에딘버러 EC 정상회담전 동 메모란덤에 대한 집행위측의 의견 제시를 요구할 것으로 알려짐. 끝

(대사 노영찬-국장)

일반문서로 재분류 (1992. 12. 31

<table>
<tr><td>통상국
경기원</td><td>장관
농수부</td><td>차관
상공부</td><td>2차보
중계</td><td>경제국</td><td>통상국</td><td>분석관</td><td>청와대</td><td>안기부</td></tr>
</table>

PAGE 1   92.12.08   04:56

외신 2과 통제관 FR

0013

예고:92.12.31 까지

0014

MULTILATERAL TRADE

NEGOTIATIONS

THE URUGUAY ROUND

RESTRICTED

MTN.TNC/27
7 December 1992

Special Distribution

6/2/

Trade Negotiations Committee

TRADE NEGOTIATIONS COMMITTEE

Twenty-Third Meeting: 26 November 1992

1.   The Trade Negotiations Committee (TNC) held its twenty-third meeting, at official level under the Chairmanship of Mr. Arthur Dunkel.

2.   The <u>Chairman</u> said that the purpose of the present meeting was set out in paragraph 2 of GATT/AIR/3374 namely, "to review developments since the meeting of 10 November, and to take appropriate action".

3.   He recalled that at its last meeting the Trade Negotiations Committee had requested its Chairman at official level to bring the concerns of participants to the notice of the authorities in charge of the Uruguay Round in Brussels and Washington. These concerns were outlined in paragraph 12 of document MTN.TNC/26.

4.   He could now inform the Committee that through his meetings on 11-12 November in Brussels, and on 15-17 November in Washington, he had carried out his mandate. Both the Brussels and Washington authorities had organized these meetings at the shortest possible notice. Both parties had responded to the participants' message in the most positive and constructive terms, even more so because they were already engaged in a process of intensive consultations. As participants were aware, these consultations had led to the understanding communicated to the Trade Negotiations Committee in document MTN.TNC/W/103, which had been circulated at the request of both parties.

5.   At the most recent Trade Negotiations Committee meeting, he had been asked "to propose a concrete work programme as soon as developments indicated a genuine readiness by all governments to engage in substantive negotiations in Geneva on the basis of transparency and mutual trust".

6.   Taking into account the joint communication to which he had just referred, and also basing himself on intensive consultations he had carried out with participants in the Uruguay Round, he proposed that the Committee agree that substantive negotiations in Geneva be re-activated as of the present day with a view to achieving a successful political conclusion of the Uruguay Round before the end of 1992.

7.   As to the overall strategy for concluding these negotiations, he saw no reason to change the approach which the Committee had agreed in January 1992 (MTN.TNC/25). In other words, the four-track approach outlined then

GATT SECRETARIAT

UR-92-0112

0015

remained fully valid even today. This implied also that <u>two basic concepts</u> which underpinned the four-track approach should not be forgotten:

- <u>one</u>, the concept of globality requiring the participants to keep constantly in mind the interlinkages between each of the four tracks and parallelism among them; and

- <u>two</u>, the concept that nothing was final until everything was settled.

8. Turning specifically to the work programme, he made the following comments:

(i) The final and complete results of the Round would be consolidated in a document consisting essentially of two elements: the Final Act and the Schedules of Concessions;

(ii) In respect of the Final Act, a draft had been before the Committee since December 1991. This draft document had, of course, to be multilaterally reviewed and finalized. And this exercise, so critically important for the success of the Round, could only be credible if all recognized that there could only be one such review. This would call for discipline and self-restraint from all participants. Without this, a quick conclusion of the Round - to which he knew all were now clearly committed - would not be possible.

He reminded the participants that at the Committee's meeting in January, he had indicated that Track Four had been established with a view to examining whether it was possible to adjust the Draft Final Act in certain specific places; that these adjustments should be concentrated entirely on what all could collectively agree to without unravelling the package; and that the exercise would also have to be conducted rapidly, in a low-key professional manner, and in full consciousness of the very limited time available. These comments remained equally valid today.

(iii) The elements included in the multilateral review of the Draft Final Act would be as follows:

- feedback from the establishment of detailed Schedules under Tracks One and Two as far as progress in negotiations on market access and initial commitments in services was hindered by differing interpretation by participants of specific elements of the Draft Final Act. At first sight, this feedback could be expected mainly from Track One.

- feedback from Track Three as far as it became clear that some specific questions raised under this track went beyond technical or legal drafting. Two questions which already

0016

appeared to fall in this category were certain institutional issues and dispute settlement.

9.   As to the establishment of Schedules under Tracks One and Two, he recognized that it would not be possible to formally conclude the process in the next weeks. However, this should not prevent participants from moving rapidly to a stage where the overall shape, content and value of the trade liberalization package in goods and services could be clearly assessed.

10.   The Chairmen of the different tracks were already in the process of consulting participants with a view to establishing the calendar and the modalities of the work programme they had been entrusted to carry out.

11.   The Trade Negotiations Committee would remain on call, as would the Group of Negotiations on Goods. He sincerely hoped that well before the year-end break, the participants would be able to congratulate each other on their collective success.

12.   The representative of Brazil, on behalf of the Latin American and Caribbean countries, expressed satisfaction that it had been possible to overcome the deadlock between the United States and the European Community, thus making it possible for the negotiations to return to Geneva, the focal point of the work of the Round. Although they were concerned at the very little time left between now and the end of the year, in order to abide by the programme outlined by the Chairman and to achieve a successful political conclusion, they were nonetheless determined to work towards that result as vigorously as possible. They also emphasized the need for (1) detailed information on the part of all partners in the bilateral negotiations, (2) full participation in the negotiations to be held in this decisive phase, and (3) exerting the maximum self-restraint in dealing with Track Four in order to minimize the risk of unravelling the Draft Final Act. Finally, bearing in mind the Chairman's statement, particularly the reaffirmation of the globality of the negotiations and of the principle that nothing was final until everything was settled, the Latin American and Caribbean countries further emphasized that their assessment of the results of the Round would depend on what happened in the area of market access for products of specific interest to them. The absence of meaningful offers on the part of the major actors in this exercise was alarming, particularly in light of the concessions made by their own countries on other important aspects of the negotiations.

13.   The representative of Japan welcomed the fact that the multilateral process in Geneva was now re-activated for which Japan had anxiously waited for a long time. He congratulated the US and EC negotiators for having been able to resolve their differences. Having listened carefully to the Chairman's statement outlining a work programme, he assured the latter of his Government's readiness to participate in good faith in the multilateral process. He asked that as a necessary first step, the United States and the Community share with the other participants the understanding reached between them on agriculture, market access and services. All participants had to know, precisely and in detail, the actual changes that these two

0017

wished to make in the Draft Final Act (DFA). He reminded the participants
of his delegation's oft-expressed position on the Draft Final Act. The
difficulties that Japan encountered in the DFA had to be resolved
appropriately in the process ahead. While he shared the hope that a
successful political consensus could be achieved before the end of the
year, all had to collectively make an effort, without taking any
short-cuts.

14. The representative of <u>Korea</u> said that during the past few weeks, the
international Press had focused attention on the negotiations between the
two most important trading partners in the world, and the Korean Press,
reflecting the concerns of Korea's farmers and people at large, had been no
exception. As a country with a great stake in the outcome of the Round and
in strengthening the rule-based multilateral system, Korea welcomed the
breakthrough achieved by the Community and the United States. This was
needed not only for a successful conclusion of the Round, but to avert a
trade war which could have had a devastating effect on the already ailing
world economy. The main blockage that had stood in the way of the
successful conclusion of the Round had been removed, and there now seemed
to be a genuine readiness on the part of all participants to re-engage in
the multilateral process in Geneva. For its part, his delegation was ready
to participate fully in all aspects of the negotiations under the work
programme just put forward and which it considered reasonable. As always,
Korea would continue to be a constructive player through all the stages of
the negotiations with the sense of discipline and restraint underlined by
the Chairman.

15. In pledging his delegation's fullest cooperation in the conduct of the
negotiations, he would stress two important points. First, the political
package that was intended to be brought into existence by the end of the
year, had to be the final package, reflecting the interests of all
participants so that they could together celebrate their collective
achievement; this meant that issues of vital interest to some countries
should be dealt with in a serious and equitable manner. This question of
principle and fairness had to be emphasized. Second, his delegation was
fully in agreement with the Chairman's repeated re-affirmation of the
fundamental principle underlying any multilateral negotiations, namely that
nothing was final until everything was agreed; Korea regarded this
principle seriously, because it wished to emphasize the imperative of
enabling all participants to actively cooperate in the creation of a new,
healthy and well-functioning multilateral trade system.

16. The representative of <u>Tanzania</u>[1] hoped that a balanced outcome of the
Uruguay Round, responding to the expressed interests of all participants,
would be forthcoming at the end of the resolution of all outstanding
issues to which the Chairman had made quite specific reference in his
statement to the 10 November TNC meeting (MTN.TNC/26).

---

[1]The text of Tanzania's statement has been circulated in document
MTN.TNC/W/104 of 30 November 1992.

0018

17. From the outset, having participated in negotiating the Punta del Este Declaration which set out the mandate and objectives of the Round, the least-developed countries had been witnessing, almost helplessly, the steady erosion not only of the letter but of the spirit of that Declaration, certainly as far as their economies were concerned.

18. Only a few days earlier his delegation had received a communication from the GATT Secretariat, purportedly aimed at assisting the ACP and the least-developed countries, which insisted that these countries commit themselves to becoming members of the still-to-be structured Multilateral Trade Organization (MTO). An identical communication had been addressed to his Minister, with an invitation to participate in a meeting convened to take place in Geneva on 8-11 December. The communication stated, inter alia, that agreements and legal instruments from the Uruguay Round dealing with trade liberalization and improved trade rules "would be available only to those countries which become members of the MTO. Countries which remain outside the MTO will be unable to share fully in the results of the Round and will lack a voice in the new organization that will provide the future framework for multilateral trade relations. In the longer run, a non-member of the MTO may find even its present benefits as a contracting party to the GATT eroded, since many governments which join the MTO may withdraw from the present GATT". Furthermore, it stated that "all contracting parties to the GATT are eligible to become original members of the MTO. But conditions will be attached to this right. A basic requirement for membership is likely to be that each government undertakes certain commitments and concessions as regards opening its domestic market to goods and services exported by other MTO member countries. It is agreed that commitments sought from developing countries, especially least-developed countries, shall not be inconsistent with their development, financial and trade needs. However, it is likely that at least some commitments must be made by all, or eligibility to join the MTO as an original member may be lost. While later accession to the MTO would still be possible, this would require fresh negotiations".

19. He recalled that from the very outset of the Round, his delegation had stressed the dangers inherent in placing under-developed countries in a constricting straitjacket. To the best of his delegation's recollection, no serious negotiations had taken place on the structure and the mandate of the so-called MTO. He added that the fact that provision for the evaluation of the results of the GNG had not been extended to those of the GNS would logically indicate that these were two separate areas of engagement. While his delegation could understand that for reasons of cost saving a single Secretariat might serve the two separate arrangements, it was difficult to see how the MTO could be presented as a 'fait accompli'. He recalled his delegation's persistently expressed position that Tanzania's level of under-development did not permit it to make any commitments in respect of trade in services.

20. His delegation had tirelessly argued in favour of a just and equitable framework of multilateral trade relations. It had made specific observations, in the context of the actual functioning of the GATT, as to how privileges in the form of waivers, derogations, special marketing

0019

arrangements, and the non-acceptance and non-implementation of panel reports had been resorted to by the industrialized countries for the past half a century in order to expand global economic space for themselves. This they had been able to do with impunity, while it was the sword of Damocles -- which some might even describe it as a 'coup de grâce' -- that was most visible in the GATT's communication to the ACP countries.

21. While the least-developed countries were anxious to continue to remain aboard a sustained and sustainable international multilateral trading system, they would again ask the more advanced countries to take an objective look at the history of their respective political economies, and at the skeletons in their own cupboards. To declare the least-developed countries, for all practical purposes, as outcasts was to take on a terrible historical responsibility for which a heavy price would have to be paid at some point.

22. The least-developed countries were not short of knowledgeable and competent analysts. While almost all of them were persuaded that the market was a weighty tool for the management of resources, very few were convinced that it could alone ensure balanced social development and provide a durable basis for political stability.

23. However much the negotiators of the advanced economies insisted that the Uruguay Round was concerned with technical negotiations, they all knew only too well that it was the political imperatives that became the final determinants. His delegation would reiterate its deeply felt perception that in embarking on the Round, the international community had bitten off more than it could chew, and that when its outcome came to be translated into an operational reality, the fears he had expressed would predictably be reflected in matters appearing on the agenda of the expanded machinery. Tanzania found it difficult to perceive a great deal of realism in the Chairman's proposal for a politically conclusive outcome of the Round to be achieved by 31 December 1992, certainly as seen by many developing countries.

24. The representative of Morocco, on behalf of the developing country participants, recalled that they had been amongst those that had maintained, after the submission of the DFA in December 1991, that the Uruguay Round depended on two elements: first, an agreement between the United States and the Community, which was indispensable, and second, an agreement amongst all the participants. The developing countries welcomed with satisfaction the re-activation of the multilateral process, and were willing to participate fully in this phase of negotiations which they hoped would be entirely transparent and also fruitful on the basis of the four-track approach. The Chairman could count on the developing countries' full participation in ensuring that the Round concluded successfully.

25. The representative of Egypt said that Morocco's statement reflected his country's views. Since Egypt currently chaired the African Group, his own statement would also reflect the views of a number of other delegations. He congratulated the United States and the Community for having reached a compromise on some areas of the Uruguay Round. A real compromise would depend, however, on the ability of all major trading

partners to conduct further negotiations in a rational approach that took
into consideration the interests of all the other trading partners,
including developing countries. While Egypt and others would have wished
that the Round had been concluded earlier, this had been beyond their
control. With respect to Track Four, they understood that it was provided
to protect the interests of all trading partners, and that it should not
lead to the unravelling of the Draft Final Act, but rather only consolidate
and encourage a serious spirit of understanding and a real will to
implement the outcome of the negotiations. They looked forward to
participating fully in the current negotiations to safeguard their genuine
priorities, including the need of the net food importing countries to have
their vital interests reflected in the DFA. They looked forward to a
realistic, serious and credible schedule for the work programme on the
continuation of the negotiations, which should take into consideration the
time constraints of some countries. The work programme should preserve the
credibility of concluding the Round as soon as possible for the
satisfaction of all trading partners.

26. The representative of <u>India</u> welcomed the fact that developments had
taken place which would enable a resumption of the multilateral
negotiations. Indeed, it had expressed this wish at the Committee's
10 November meeting and happily it was here to recognize that that had
actually happened and that one would resume the negotiations. India's
conviction was that the forthcoming multilateral negotiations would
ultimately be successful only if the concerns of all participants were
taken into consideration and addressed. He recalled that India's concerns
in these negotiations had already been spelt out in his delegation's
statements at the Committee's meetings on 13 January and on 10 November.
India looked forward to hearing from the United States and the Community on
the elements of their understanding on agriculture, and to resuming the
negotiations and addressing the other issues that were involved, such as
those which had been referred to by the Chairman and by Tanzania, namely
issues relating to the Multilateral Trade Organization and to dispute
settlement. These were issues that were still unresolved and that had to
be addressed, and he did not have the impression that the conclusions drawn
in the letter by the Secretariat referred to by Tanzania -- and which he
had not seen -- were really those that could be drawn at the moment on the
basis of India's understanding of the DFA texts concerned, such as they
were now. India looked forward to addressing these issues.

27. The <u>Chairman</u> recalled that at the outset of the meeting he had drawn
attention to its Agenda which, as could be seen, clearly addressed two
points: (1) the mandate given to him at the previous TNC meeting, and (2)
a work programme for the future. He had not gone into substantive issues
but felt it necessary to say that there were two main motivations behind
recent efforts aimed at re-activating the negotiations: the <u>first</u> was the
collective wish of governments to strengthen the multilateral trading
system and maintain its credibility, and the <u>second</u> -- since the
multilateral trading system was not theoretical but affected concrete
national interests -- the feeling (quoting from the joint EC/US press
statement reproduced in MTN.TNC/W/103), that a successful outcome "will be
a positive factor for the trade and economic growth of the economies of the

0021

world". He felt that this statement would apply to <u>all</u> economies and all nations. If these two objectives were borne in mind in the forthcoming week, the common goal of all participants could be achieved.

28. He then asked whether the Committee agreed to the proposals he had made earlier on in the discussion.

29. The Trade Negotiations Committee so <u>agreed</u>, and <u>took note</u> of the statements.

30. The <u>Chairman</u> said that before closing the meeting, he would recall his remark that work would be started as of now. As to specific dates, he assured participants that the Chairmen concerned would be immediately consulting them to put in place a concrete word programme.

31. The Committee <u>took note</u> of the statement.

0022

외 교 무 부

관리
번호 12-940

종   별 :

번   호 : FRW-2530   일   시 : 92 1208 1800

수   신 : 장관(통기,통삼,경일,경기원,농수부,재무부) 사본:주EC,제네바대사

발   신 : 주 불 대사   -중계필

제   목 : UR 협상 동향

연:FRW-2519

연호 12.7. 브랏셀 개최 EC 외무.농업장관 회담 결과와 관련 주재국 동향 아래 보고함.

1. 불란서는 금번 회담의 중요성에 비추어 UR 협상관련 3 개부처 모든 장관 (DUMAS 외상, SOISSON 농업장관, STRAUSS-KAHN 상공장관)이 참석한 가운데 아래3 개 목표를 갖고 회담에 임한 것으로 알려짐.

가. CAP 개혁을 악화시키는 일체의 합의내용을 배격한다는 불란서의 확고한입장을 명확히 개진 함.

나.EC 집행위가 여타 UR 협상분야에서 미국의 양보를 받아내지 못하는 한 농산물 협상의 지속을 봉쇄함.

다.CAP 개혁과 미.EC 합의내용의 양립문제에 대한 기술적 토의를 적극 추진함.

2. 분야별 회담결과

가.DUMAS 외상은 EC 이사회가 CAP 개혁범위를 초과하는 내용의 미.EC 타협안의 인준을 시도한다면, 불란서는 "중대한 국익 보호" 차원에서 이에 반대할 것이라고 주장하며, 룩셈부르크 합의에 따른 VETO 권 사용방침을 강력히 시사함.

나. 또한 불측은 UR 협상 전분야에 걸친 GLOBAL APPROACH 필요성을 재차 강조하는 한편 농산물을 제외한 여타 협상분야에서 실질적 성과가 없을시 UR 농산물 협상의 봉쇄(BLOCAGE) 를 시도코자 하였으나, 협의결과 농산물 협상은 여타 분야에서의 구체적 진전을 고려하여 추진한다는 일종의 농산물 협상 잠정동결 (GEL) 방안에 합의함.

다. CAP 개혁과의 양립문제에 있어, 불측은 회원국별 관심품목을 염두에 두고 조목별로 양립불가 사실을 지적한 결과 과반수 이상 회원국의 동조를 득하였으며, 미.EC

통상국	장관	차관	2차보	경제국	통상국	분석관	정와대	안기부
경기원	재무부	농수부	중계					

PAGE 1   일반문서로 재분류(1992 12 31)   92.12.09 05:41

외신 2과 통제관 BZ

0023

합의내용에 대한 기술적 분석을 12.14-15 개최 EC 농업장관 회담에서 구체 협의토록 함.

　3. 관찰

　O 불란서는 금번 회담에서 자국의 입장이 고립될 가능성에 대비하여 여타 회원국에 대한 일련의 정치적 교섭과 함께 CAP 양립불가 문제를 중심으로 한 기술적 설득을 병행하여 온 바 있음.

　O 이에따라 금번 회담에서 불란서는 CAP 개혁 양립불가건과 관련 스페인, 아일랜드, 벨지움의 적극적인 동조입장 표명은 물론 이태리, 폴투갈, 그리스등의지지입장을 득하였으며, 독일로 부터도 어느정도 공감을 얻는 성과를 거둠.

　O 불란서는 금번 회담결과 자국의 입장이 만족스럽지는 않아도 상당부분 반영된것으로 자평하는 한편, 향후 UR 협상관련 농산물 분야는 가능한한 지연시키면서 (불측은 금번 회담결과 차기 EC 농업장관 회담시까지 제네바에서 농산물분야 협상은 속개 되지 않을것으로 기대함) 여타 불측 관심분야에서의 불측 이해관계 반영에 주력할 것으로 보임. 끝

　　(대사 노영찬-국장)

　　예고:92.12.31. 까지

PAGE 2

외 무 부

종 별 :

번 호 : GVW-2295　　　　　　　　　　일 시 : 92 1208 1730

수 신 : 장관(봉기, 경기원, 재무부, 농수산부, 상공부)

발 신 : 주 제네바 대사

제 목 : 공봉이해국 대사간 UR 대책 비공식 협의

　　연: GVW-2251

　　금 12.7(월) 당지 스위스 대표부에서 본직이 주최한 연호 협의에 이어 두번째로 예외없는 관세화에 반대하는 국가(아국포함 카나다, 이스라엘, 일본, 스위스, 멕시코등 6 개국: 놀웨이는 초청되었으나 불참)대사들이 회동, 대책을 협의한바, 주요 내용은 아래와 같음.

　　1. 각국의 입장

　　가. 일본

　　- 현재로서는 예외없는 관세화에 대한 반대입장에는 변함이 없으나,

　　- 자국은 우선 최소시장 접근(MMA)을 FLEXIBLE 하게 고려하고 있으며,

　　- 기타 1)관세화 이행기간의 연장, 2)관세상당치(TE) 상향 조정, 3)협정문상의 감축율의 조정, 4)관세화의 이행을 유예하는 방안등도 고려 가능한 대안으로 검토하고 있음.

　　나. 멕시코

　　- 장기적으로는 관세화를 수용가능하나, 관세화에서 오는 일부 품목에 대한단기적 충격을 우려하고 있음.

　　- 따라서 동 품목에 대한 충격을 피할수만 있다면, 관세화의 예외(EXCEPTION) 또는 관세화 이행의 유예 또는 관세화 방식의 변경등 여러가지 방안중에서 어느정도 수용 가능함.

　　다. 이스라엘

　　- 가금류 및 낙농제품 때문에 예외없는 관세화를 수락하기 어려우나, 주요 교역국(미국을 지칭)으로 부터압력이 있을 경우, 입장을 변경하지 않을수 없을 것임.

　　라. 카나다

PAGE 1　　　　　　　　　　　　　　　　　92.12.09　　05:48

외신 2과 봉제관 BZ

0025

- 11 조 2 항(C) 에 대한 입장에는 변화가 없으나 이웃국가(미국을 지칭)로부터 압력을 받고 있는 입장임.

마. 스위스

- 관세화 이행의 유예 입장에 변화가 없음.

바. 한국

- 각 협상참가국에 1 개 품목의 예외를 허용하자는 입장은 확고 부동함.

2. 상기 각 참가국들의 입장 개진에 이어 참가국들은 공동대응방안을 마련할수 있을 것인지에 대해 협의한바, 2-3 개국간에는 공동 대응방안이 가능할수도있으나 심지어 일본을 포함한 여타국들은 정도의 차이는 있으나 FLEXIBLE 한 입장을 제시한 반면, 특히 아국은 아무런 대안을 제시하지 못함에 따라 참가국 전부를 망라하는 공동입장 마련에는 어려움이 있다는 결론에 도달하였음.

3. 본직은 아국이 대안이 없어 여타국과 대안을 토의할 입장에는 있지 못하나 공통 이해 관계국들과의 모임을 계속하는 것은 협상 책임자로서 유사입장국이에외없는 관세화 문제에 대처해 나가는 방향등을 그대로 본국정부에 전달, 본국정부로 하여금 참고케 할 수 있으므로 유용하다는 의견을 표시함. 다른 한편 참가국 대사들은 앞으로 각국이 상호간 참고가 될만한 제안을 낼 경우에는 서로 통보하고, 다자 협상 FORUM 에서 상호 지원하여 다수국이 예외 없는 관세화에 반대하고 있다는 사실을 여타 협상 참가국에 과시하는 것도 중요하다는데 의견의 일치를 봄.

4. 일본 ENDO 대사는 관세화에 대한 미.EC 의 대응 방안을 아래와 같이 관측함.

- 현재 미국의 협상 전략은 관세화 문제를 가장 큰 정치적 잇슈로 부각시켜12.18(금) 경까지는 미.EC 가 관세화를 집중 공략 할것으로 보임.

- MTO 는 내년으로 넘겨 해결 가능하다고 보며, 미.EC 가 서비스 분야에서 기술적 문제만이 남았다고 얼버무리는 것도 관세화 문제를 집중 공략하게 하기 위한 전략임.

- 미국이 시장접근 분야에서 COMMIT 하지않고 있는 이유도 관세화 문제를 공략하는 동시에 MTO 등에서 이를 협상 LEVERAGE 로 이용하려는 것으로 보임.

5. 한편 바나나 문제에 관해서는 관세화 원칙에서 크게 벗어나지 않는 방식으로 문제를 해결하는 방안이 마련된 것으로 알려져 있으나 아직 동 구체적 내용은 구체적인 내용은 확인되지 않고 있음.

6. 금일 회의에서는 카나다, 스위스등이 현 DFA 의 TEXT 를 수정하지 않을 경우 향후 패널에서의 패소 우려등을 감안 TEXT 를 고치는 방안을 검토하자는 의견을

PAGE 2

0026

제시한바, 아국등은 TEXT 의 수정 이외에도 주 (FOOTNOTE), 결정(DECISION)등의 여타 형식도 검토할수 있을 것이라는 의견을 제시하였음을 참고로 첨언함.끝 (대사 박수길-국장)

예고 93.6.30. 까지

이시(인)

외 무 부

종 별 :

번 호 : ECW-1556   일 시 : 92 1208 1800

수 신 : 장관(통기,통삼,경기원,재무부,농림수산부,상공부,기정)

발 신 : 주 EC 대사   사본: 주 미,불,제네바대사-중계필

제 목 : 갓트/UR 협상

일반문서로 재분류 (19 92. 12. 51)

12.7. 개최된 EC 외무이사회 (농업각료도 참석) 에서의 표제 관련한 토의결과등
동향을 아래 보고함

1. 이사회결과 발표내용(UR 협상)

가. 동 이사회는 UR 협상의 최근동향과 특히 OILSEEDS 문제를 포함한 미국과의
협상결과가 CAP 개혁과 합치되는지에 대한 집행위의 분석결과를 청취하고, 이와
관련하여 회원국들이 제기한 의문사항에 대하여는 앞으로 농업이사회등 차원에서
적절한 토의기회를 재차 갖기로 하고, 동 결과가 UR 협상 토의과정에서도적절히
고려되어야 할 것이라는 점을 분명히함

나. 또한 동 이사회는 UR 협상의 성공을 위해서는 농산물 이외의 분야를 포함한
전체적으로 균형된 합의가 도출되어야 하며 제네바협상에서 농산물분야의 기술적
문제에대한 협상진전과 여타 분야에서 도출된 결과는 적절히 조화되어야 한다는 점을
재천명함. 특히 전체 UR 협상결과에 대해서 동 이사회가 적절히 검토할수 있는 기회가
부여되어야 한다는 점을 강조함

2. EC 회원국 동정

가. HURD 영국외상 (이사회의장) 은 상기 이사회의 토의직후 이제 집행위는아무런
구애없이 UR 협상을 추진할수 있게 되었으며, 비록 금번 이사회에서 미국과의
협상결과가 CAP 개혁과 합치되는지 여부에대한 분석결과를 UR 협상에 적절히
고려하여야 한다는 결론을 내렸을지라도 동 결론이 UR 협상의 진전을 중단할수는 없을
것이라고 말하고, 대미협상 결과가 CAP 개혁과 합치되는지 여부에대한 추가적
분석결과가 나올때까지 UR 협상추진을 보류해야 한다는 어떠한 공식적인 결론도
없었음을 지적함

나. DUMAS 불란서 외무장관은 금번 이사회에서 대미 농산물 협상결과에 대해 VETO

통상국	장관	차관	2차보	경제국	통상국	분석관	청와대	안기부
경기원	재무부	농수부	상공부	중계				

PAGE 1   92.12.09   06:12

외신 2과 통제관 BZ

0028

권을 행사할 것임을 공식적으로 통보하면서, 미국의 추가적인 양보가 있을때까지 제네바 UR 협상은 중단되어야 한다고 주장하였으나, 이에 대해서는 회원국의 지지를 받지 못한 것으로 알려짐. 한편, SOISSON 농무장관은 차기 농업이사회에서 대미 협상결과와 CAP 개혁과의 합치여부에 대한 세부토의가 있어야 한다고 주장하면서 지난번 집행위가 제시한 생산감축 분석방법, 10% OILSEEDS 휴경문제, UR 협상에서 OLIVE 및 포도주에 대한 특별고려문제, 최소시장 접근이 EC 농업에 미칠 영향등에 대해 이의를 제기함

다. 또한 BOURGEOIS 벨지움 농무장관도 대미협상 결과에따라 발생될 농민의불이익에 대한 보상을 주장하는 한편, 대미협상 결과와 CAP 개혁과의 합치여부에 대해 특별검토 기회를 가질것을 요구하는등 강경자세를 취한 것으로 알려짐. 한편, 11.7. 동 이사회 개최시점에 맞추어 벨지움 농민들은 400 여대의 트랙터를동원하여 시위함으로서 브랏셀시내의 교통소통에 큰 지장을 준바 있음

라. 한편, MOELLEMANN 독일 경제장관은 미국 BUSH 행정부기간중 UR 협상이 마무리될수 있도록 추진되어야 할것이라고 주장한 반면, 스페인, 이태리, 벨지움, 그리스, 폴투갈, 아일랜드등 6 개국은 대미협상 결과가 CAP 개혁에 합치되는지 여부에대한 분석결과가 소명되어야 한다는 불란서 입장에 동조한 것으로 알려짐

3. 관찰및 평가

가. 금번이사회는 11.20 미.EC 협상 타결이후 EC 이사회차원 첫번째의 공식적인 토의기회였는바, 불란서는 VETO 권 행사의향의 공식적통보및 미측의 추가적양보안이 지시될때 까지 UR 협상은 중단되어야 한다는 강경입장을 고수하였는바, 이태리, 스페인등 상기 6 개국이 대미협상 결과와 CAP 개혁과의 합치성 문제에 대해 불란서의 입장에 동조하는등 불란서로서는 그간의 고립입장에서 탈피하는데 어느정도는 성공한 것으로 보임

나. 한편, 당지 전문가들은 금번 이사회결과가 농산물이외 분야의 중요성과전체협상 분야에대한 균형된 결과를 강조하는등 불란서의 강경입장을 완화하기위한 노력이 반영된 것으로 평가하고 있는바, 농산물이외의 여타 분야란 상대적으로 불란서가 유리한 입장을 갖고 있는 금융, 보험, 통신및 운송등 서비스분야와 PEACE CLAUSE 라고 분석하고 있음

다. 당지 전문가들은 대미협상 결과중 OILSEEDS 와 UR 협상은 별개문제로서OILSEEDS 문제에 대한 EC 내부적 별도의 법제화 작업은 추진될 것으로

PAGE 2

0023

보고있고, UR 협상에 관한 EC 내부 법제화 작업은 전반적인 UR 협상이 종결된 이후에야추진될 것임으로 제네바 다자간 UR 협상은 불란서의 VETO 권 행사위협에도 불구하고 계속 추진될 것으로 보고있음. 또한 12.11-12 에딘버러 EC 정상회담에서도 금번 이사회와 유사한 결과 이외의 결론은 나올수 없을 것으로 평가하고 있음. 끝

(대사 권동만-국장)

예고: 92.12.31. 까지

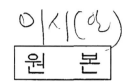

외 무 부

종 별 :

번 호 : USW-6008   일 시 : 92 1208 1837

수 신 : 장 관(통기,통이,통삼,경일,경기원,상공부,농림수산부)

발 신 : 주 미 대사

제 목 : UR 관련 언론보도

  1. 금일(12.8)자 당지 JOC 지는 미정부 소식통을인용, 클린튼 당선자의 정권인수팀과 의회민주당 지도자들은 부시 행정부가 조기 UR 타결에 집착한 나머지 지나치게 양보할 우려가 있다고 보고 UR 타결을 클린튼 당선자의 대통령 취임이후로 연기하는 방안을 고려하고 있다고 보도함.

  2. 한편, 금일자 N.Y.T 지는 BAUCUS상원의원 (민주,몬타나)이 12.7. 부시 행정부에대해 클린튼 당선자및 정권인수반과 광범위한 협의를 거칠때까지 UR 협상참가를 중단 하도록 촉구했다고 보도함.

  3. 관련기사는 별첨 FAX 송부함.끝.

  첨부: USW(F)-7821(2 매)

  (대사 현홍주-국장)

통상국	경제국	통상국	통상국	경기원	농수부	상공부

PAGE 1   92.12.09   09:55 WG

외신 1과 통제관

0031

원 본

외 무 부 이시(안)

종 별 :

번 호 : FRW-2544   일 시 : 92 1209 1800

수 신 : 장관(통기,통삼,경일,경기원,농수산부,상공부),사본:주EC,제네바대사-필

발 신 : 주 불 대사

제 목 : UR 협상관련 주재국 동향

연:FRW-2519

일반문서로 재분류 (19)92.12.31

연호 12.7 EC 외무,농업장관 회담시, 불측은 UR 협상 전분야에 걸친 균형있는 타결을 위해 자국의 우선 관심분야에 대해 EC 집행위의 적극적인 교섭을 촉구 하는 내용의 메모란덤을 작성 여타 회원국에 배포하였는 바, 주요 내용 아래 보고함.

1. 분쟁해결

0 미국의 일방조치를 규정한 통상법 제 301 조 철회를 교섭목표로 하고, 동목표가 달성되지 않을 경우 현행 CONSENSUS 에 의한 의결관행을 고수함.

2. 보조금

0 허용 보조금 리스트(그린박스)는 보다 정확하게 규정되어 보호되어야 함.

- DUNKEL 보고서에는 지역개발 및 연구활동을 위한 목적의 보조금만이 허용되고 있는바, PROTOTYPES 및 PROCEDES 개념과, 관련 개발지원도 허용보조금에 포함 되어야 함.

3. 서비스

0 서비스 협상관련 EC 가 당초 추진한 아래 3 개 목표가 달성되지 못하였음.

1) 각 체약국 국내 보호조치의 확대를 막기 위한 현상유지(STATU QUO) 조항

2) 각국 시장에 대한 효과적 접근 제공 의무

3) 연방단위 기관에 대한 관계규정 직접 적용

0 상기 3)항 관련, 다자간 규정이 준연방 (SUB-FEDERAUX) 공공기관에도 적용 되어야 하며, 상호성 원칙의 유지와 미국 시장접근의 어려움이 개선되어야 함.

4. 시장접근

0 EC 의 최고 관세가 22% 를 넘지않는 반면, 미국은 150 개 품목의 관세주순이 26-58.6% 에 해당하는등 고율의 관세를 유지하고 있는바, EC 이익의 보호를 위해 보다

적극적인 교섭이 필요함.

   5. 섬유제품

   0 EC 는 자체 시장이 개방되는 시한과 동일한 시한내에 개도국 시장도 개방되어야
하며 반덤핑 조치를 위해 보도 효율적인 절차가 수립되도록 노력해야 함. 끝.

   (대사 노영찬-국장)

   예고:92.12.31. 까지

PAGE 2

0033

관리	
번호	92-950

외 무 부

종   별 : 지 급

번   호 : GVW-2336   일   시 : 92 1210 2030

수   신 : 장관(봉기, 경기원, 재무부, 농림수산부, 상공부)

발   신 : 주 제네바대사

제   목 : UR 협상 카나다대사 면담

　　금 12.10 본직은 당 주재 카나다 SHANNON 대사를 만나 UR 협상관련 협의한바 동인 언급 요지 하기 보고함. (농림수산부 김광희 실장 동석)

　　1. UR 협상 관련 카나다의 입장

　　0 카나다로서는 현재 수입제한하고 있는 낙농품은 관세화로 갈 경우 당장 큰어려움이 예상되지만 소맥등 경쟁력있는 농산물은 오히려 수출증가가 예상됨.

　　0 현재 카나다의 기본입장에는 변화가 없으나 협상 진전에 따라 융통성이 있으며 여러가지 대안을 가지고 대처하고 있음.

　　0 미국. EC 합의과정에서 구체적 사항(예:TE 계산방법등에서)에서 속임수 문제(CHEATING)가 있는 것으로 알고 있으며 이를 확인하여 문제 제기를 함으로써 관세화에 대한 어떤 보상 방안을 강구할 것임

　　0 한국등과 공동대처 방안에 대하여 SWISS 방식등 여러가지가 있을 수 있으나 각국의 입장이 다르기 때문에 문제가 있음.

　　2. 기타

　　0 오늘 GREEN ROOM 회의시 MTO 문제가 제기될 것으로 보며 이문제가 확대될경우 전체적 PACKAGE 에도 영향이 있을 것으로 보나 동 문제를 제기하는 미국의 의도가 전략적인지 분명치 않음

　　0 미.EC 의 BANANA 문제의 처리가 확실치 않은 점도 있어 이에 유의하여 대처하는 것도 바람직함. 끝

　　(대사 박수길-국장)

　　예고:92.12.31. 까지

일반문서로 재분류 (1982. 12. 31.)

통상국 농수부	장관 상공부	차관	2차보	분석관	청와대	안기부	경기원	재무부

PAGE 1

最近 UR 協商 進行 現況 및 展望

〈內部 報告用〉

92. 12. 11.

通 商 局

0035

- 目 次 -

1. 分野別 協商 現況 ---------------------------------- 1

  가. T 1 (시장접근 분야)

  나. T 2 (서비스 분야)

  다. T 3 (법제화)

  라. T 4 (협정문 수정)

2. 評價 및 展望 ------------------------------------- 3

0036

1. 分野別 協商 現況

가. T 1 (市場接近 分野)

1) 工産品 分野 양자협상

o 미국, EC간 양자협상이 不振함에 따라 합의가 이루어지지
  않고 양측이 國別履行計劃書(C/S)를 제출하지 않고 있어
  전반적으로 양자간, 복수국간 양허협상이 이루어지지 못하고
  있으며, 당분간 의미있는 進展 期待 難望

  - 12.8-9. 미, EC간 無稅化 및 關稅調和분야 협상 별무진전,
    차기회동 일정도 미정

2) 農産物分野 주요국 협의

o 농산물분야 주요 14개국(core group)을 중심으로 우선
  농산물분야의 政治的 爭點을 論議中이며, 미, EC간 보조금관련
  합의사항 檢證 문제 및 例外없는 關稅化 문제가 주요 쟁점

o EC의 내부사정으로 인해 보조금 관련 미, EC간 合意事項의
  Legal Text 公開를 遲延

  - 아국, 일본, 카나다등은 미, EC 합의사항에 대한 검토
    필요성을 주장하나, EC측은 내부 절차상 내주말 이후에
    가서 제시할 가능성은 있다는 입장

o 關稅化 問題에 대해서는 各國의 意見 差異가 있으나, 多數
  國家가 關稅化 原則 受容 態勢

  - 미국, EC, 농산물 수출국(Cairns 그룹)등 다수국은
    관세화에 대한 예외설정에 적극 반대

  - 일본은 예외없는 관세화에 대한 반대입장을 고수하고 있으나,
    이는 보다나은 대안들을 관철하기 위한 전략으로 관측

- 1 -

0037

(日本側 檢討代案)

. 쌀의 최소시장접근(MMA)을 3%로 6년간 유지하는 대신 여타품목의 MMA를 늘여주는 방안

. 최저 관세삭감폭 15%를 10%로 조정하는 방안

. 아주 높은 관세상당치(TE)를 설정하는 방안

- 예외없는 관세화에 유보적인 태도를 보이는 카나다, 스위스, 멕시코, 이스라엘, 인니등도 關稅化 原則은 受容하되 猶豫 期間 確保 또는 履行期間 延長을 摸索

※ core group : 한국, 미, EC, 일본, 카나다, 호주, 뉴질랜드, 알젠틴, 브라질, 인도, 멕시코, 스위스, 태국, 핀랜드

3) 農産物分野 兩者協商

o 농산물분야의 政治的 爭點이 未決 상태이므로 兩者 協商도 不振

- EC의 농산물 분야 C/S은 내주말경에야 제출 가능

나. T 2 (서비스 분야)

o 서비스 일반협정(GATS)에 대한 技術的인 協議와 各國間 讓許 協商을 並行

o 今年末까지 MFN 일탈문제등 政治的 爭點에 대해 合意를 이루고 來年 1, 2月中에 서비스 兩者協商을 集中 展開할 것으로 예상

다. T 3 (法制化)

o 12. 9(수)부터 갓트협정문(GATT '93), 통합분쟁해결절차 협정문에 대한 검토중이나, 미국이 최근 MTO 협정문 검토에 소극적인 입장을 보임에 따라 전반적 협상 부진

- 2 -

0038

- 미국의 반대로 MTO 협정등 정책적 결정을 요하는 사항은 추후
  검토(내년초 예상) 예정

라. T 4 (協定文 修正)

  o 공식 가동은 되고 있지 않으나 농산물 core group 회의를 통해
    事實上 T4 협상을 進行中

  o 농산물외에도 MTO, 서비스, 섬유, 반덤핑등이 잠재적인 쟁점으로
    대두

2. 評價 및 展望

  o 협상이 全般的으로 不振하고 확실한 협정일정 제시되지 않고 있어
    年末까지 의미있는 political package에의 合意 展望 不透明

  o 그러나, 미국, EC, 던켈 갓트사무총장등이 主要 政治的 爭點에 대한
    年內 合意導出을 希望하고 있음에 비추어, 關稅化 문제를 浮刻시켜
    이를 年末以前에 結論 지으려고 할 可能性 尚存

  - 日本은 年末까지 미국의 강한 壓力이 예상되나, 서비스, MTO등
    여타분야 문제점을 함께 거론하여 結論을 늦춰나가는 方案
    構想中. 끝.

- 3 -

외 무 부

종 별 :

번 호 : USW-6075   일 시 : 92 1211 1821

수 신 : 장관(봉기,봉이,미일,농수산부,재무부,상공부)사본:주제네바,EC대사-중계필

발 신 : 주미대사

제 목 : UR 동향

　　1. 당지 SIDLEY AND AUSTIN 법률회사의 UR 협상동향 평가 메모를 별첨 송부하니
참고 바람.

　　2. 동 메모의 주요 요지는 하기와 같음.

　　0 미국 관리들은 UR 협상타결 전망에 대해종전보다는 비관적인 견해를 가지고
있음.

　　- 각국 대표들이 양보가능 최저선을 제시하지 않고있어 제너비에서의 협상 진전은
부진한 상태임.

　　0 농업분야(특히 시장접근문제)에서 아직도 EC와의 이견이있어 협상 타결을
가로막고 있음.

　　- 12.11 제네바 수석대표회의에서 EC 는 12.15이후에야 EC 측의 농어분야 시장접근
스케줄을제시할 것이라한 바, 이에따라 협상 타결이 지연되고있음.

　　- 미관리들은 프랑스가 협상타결을 내년 3월선거이후로 지연시키는 전략을 취하고
있으며, 프랑스선거에서 야당이 승리하게 되면 UR 협상은 더욱어려워지게
될것으로믿고있음.

　　0 일본은 1월이후에야 쌀관세화 문제에 대해협상할 준비를 갖출것으로 보임.

　　0 미측은 12.9 DUNDEL 사무총장에게 던켈초안중 5개분야(번덤핑, 보조금,
지적재산권, MTO설립문제, 시장접근)에 대한 미측의 우려를 재차 전달하고 이들
잇슈에 대해 T-4 를가동하도록 요청한바 있음.

　　0 각국 대표들은 협상이 막바지에 이르렀다고 확실할 때까지 양보가능
최저선을내놓지 않고있어, 미 관리들은 12.23까지 협상타결 가능성은없는 것으로 보고
있음.

　　0 미측의 이러한 회의적 분위기를 강조하기 위해,미 고위 관계간은 제네바에 있는

―――
통상국　　미주국　　통상국　　재무부　　농수부　　상공부

PAGE 1   92.12.12   09:21 FY

외신 1과 롱제관

0040

미국 협상팀을 귀국시키는 문제를 검토하기 시작하고있음.

   (대사 현홍주-국장)

   첨부: USWF-80831(3 매)

주 미 대 사 관

USW(F) : **803/** 년월일 : 시간 :

수 신 : 장 관 (**동기, 통아, 수(역)**)

발 신 : 주 미 대 사 **농수산우, 재무우, 상성우,**

제 목 : **정우(3부)** **주제네마, EC 대사** (출처 :)
  (**정송제**)

	보 안
	통 제

(**803/ -3 -/**)

	외신 1과
	통 제

0042

SIDLEY & AUSTIN   WASHINGTON, D.C.

M E M O R A N D U M

FROM: Judith H. Bello and Alan F. Holmer

RE: <u>Uruguay Round: Status Report on U.S. Perspectives</u>

DATE: December 11, 1992

U.S. officials report that, from their perspective, prospects for the Uruguay Round are not looking as bright today as they had earlier (and they weren't that bright then!). Negotiations are off to a relatively slow start in Geneva. On Tuesday of this week, there was a fairly large collection of negotiators in Geneva, and it looked to the U.S. like the negotiators might be on their way to intensive negotiations. Since then, however, it has become clear that some major participants in the negotiations simply are not ready to table their bottom-line positions.

Senior U.S. officials have reiterated and underscored that, while they want an agreement as soon as possible, they only want a good, defensible agreement.

Agriculture continues to be a problem with the EC, particularly with respect to market access issues. U.S. officials believe that the EC is taking positions which are not conducive to quickly resolving agricultural market access issues. In fact, at the heads of delegation meeting in Geneva today, the EC made it clear they will not have their market access agriculture schedule until December 15, thus further delaying the process.

U.S. officials believe the French strategy is to delay the Uruguay Round until after the French elections in March, 1993. Unfortunately, with the recession growing worse in France, it is more likely that the opposition may win in France. The French opposition is even more opposed to the US-EC agriculture deal than the current government, and an opposition win would therefore make a Uruguay Round deal even more difficult to achieve.

The Japanese negotiators are not yet prepared to talk about tariffication on rice, although they are beginning to put out feelers regarding what kind of deal could be struck in this area. U.S. officials describe the Japanese as being "in a state of high hysteria" over how to respond on agriculture. U.S. officials have also received reports that the Japanese will not be ready to negotiate on agriculture until January. U.S.

803/ - 3-2

SIDLEY & AUSTIN   **WASHINGTON, D.C.**

officials have noted that other negotiators are raising concerns with respect to reports concerning the Clinton transition team perhaps wishing to delay the Round, although current Bush Administration officials believe this is being used more as an excuse. While some of the concern by U.S. trading partners regarding President-elect Clinton's position may be genuine, a lot of the stated concern, in the eyes of U.S. officials, is tactical.

U.S. officials have reiterated their concerns with respect to the Dunkel text in five problem areas: (1) antidumping, (2) subsidies, (3) intellectual property, (4) MTO text and (5) market access for both goods and services. At a meeting Wednesday with Arthur Dunkel, the U.S. pressed him to move forward with the Track 4 process on these issues.

It is becoming increasingly obvious to U.S. officials that negotiators from virtually all countries are holding back on their bottom-line negotiating positions until they are certain that the negotiations have reached the end-game stage.

Senior U.S. officials have indicated that there is no chance of achieving an agreement by December 23, although such officials have indicated that they are willing to negotiate through the Christmas holidays if necessary to be able to achieve a good agreement. In the view of these officials, an agreement could be reached in a matter of five days, once negotiators reach the point where hard decisions will be taken.

To underscore the current U.S. pessimism, senior officials intend to start considering on Friday whether to bring some U.S. negotiators home to Washington.

8037 3-3

APH92F97.SID (12/11/92 12:10pm)

-2-

외 무 부

종　별 : 지급

번　호 : GVW-2339　　　　　　　　　　일　시 : 92 1211 1430

수　신 : 장관(통기, 경기원, 재무부, 농수산부, 상공부, 특허청)

발　신 : 주 제네바대사

제　목 : UR/그린룸 협의 결과 및 향후 전망

연: GVW-2334

1. 11.26 TNC 이후 2 주일이 경과한 현재까지 협상 전분야에 걸쳐 실질협상이 본격화 하지 않은채 12.10(목) 저녁 그린룸 회의가 재차 소집되어 지난 2 주간 협상현황 및 향후추진 방안을 협의한바 동 결과 아래 보고함.

　가. DUNKEL 총장은 지난 2 주간 협상이 순조롭게 진행되었다면 금일 회의를 소집할 필요가 없었다고 전제한후, 금일회의는 협상의 현황을 평가키 위한것이 그목적이라고 말한후, 자신의 의견은 저시치 않은채 각국의 의견 개진을 요청함.

　나. 이에대해 본직포함 다수국 대표는 협상 부진상황에 다소 실망을 표하고, 대체로 아래사항을 공통적으로 언급하였으나, 앞으로의 협상 타개책에 대해서는 일부국이 시장접근 협상, 써비스 양허협상의 활성화 ~~타개책에 대해서는 일부국이 시장접근 협상, 써비스 양허협상의 활성화~~ 필요성, T3 또는 T4 관련 소그룹 구성 의견을 제시한외에는 뚜렷한 의견 제시는 없었음.

　- 미.EC 합의문안의 조속 제출 필요성

　- 미.EC 합의에 대한 불만(DFA 의 불균형을 더욱 심화하는 결과)

　- MTO 에 대한 미국의 입장 변화 움직임에 대한 우려, 또는 불만

　- 미국의 SPS, TBT, 반덤핑등에 대한 재검토 움직임에 대한 우려 또는 불만

　다. 또한 상당수국가가 각자의 협상 일정에 따라 자국의 핵심이해 사항 반영 필요성을 재차 강조하거나, 시장접근 협상의 신속, 적극화 또는 T4 개방과 관련 신중을 기할 필요성등을 언급함.

　라. 본직은 아래 5 개 사항을 언급함.

　- 미.EC 농산물 합의는 12.9 양측이 제시한 CONCEPT PAPER 등을 통해 동 내용의 대강은 알고 있으나, 수출국과 선진국의 이해만 반영하고 있는 것으로 파악되므로

통상국 농수부	장관 상공부	차관 특허청	2차보	분석관	청와대	안기부	경기원	재무부

(PEACE CLAUSE 등을 예시) 동 내용에 대한 면밀한 검토가 필요함.

- 농산물 분야에서의 2 차에 걸친 주요국 회의는 각국이 안고있는 문제점을 파악하는데 유익했으며, 동 과정에서 제기한 아국의 문제도 미.EC 합의 내용과 동시에, 같은 비중으로 반영되어야 함.

- 미.EC 합의 과정에서 공산품 써비스 시장접근분야에서도 합의가 있었다는 발표 내용과는 다른 것으로 알고 있는바, 양측의 구체적 합의내용이 알려져야만 시장접근 협상이 본격화 될수 있을것임.

- MTO 는 제도적 측면도 중요하나 아국은 특히 국내법의 GATT 합치 문제와 관련 (301 조) 중요한 의미를 부여하고 있는바, 미국은 이에대한 의도를 명확히 해야 할것임.

- SPS 및 TBT 협정등 다수국이 완결된 것으로 믿고 있는 잇슈를 재론 하고자 하는 것은 전체 협상 진행에 전혀 도움이 되지 않음.

마. 이에 대해 미국은 GLOBALITY 를 강조하면서, EC 에 대한 일방적 양보의 결과로 MA 분야에서 미국은 소득이 별로 없다는 결론에 도달하게 되어 전체 PACKAGE 상의 균형 문제의 중요성을 재삼 인식하게 되었으며, 따라서 MA 협상 결과가 조속 가시화 되어야 한다는 입장이라고 말한후 MTO 문제등과 관련 아래와 같이 답변함.

- MTO 협정은 촉박한 상황에서 성급히 작성되어 많은 문제점을 갖고 있으며, 따라서 동 협정 자체를 수락치 못하겠다는 것이 아니라 이러한 문제점을 신중히 검토, 해결해야겠다는 입장임

- SPS, TBT 협정은 거론 하는 것은 양 TEXT 간 상호 모순되는 사항이 있어, 수차 문제를 제기하였으나 반영이 안되었기 때문이며, 동 문제점중 일부는 SUBSTANCE 와 관련되는 사항도 있음. 반덤핑 협정 및 보조금 협정간에도 동일한 문제점이 존재함

- 섬유, TRIPS, 반덤핑 협정도 미국 입장에서는많은 문제점이 있음.

바. 반면 (PAEMAN 총국장)는 12.15 농업이사회직후 미.EC 합의 LEGAL TEXT 및 농산물 분야 C/S 불제출 이유로서는 미국 비타협적 협상자세를 간접비난) EC 는 또한 T3 주요현한 문제처리를 위하여 별도의 소그룹 구성이 필요할수도 있다는 의견 개진

사. 기타주요국 발언중 특이사항은 아래와 같음.

- 홍콩: 반덤핑 협정문 재론에 반대

- 호주: 미.EC 합의 내용 파악에 집착치 말고 양자협상 가속화 촉구 및 T4 관련 소규모 그룹 구성 제의

PAGE 2

- 파키스탄, 인도 : 농산물, 섬유분야에 강한 불만
- 일본 : MTO, 분쟁해결 문제관련 새로운 협상 MECHANISM 이 필요하며, 예외없는 관세화 문제에 관한 진지한 논의를 시도했으나 상대국이 대화에 응해주지 않고 있음.
- 인니 : 특정품목(쌀)에 대한 MMA 문제가 C/S 를 통해 해결되기를 희망

아. DUNKEL 총장은 회의결과를 종합하면서 아래와 같이 각국이 양자협상에 더욱 적극적으로 임해 줄것을 요청하고, 협상구조등에 관한 자신의 의견을 밝힘

- 협상 진행이 예정보다 늦어진 것은 사실이나, EC 가 12.15 경 C/S 를 제출 하는 것을 시발점으로 하여, 모든 국가가 농.공산품 포함 완전환 C/S 를 제출 MA 협상에 진정한 진전이 있기를 기대함.

(써비스 협상에서도 협상을 가속화 해주기 바람)

- 협상구조를 운위할 실익도 없으므로 현재대로 유지할 수 밖에 없으나, 이에 대한 분명한 인식이 필요함.

0 T4 는 정치적 합의가 이루어진 사항의 DFA 내 반영을 확인하는 기술적과정에 불과하므로 T1,2,3 에서 야기되는 모든 문제를 다루는 POLOTICAL TRACK 으로 보아서는 안됨

- 따라서 특히 T1,2 양자협상 중심으로 진행되어야 하며, 해결되지 않는 정치적 문제는 GREEN ROOM (총장주최 만찬그룹등을 염두에 둔듯함) 또는 다른방식등 형태에 구애되지 않고 문제의 핵심을 처리하는데 노력을 경주해야 할것임

(2 항 부터 GVW- 2340 으로 계속됨)

PAGE 3

| 관리
번호 | 92-763 |

원 본

외 무 부

종   별 : 지 급

번   호 : GVW-~~2440~~ 2340.

일   시 : 92 1211 1430

수   신 : 장관(통기, 경기원, 재무부, 농수산부, 상공부, 특허청)

발   신 : 주 제네바대사

제   목 : GVW-2339 계속임

검 토 필 (1992. 12. 31.)

2. 금일 그린룸 협의에 대한 본직의 평가 및 그간 당관에서 주요국 협상대표 및 GATT 사무국 지도부(12.9 국장급 이상 핵심간부 관저초청 만찬)등과의 다각적인 접촉 및 의견교환 결과에 기초한 최근의 협상 진행상황 및 앞으로의 전망에 대한 당관의 평가는 아래와 같음.

가. 11.20 미.EC 농산물 합의에도 불구 당지 협상이 활성화 되지 못한데에는 농산물 MA 분야에서의 미.EC 합의 내용 확정 (12.4 에야 확정) 및 GATT 제출 지연, 공산품 MA 분야에서는 무세화, 관세조화를 둘러싼 미.EC 간의 입장대립, MTO 및 UR 협상자체에 대한 미국입장의 변화 가능성등의 복합적 요인이 작용했다고 봄.

나. 상기 요인 및 년말까지의 협상시간 부족을 고려할때 당초 DUNKEL 총장이 의도했던 바와 같이 모든 중요요소를 포함한 정치적 결론의 도출은 내년 1.20 까지 연기될 가능성이 높아진것은 사실이며, MTO 문제의 전개방향 및 차기미행정부의 UR 협상에 대한 시각여하등에 따라서는 FAST TRACK MANDATE 의 연장이 불가피한 상황으로 발전할 가능성도 없지 않음.

다. 그러나 미.EC 간 농산물 합의이후 가장 관심의 촛점으로 등장 한것은 예외없는 관세화 문제에 집중되어 협상이 진행돼 왔던 것도 바로 이문제를 최우선적 당면과제로 해결할 필요성에 대한 주요협상 참가국의 공통적 인식 때문인 것으로 보아야 함.

라. 다만 이제까지 동문제 협의에 진전을 이룰수 없었던 것은 무엇보다도 미.EC 양측이 그들간의 합의내용을 제출할 수 없었기 때문이었으나 (EC 외무장관 회의에서의 불란서 입장등 작용), EC 가 금주말 정상회담 (12.11-12), 내주초 농업이사회 (12.14-15)를 거쳐 합의 TEXT 및 농산물 C/S 를 제출할 것으로 예상 되기 때문에 정치적 결론 도출은 1.20 까지 연기되더라도 예외없는 관세화문제는 12.15-12.22 기간중 집중적으로 거론하여 일단 결론을 출해야 한다고 보는 것이 DUNKEL 총장 및

| 통상국
농수부 | 장관
상공부 | 차관
특허청 | 2차보 | 분석관 | 청와대 | 안기부 | 경기원 | 재무부 |

일반문서로 재분류 (1993. 6. 30.)

92.12.12   02:11

외신 2과 통제관 FR

0048

통상국	장관	차관	2차보	분석관	청와대	안기부	경기원	재무부
농수부	상공부	특허청						

0048

CAINUS 그룹의 의견인듯함

　　마. DUNKEL 총장도 MTO 문제등에 관한 불확실성등은 가급적 PALY DOWN 하면서
우선은 예외없는 관세화 문제를 중심으로 한 농산물분야에 집중하며 협상을
풀어나가려는 의도를 갖고 있는 것으로 보이며, 이를 위해 12.4 총장관저만찬 회동을
시발로 사실상 T4 협의 절차를 진행해 나가고 있다고 봄.(금 12.11 총장관저 만찬
재개 예정: 본직참석)

　　3. 상기와 같은 상황에서 본직은 예외없는 관세화 문제에 관해 입장을 같이하는
일본, 스위스, 카나다, 멕시코등과 공동대처 방안을 계속 긴밀협의해 나가고 있다고
(이미 3 차회동) 농산물 관련 협상에도 적극 참여중이나, 아국입장의 경직성으로
인하여 대안토의등에 효과적으로 대처하는데 상당한 한계를 느끼고 있음. (일본의
경우 상당히 신축적 태도).

　　12.15 이후 상황이 급진전 될 가능성에 대비하여 연호 보고와같이 예외없는
관세화반대 입장 공유국내에서도 대안 논의가 보다 활발히 구체화 되어 가고 있는
상황임을 참고 하기 바람. 끝

　　(대사 박수길-장관)

　　예고:93.6.30. 까지

PAGE 2

외 무 부

종 별 : 초긴급

번 호 : GVW-2351

수 신 : 장 관 친전 (봉기)

발 신 : 주 제네바 대사

제 목 : 던켈 총장 관저 만찬 회동

일 시 : 92 1213 0200

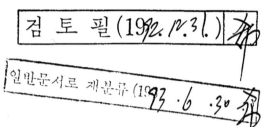

연: GVW-2279, 2280

대: WGV-1839

1. 본직등 19 개국 수석협상 대표(CHIEF NEGOTIATOR)간의 비공식 협상 그룹(이하 "RUSSIN GROUP") 은 12.11(금) DUNKEL 총장 주재로 UR 현안 타결을 위한 만찬회동(RUSSIN DINNER)를 가진바(금번 회동이 두번째 : 연호 참조) 동 결과를 아래 보고함.

가. DUNKEL 총장은 금일 회동이 최종 의정서 초안(DFA) 개정을 위한 FORMAL EXERCISE 의 준비작업의 일환이라고 전제하고 (1) 협상은 4 개 TRACK 을 망라한 GLOBAL APPROACH 가 될것이며, (2) 협상당사국들은 더이상 HIDE AND SEEK GAME 을 그만두고 꼭 협상되어야 할 문제만을 제기(LIST 작성) 협상을 종결해야 하며, (3) T-4 에서는 다른 TRACK 의 진전을 불가능하게 (BLOCK)하는 문제만을 처리 하자고 말한후, 각 협상자의 제기사항과 솔직한 의견을 요청함.

나. 이에 대한 각 참가국의 발언 요지는 별전 보고함.(GVW-2352)

다. 던켈 총장은 금일 협의결과를 기초로 아래 결론을 도출함.

1) 제기할 현안 문제 LIST 를 내주 월요일(12.14)까지 마감하겠으며, 문제들을 제기함에 있어서는 DFA 의 균형을 변경하려고 해서는 안될것임.(서면으로 법 조문 형식으로 제출해야 하며, 현안문제를 LEGAL TEXT 개정 또는 해석의 문제로 국한하여 정면으로 취급하겠음.)

2) 성탄절 DEADLINE 은 반듯이 CREDIBLE 해야하며, 이것을 지키는데는 상당한 위험이 수반된다는 것을 잘 알고 있으나, 이러한 위험은 감수하지 않을수 없음.

3) 월요인(12.14) 저녁에 협상현안 LIST 를 마감, MTO, 섬유, 반덤핑, SPS-TBT 문제를 먼저 처리하고 수요일(12.16) 저녁에 잔여현안들을 협상함.(LEGAL TEXT 는

장관   통상국

PAGE 1

92.12.13   12:36

외신 2과 통제관 BS

0050

협상 결과에 기초, 사무국에서 신속 작성함)

4) 미.EC 는 농산물 및 공산품 분야 OFFER 를 통하여 12.15 전후까지 시장접근 분야에서 협상 진전을 보여야 할것이며, 서비스 분야도 HIGH RISK ISSUE 들이 아직 남아 있음을 유념해야 함.

5) RUSSIN DINNER GROUP 의 활동 사실이 대외적으로 누석될 경우에는 다른 협상 참가국의 반발로 큰 혼란이 야기될 것이므로 절대 보안 유지가 필요함.

2. 평가 및 전망

가. DUNKEL 총장은 앞으로 비공식적인 실질 협상을 RUSSIN 만찬회동 참가국에 국한, 철저한 보안하에 진행 성탄 휴가이전 정치적 타결을 목표로 하고 있는듯 하였으며, RUSSIN 회동 참석국들도 이에 특별한 이의를 제기치 않았음.

나. 따라서 동 RUSSIN 회동으로 사실상 T-4 가 본격가동 됐다고 보아야 하며 (금번 회동시 1 개국 대사가 협상 구조 문제를 제기하여던바 DUNKEL 총장은 협상은 바로 이그룹에서 하고 있다고 상기시킴), 공식 T-4 는 RUSSIN GROUP 에서 합의가 이루어진후, 동 합의사항의 추인을 위해 형식적으로 간단히 개최될 것으로 보임.

다. RUSSING GROUP 내 협상을 통해 현안 문제가 원만히 해결되어 년말까지 정치적 PACKAGE 합의가 이루어질지 의 여부는 미국이 제기한 사항에 대한 주요국의 반응, 미국의 지의 및 주요 현안 문제를 갖고 있는 아국등 여타 국가의 입장이 어느정도 수용되느냐에 달라 있다고 보임. (MTO 문제와 관련 미국은 SUBSTANCE 에는 변경이 없다고 주장하나, 미국이 상정하고 있는 대안에는 PPA 문제, 국내법의 GATT 합치 문제등 미국이 반대해 오던 핵심 이슈들이 삭제됨을써 EC 및 여 타국들의 반응이 아직은 불투명: 별첨 미국측 MTO 관련 대안 비공식 배포자료참조

라. 한편 미국이 국내적 어려움이 있음에도 불구하고 연말까지의 협상을 사실상 종결할 의도인지, 또는 차기 행정부와의 관계에 있어서 중대한 차질이 있는지등 금번 회동에서 MTO 문제, 지적 소유권, 반덤핑, SPS 문제등 다수의 문제를 제기한 미국의 진의 파악은 어려우나, 일응 타결의지는 있는 것으로 보임. (본직이 12.16(수) LAVOREL 대사와 오찬 예정인바, 동 기회에 가능한 범위 내에서 타진 계획임.)

마. 내주에는 DUNKEL 총장의 제안대로 상당한 수준의 실질적 협상이 있을 것으로 예견되고, 특히 아국 최대 관심사항인 예외없는 관세화 문제는 12.16(수) 저녁 동 GROUP 회동에서 본격 논의될 것으로 보이며, 이문제에 대해서는 미.EC CAIRNS 구룹 국가들도 조속한 결말을 내려는 의지가 강함(섬유등 여타 상대적으로 경미한 사안들은

PAGE 2

0051

내년 1 월로 넘겨질 가능성도 있음.

　3. 대처 방안

　가. 상기와 같은 상황하에서 아국은 우선 12.14(월)까지 농산물 TEXT 에 대한 아국수정안(영문)을 작성 제출해야 할 것임.(당지시간 14 일 오전까지)

　나. 농산물 분야 이외의 사항에 대해서도 문제를 제기해야 할것인지 여부 및 제기할 경우의 PRIORITY 설정이 필요함.

　다. 12.16(수) 저녁 회동시 예외없는 관세화 문제가 본격 거론되어 만약 타협안이 제시될 경우 본직이 어느정도의 FLEXIBILITY 를 가질수 있는지의 여부도 회시 바람.

　라. 본직 판단으로는 아국으로서는 관세화에 대한 예외 확보문제가 최대 역점 사안인 만큼 불필요하게 비협조적이라는 인상을 주지 않는 것도 중요하다고 보므로 가급적 여타분야에서의 문제제기는 자제함이 좋을 듯함. (대호 WGV-1839(11.27 UR 대책 실무위 결과)에 의하면 본부도 동일한 판단을 하고 있는 것으로 사료됨)

　4. 참고로 RUSSING GROUP 참가국은 아래 19 개국이며, 미국(LAVOREL 대사), 일본(ENDO 대사), 서서(GIRARD 대사)는 본부 협상 총책임자(CHIEF NEGOTIATOR)가 직접 참가하고 있음. (RUSSIN PROCESS 는 당분간 절대 보안을 유지키로 하였으며, 이에 협조하는 것이 아국의 이익에도 도움이 되므로 철저히 보안 조치 바람.

　O 알젠틴, 헝가리, 카나다, 싱가폴, 한국, 홍콩, 뉴질랜드, 인도, 모로코, EC, 일본, 서서, 우루과이, 브라질, 미국, 호주, 칠레, 스웨덴, 태국. 끝.

　첨부: 상기 미측의 MTO 관련 대안 1 부. 끝.

　(GVW(F)-745)

　(대사 박수길-장관)

　예고 93.6.30 일반

주 제 네 바 대 표 부

번 호 : GVW(F) - 745   년월일 : 21213   시간 : 0200

수 신 : 장   관 (친전)

발 신 : 주 제네바대사

제 목 : 4 `천무`

총 4 매(표지포함)

브 안 통 재	

외신과 통 재	

배부처	장관실	차관실	일차보	이차보	외경실	외경심	본석관	아주국	미주국	구주국	중아국	국기국	경정국	통상국	문협국	의연원	청와대	안기부	공보처	경기원	상공부	재무부	농수부	동자부	산경청	과기처

745 - 4 -1

0053

[handwritten notes across top]

Ministerial Decision
Outline

o   Define scope of multilateral trading system under one
    umbrella: the four annexes to latest draft MTO agreement[1]

o   Agree to convene ministerial meetings every two years to
    oversee the operation of these agreements, further their
    objectives, and provide a forum for negotiation of further
    trade agreements

o   Establish council of representatives to perform these
    functions in the intervals between ministerial meetings

o   Establish 3 subsidiary councils: Goods, Services, TRIPs

o   Establish Dispute Settlement Body to administer the
    integrated dispute settlement procedures in Annex 2 and a
    TPRM in accordance with Annex 3

o   Establish standing subsidiary bodies of the general council:
    Balance-of-Payments Committee, Budget and Finance Committee,
    Committee on Trade and Development, Committee on Trade and
    Environment

o   Designate Secretariat to support all the agreements in the
    four annexes

o   Reaffirm existing GATT practice with respect to budget and
    contributions

o   Reaffirm existing GATT practice with respect to decision-
    making by consensus

o   Provide that by adopting this Decision, Ministers agree to
    submit, as appropriate, the annexed instruments for approval
    and implementation in accordance with relevant domestic
    procedures

o   Adopt text of protocol (see attached outline) to be accepted
    upon domestic approval

[handwritten notes]

---

[1] References to the MTO agreement are to the latest draft
dated 27 May 1992.

[handwritten notes]

0054

-1-

Uruguay Round Protocol

Outline

o   Open for acceptance to those that meet the criteria set
    forth in MTO Article XI (Original Membership) and Article
    XII (Accession)

o   Provisions that require a single undertaking, as in MTO
    Article XIV (Acceptance, Entry into Force and Deposit) and
    Article XV (Withdrawal)

o   Provision for GATT-1993, annexed to the Protocol, to be
    successor to GATT-1947 (as in Article II.5 of MTO draft)

o   Attach Multilateral Trade Agreements (Annexes 1, 2 and 3 to
    MTO draft); signature of Protocol constitutes signature of
    all those agreements

o   Attach Plurilateral Trade Agreements (Annex 4 to current MTO
    draft); accession to those agreements requires additional
    signature thereto

-2-   0055

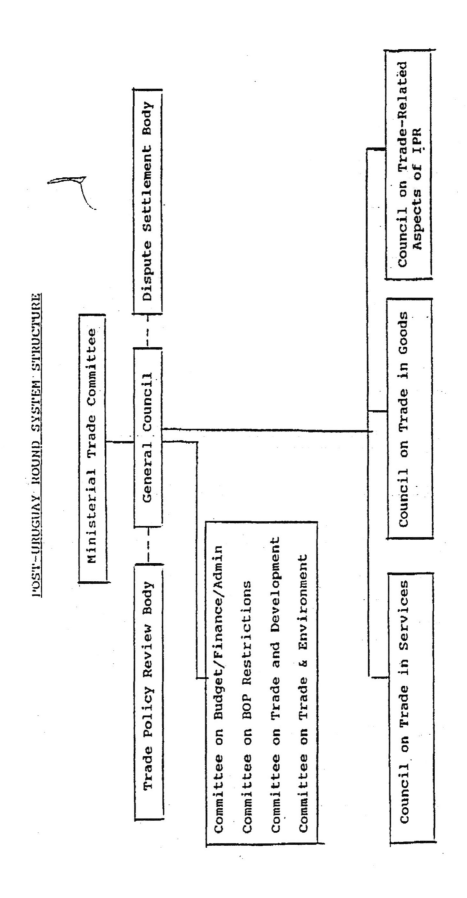

POST-URUGUAY ROUND SYSTEM STRUCTURE

Ministerial Trade Committee

Dispute Settlement Body

General Council

Trade Policy Review Body

Committee on Budget/Finance/Admin
Committee on BOP Restrictions
Committee on Trade and Development
Committee on Trade & Environment

Council on Trade in Goods

Council on Trade-Related Aspects of IPR

Council on Trade in Services

외 무 부

종   별 : 초긴급

번   호 : GVW-2352

수   신 : 장 관 친전 (통기)

발   신 : 주 제네바 대사

제   목 : 던켈 총장 관저 만찬 회동

일   시 : 92 1213 0300

검 토 필 (1992.12.31.)

연: WGV-2351

연호 던켈 총장 관저 만찬 회동에서의 각 참가국 발언 요지 아래 보고함.

1. 인도

0 농산물 분야에서는

- 식량안보 및 식량 보조(FOOD AID) 목적으로 생산자에게 제공되는 보조 정책은 삭감 약속에서 제외되어야 함.

- DFA 의 시장접근 분야에는 명확한 해석을 필요로 하는 부분이 있으며, 수출 보조의 예외에는 많은 문제가 있으므로 양문제에 대한 해석을 명확히 하기 위한 그룹 구성이 필요함

0 섬유분야에서 ECONOMIC PACKAGE(ANNEX, 갓트 복귀 비율, 복귀시한, 년 증가율)에 문제가 많으며, INITIAL PAYMENT 4 % 처리문제가 있고, 섬유 교역중 49 % 가 마지막 단계에서 갓트에 복귀하도록 되어 있어 실질적인 통합의 의미가 없는 등 균형이 상실되어 있음.

0 지적 재산권에서 특허대상 범위, 공공 정책적 고려(PUBLIC POLICY CONCERN)등에 문제가 있음.

0 SINGLE UNDERTAKING 은 수락 곤란함.

일반문서로 재분류 (1993 . 6 .30)

2. 브라질

0 다른 국가가 문제를 많이 제기하면 자국도 제기하지 않을수 없으나 일단은 DFA 고수 용의가 있음.

0 DFA 수정 요구는 반드시 서면 제안(TEXT)으로 하도록 함.

3. 헝가리

0 DFA 에 큰 문제없음.

장 관   통 기

PAGE 1

92.12.13
~~89.03.12~~ 10:10
외신 2과   통제관

0057

UR(우루과이라운드) 협상 동향 및 TNC(무역협상위원회) 회의, 1992. 전5권(V.5 12월) 255

4. 싱가폴

O ASEAN 은 지난 1.13 일 회의에서 DFA 를 수락하겠다고 말한바 있으며, 동 DFA 는 이미 ASEAN 각국 각의의 승인을 받은 상태이므로 내용에 큰 변경이 있을 경우에는 절차가 복잡할수 밖에 없음.

5. 알젠틴

O DFA 를 그대로 수락함.

6. 스위스

O 관세화, TRANSITION 과 관련된 CONTINUATION CLAUSE 및 특별 세이프가드 조항에 문제가 있음.(특별 세이프가드는 스위스가 현재 이미 주요 수입국이기 때문에 현 조항은 도움이 되지 않음)

O MTO 도 초국가 기구 형태로 되면 국민 투표에 부의되어야 하고, 동 국민 투표에는 지난번 EEA 가입 부결의 경우와 같이 DOUBLE VETO (각주 및 국민 과반수 찬성으로 가결)가 적용되므로 MTO 의 체계(MECHANISM) 및 형태(TYPE)에 대한 신중한 검토가 필요함.

7. 스웨덴(북구)

O DFA 개정에는 최대한의 자제가 필요함.

O 농산물 OFFER 를 곧 제출하여 협상을 가속화 하는데 협력하겠음.

O 서비스 양자 협상의 부진이 우려되며 진전을 위한 노력이 필요함.

8. 멕시코

O MTO 는 충분히 협상된바 있는데, 이문제가 다시 제기되는 것은 이해할수 없음.

O 관세화를 즉시 실현하는데에는 문제가 있음.

9. 한국

O 보조금, 반덤핑, 세이프가드등 분야에서 불만스러운 부분이 많으나 농산물 분야에서의 아국 관심사항이 반영될 경우 DFA 유지에 협조 가능함.

O MTO 의 골격을 수용하는데 큰 문제가 없음. 스위스, 미국등이 MTO 에 문제가 있다면 실질적인 내용(SUBSTANCE)을 고치지 않는다는 전제에서 검토 용의가있음.

O 문제 제기에는 일정한 규율이 있어야 하며, DFA 내용중 협상 참가국간 합의되어 작성된 문안은 제외하고 합의 부재로 ARBITRATED 된 사항에 대해서만 제기하는 것도 무절제한 문제 제기를 통제하는 방법이 될것임.

10. 일본

PAGE 2

O MTO 에 적극적이지는 않았으나, 일단 TEXT 가 합의된 만큼 이를 존중하겠음.

O 예외없는 관세화에 문제가 있으며, 예외가 인정되어야 함.

O 서비스 문안은 재검토해야 하며, MFN 원칙을 사실상 무효화 시키는 것을 방지하는 일정한 규율이 확보되어야 함.

11. 호주

O DFA 의 본질은 유지되어야 함.

O 현시점에서 PLAY GAME 하는 것은 위험함.

12. 홍콩

O 농산물 이외의 분야에서 변경이 없을 경우 규범분야에 일부 문제가 있으나, DFA 를 수락할 용의가 있음.

O 섬유 분야에는 T-4 에 제기할 문제가 없다고 보며, ECONOMIC PACKAGE 를 재협상하면 홍콩도 이에 대처하지 않을수 없음.

13. 카나다

O 예외없는 관세화에 문제가 있으나 대안을 검토할 용의가 있음. 그럼에도 불구하고 대화의 상대가 없는 형편임.

O 보조금 협정에서의 차별 조항이 문제임.

O MTO 는 카나다와 EC 의 제안이지만 그것은 브랏셀 회의 이전부터 협의 되었으며, 미국도 이 협상에 참석해 왔음. MTO 제안은 국제 무역 사회로 부터 전반적으로 지지를 받고 있다는 점을 유념할 필요가 있으며, 지금와서 미국이 이문제를 제기하는 것은 유감임.

14. 우루과이

O DFA 내용에 문제점이 많으나 PACKAGE 로서 수락 가능함.

O 미국의 신속승인절차 시한 이전에 UR 을 종결하려면 연말까지 현안 타결이 절대, 필요하며, 협상 속도를 가속해야 함.

O MTO 에 대한 미국의 우려는 이해하나, 그것이 실질 내용의 변경인지 여부를 확인해야 함.

15. 미국

O MTO 는 .그 본질을 바꾸고자 하는의도가 아니며 MTO 의 중요 사항은 모두 포함하면서도 정치적으로 문제가 될 사항들은 피하는 방법을 찾고자함. 스위스, 아프리카 그룹도 MTO 와 관련한 이견을 갖고 있음. MTO 에는 PROCESS OF CHANGE,

PAGE 3

NON-APPLICATION, WAIVER 등 쟁점이 있는바, UR 결과 이행을 위한 보다 더 간단한 방법을 참조가 함.

0 지적재산권 분야에서의 문제점은 내국민 대우에 대한 예외 및 경과규정(64조 4항)등에 나타나 있는 차별적 요소임.

0 반덤핑 분쟁의 특수성을 고려 패널의 심사 범위를 제한함으로써 반덤핑 관련 분쟁해결 절차가 적절히 운영되도록 하는 것이 필요함.

0 반덤핑과 보조금 분야에서 SUNSET CLAUSE 가 상이한데도 불구, T-3 에서 해결하지 않고 있기 때문에 이문제도 제기되어야 함.

0 SPS 규정은 DFA 에서 HUMAN LIFE 를 다루고 있는 유일한 분야이며, 동 문제는 TBT 와의 관계에서 T-3 에서 CLARIFICATION 등 방법으로 해결될수 있다고 봄.

0 미 행정부는 늦어도 입법안을 3.2 까지 의회에 제출해야 하는 만큼 협상 타결이 93.1 월로 넘어가면 시한적으로 너무 늦음.

0 농산물 분야의 미.EC 합의에서 미국이 얻은 것은 아무것도 없다는 것을 이해해야 함.

0 현재 노동단체, 환경그룹, 섬유 그룹등 각양각색의 이하 그룹이 단결하여 UR 협상 반대에 나서고 있으며, 특히 농산물 SPECIAL INTERESTS 도 이들 세력에 가담하여 커다란 저항세력이 되고 있는바, 이러한 어려운 점을 협상자들은 이해해야 함.

16. EC

0 다른 나라의 CONCERN 은 모두 이해하나 미국이 MTO 에 관해서 그동안 침묵을 지키다가 현싯점에서 문제를 제기하는 것은 이해되지 않음. MTO 는 SINGLE UNDERTAKING, CROSS RETALIATION 등과 함께 중요한 SUBSTANCE 임.

0 각국별로 1 개 ISSUE 만 제기할수 있도록 제한해야 함.

0 EC 는 금년말에 이임하는 MACSHARRY 의 영향력을 이용, 년내 타결 목표로최대 노력하겠음. 내년이면 집행위 지도부의 교체로 여건이 크게 불리해질것임.

0 EC 도 보조금 등 분야에서 많은 문제가 있으나 농업 이외의 분야에서는 DFA 를 고수하겠음.

0 LLDC 문제해결에 함께 노력해야 할 것임.

17. 뉴질랜드

0 DFA 를 그대로 수락하겠음.

0 EC 는 12.15 전후까지 OFFER 를 제출하겠다고 한 만큼 미국도 공산품 분야에서

PAGE 4

조속 OFFER 를 제출해야 함.

18. 모로코

0 개도국은 농산물 문제에 관심이 많은 만큼 OFFER 를 제출하지 않은 국가는 조속 제출해야 함.

0 MTO 의 본질 변경 기도에 대해서도 개도국이 관심을 갖지 않을수 없으며, 이에 대처하여 12.14(월) 개도국 비공식 회의를 개최 예정임. 끝.

(대사 박수길-장관)

예고 93.6.30 일반

PAGE 5

0.061

이시

외 무 부

종 별 :

번 호 : ECW-1572   일 시 : 92 1212 2300

수 신 : 장관(통기,통삼,경기원,재무부,농수산부,상공부,기정)

발 신 : 주 EC 대사   사본:주미-중계망,주불,제네바-필

제 목 : GATT/UR 협상

    1. 12.12. 종료된 에딘버러 EC 정상회의는 GATT/UR 협상과 관련, UR 협상이 최근 재개된 것을 환영하고, UR 협상이 조기에 포괄적이고 균형적인 합의를 이루도록 노력할것임을 재다짐하며, 여타 협상 당사국들에 대해서도 동일한 노력을 촉구하고, 협상결과의 최종 PACKAGE 는 총체적으로 평가되어야 한다는 내용의 간략한 최종 성명을 채택함

    2. 동 성명문은 대미협상 관련 불란서와 여타회원국간 있어온 심각한 의견대립등 UR관련 최근 쟁점에 대해서는 언급치 않고있는바, 이는 EC 지도자들이 GATTUR 문제토의로 인해 금번 정상회의의 진행에 타격을 주지 않기를 바란데서 비롯된 것으로 사료 됨

    3. 불란서측은 동 성명문안에 대해 이의를 달지않았다고 하는바, 동국으로서는 GATT 문제가정상회의의 의제에서 빠져있는 한, 금번 정상회의에서는 EC 의 대미 농산물 합의에대한 비판을 하지 않겠다는 입장을 별도 밝힌것으로 알려짐

    4. 불란서는 대신 12.14. 당지 개최되는 EC농업이사회에서 일부 회원국의 동조를 바탕으로, EC-미국간 UR 농업무역협상 결과를 집중비판할 것으로 전망됨

    5. 한편 UR 문제는 12.18 워싱턴 개최될 미부쉬대통령과 MAJOR 영국수상, DELORS 위원장간 3차 회담에서도 첫번 의제로 토의될것으로 알려지고 있음. 끝

    (대사 권동만-국장)

통상국   통상국   안기부   경기원   재무부   농수부   상공부

―이사(안)

외 무 부

종 별 :

번 호 : ECW-1571　　　　　　　　　　　일 시 : 92 1212 2210

수 신 : 장관(통기),통삼,경기원,재무부,농림수산부,상공부,기정동문)

발 신 : 주 EC 대사　　　　　　사본: 주 미-중계필, 주불, 제네바-필

제 목 : 갓트/UR 협상

표제협상과 관련, 12.11. 현재 당지의 동향을 아래 보고함

1. 12.10. SOISSON 불란서 농무장관은 불란서 농업단체총회 참석후 가진 기자회견에서, 차기 EC 농업 (12.14) 및 외무이사회 (12.21) 에서 EC 의 대미농업협상 결과가 CAP 개혁과 합치되는지 여부에 대한 구체적인 검토가 <u>완료되기</u> 전까지는 <u>제네바 UR 협상은 재개될수 없을 것이라고</u> 말함. 동인은 또한 만약 EC 집행위가 상기 대미협상결과의 CAP 개혁과의 합치여부에 대한 검토가 완료되기 전에 제네바에 구체적인 감축약속을 제출한다면, 이는 12.7. 외무이사회가 부여한 MANDATE 를 초월한 행위로서, 불란서는 결코 이를 묵과하지 않을 것이라고 경고함. 이와같은 발언에 대해 불란서 농업단체 대표들은 크게 환영한다는 반응을 보임

2. 한편, 불란서 농무성의 고위관계관은 11 월 미.EC 협상에서, EC 산 쇠고기의 대동아시아 (한국, 일본등) 지역수출시 수출보조금을 지급치 않기로 합의한바 있는 소위 ANDRIESSEN COMPROMISE (85 년 EC-호주간 합의된 신사협정으로 알려짐) 적용기간을 연장키로 합의한바 있다고 주장하면서 이와같은 양자간 시장분배 협정도 갓트체제에 합치시켜 나간다는 것이 EC 와 미국의 UR 협상에 임하는 기본방침을 감안할때 양측이 동 COMPROMISE 의 연장에 합의한 것은 바람직하지 않다고 말한 것으로 알려짐

3. 위와같은 불란서의 주장과관련, 당관 이관용농무관이 EC 집행위 농업총국의 OLSEN 담당관을 12.10 접촉, 확인한바 동인의 발언요지는 아래와 같음

가. EC 집행위는 현재 EC 의 농산물분야의 감축공약안에 대해 실무적인 검토중에 있으며, 동 감축공약 내용은 113 조 위원회에서 결정할 사항이며, 이사회에 상정하여 결정될 사항은 아니나, 특정 회원국의 각료가 감축공약서의 내용에 대한 이의를 제기할 경우, 이문제가 차기 이사회등에서 논의될 가능성도 배제할수 없음

통상국	장관	차관	2차보	구주국	통상국	분석관	정와대	안기부
경기원	재무부	농수부	상공부	중계				

PAGE 1

나. ANDRIESSEN COMPROMISE 의 기간연장 문제에대한 미측의 요청이 있어서,EC 가
최근 이에 합의한바는 있으나, 구체적 기한설정에 대한 합의는 없었음. 끝
　　(대사 권동만-국장)

외 무 부

종 별 :

번 호 : USW-6108   일 시 : 92 1214 2110

수 신 : 장 관(통기,통이,미일,경기원,농수산부,재무부,상공부)

발 신 : 주 미 대사   사본: 주제네바, EC 대사(중계요)

제 목 : UR 동향

    1. 12.14. WSJ 지는 클린턴 대통령 당선자가 부쉬행정부에 UR 협상 타결 연기를
요청 하지는 않을 것으로 보인다고 보도함.

    0 크리스마스 휴가 이전 UR 타결을 위해 부쉬행정부가 지나친 양보를 하게
되는경우 클린턴 대통령은 국민의 지지를 받지 못하는 협정안을 옹호하거나, 주요
무역국과의 마찰을 감수하며 이에 반대하여야 하는 부담을 지게 되는바, 클린턴
당선자의 보좌관들은 부쉬행정부에 UR타결의 연기를 요청하는 문제를 검토해 왔음.

    0 그러나, 일본의 쌀 수입금지 정책 고수, EC 의 미국 TV 프로그램 수입 쿼타
적용입장 고수, MTO설립안에 대한 미국의 완강한 반대입장등으로 인해 UR 협상 타결은
계속 지연되고 있는 바, 클린턴 당선자로서는 협상과정에 가시적으로 간여함으로써
협상실패시의 비난을 감수하면서까지 협상타결연기를 요청할 필요성이 없어짐.

    2. 관련기사 별첨 송부함.끝.

    첨부 : USW(F)-8067 (1 매)

    (대사 현홍주 - 국장)

통상국   미주국   통상국   경기원   재무부   농수부   상공부

PAGE 1   92.12.15   11:52 WG

외신 1과 통제관 ✓

0065

주 미 대 사 관

USW(F) : **8067**   년월일 :   시간 :

수 신 : 장 관 (통기, 통이, 비밀) 사본: 경가원,
                                농수산부, 재무부,
발 신 : 주미대사   상공부, 주제외빈, EC대사

제 목 : USW - 61 양의 동향 (1매)   (출처 : WSJ 12/14/92)

보 안 [   ]
통 제 [   ]

Clinton Isn't Expected to Urge a Delay In Current Discussions on World Trade

By BOB DAVIS
Staff Reporter of THE WALL STREET JOURNAL

WASHINGTON — President-elect Clinton isn't expected to urge a delay in world trade talks, largely because his aides believe the negotiations will fail to produce an agreement before he takes office.

Individuals familiar with deliberations in the Clinton camp said there has been a series of discussions and memos in recent days involving the trade talks, with the predominant view being to sit tight. Mr. Clinton hasn't made a decision on the trade issue yet, his advisers stressed. But if asked about it at the economic summit starting today, he is expected to maintain his stance of supporting "progress toward a good trade agreement."

The talks "have already slowed down," said a senior Clinton adviser. "He doesn't have to take a position."

The Clinton camp, under lobbying from semiconductor companies, film studios, labor unions and several prominent Democratic lawmakers, had been weighing whether to call for a delay in the talks now being conducted under the General Agreement on Tariffs and Trade. Advisers had been concerned that the U.S. was so intent

upon reaching a deal by Dec. 23 that it would make concessions that the new president would find unpalatable.

That would put Mr. Clinton in the tough position of having either to defend an agreement he didn't support or to reject a deal agreed to by this country's major trading partners.

But the talks have slowed even without an effort by Mr. Clinton, and senior U.S. trade officials acknowledge that they expect them to drag into January. Japan hasn't been willing to drop its bar on rice imports, even though some Japanese officials privately admit that they eventually will have to make the concession. And Europeans haven't agreed to any limits on quotas of U.S. television programs or movies. To conclude a deal, "concessions have to be on the table," said a senior U.S. trade official. "Regrettably, they're not there."

Further, in a delicate minuet between the old and new administrations, the Bush team has signaled that it won't accept a deal with certain terms it knows the Clinton team finds objectionable. For instance,

Please Turn to Page A4, Column 4

U.S. negotiators said they would nix any proposal that "undermines" U.S. anti-dumping laws. And in a turnaround from just a few weeks ago, negotiators said they have big problems with a proposal by Canada and the European Community to transform GATT into a so-called multilateral trading organization.

Under the multilateral idea, the U.S. would have far less power than it has under GATT to block trading decisions it finds unacceptable. A broad coalition of consumer and environmental groups has targeted the proposal as the basis for a campaign against the trade talks.

Clinton officials closely follow negotiations through briefings from the U.S. Trade Representative's Office and from discussions with companies and labor unions affected by the GATT talks. As a result, Clinton aides feel they would have advance notice if the U.S. strikes a deal Mr. Clinton would find objectionable.

Moreover, if Mr. Clinton had visibly intervened, he could be blamed for a failure of the talks. During the campaign, Republicans intimated that Clinton aides were trying to hold up an agreement; the Clinton camp vehemently denied that.

Now Clinton aides are starting to plan how to unravel the GATT mess once they take office. Another item on the Clinton trade agenda: whether to arrange a meeting with Mexican President Carlos Salinas de Gortari before the inauguration. The Mexicans have been itching to start talks on side deals on the environment and other matters related to the North American Free Trade Agreement.

0066

(**8067** - 1 - 1

발신 1과
통 제

외 무 부

종 별 :

번 호 : ECW-1575   일 시 : 92 1214 1700

수 신 : 장관 (통삼,구일,미일,통기,기정동문)

발 신 : 주 EC 대사   사본: 주미, 카나다새사(필)

제 목 : 미.EC 정상회담

　　1. 90.11. 채택한 미.EC 대서양 선언에 의거, 연례적으로 2회 개최되는 미.EC 정상회담이오는 12.18(금) 워싱턴에서 개최될 예정임

　　2. EC 측에서는 의장국 영국의 MAJOR 수상과, DELORS 집행위원장이 참석하며, 금번회담에서는 UR 협상, 미.EC 통상관계등 양자문제, 유고사태, 소말리아, 동구및 러시아 문제등 국제정세등에 대해 논의할예정임

　　3. 한편, 카나다.EC 간 정례 정상회담도 12.17(목)오타와에서 개최되어, UR 협상, 어업문제등 양자현안, 유고사태등 국제문제등에 대해논의할 예정임. 끝

　　(대사 권동만-국장)

통상국   미주국   구주국   통상국   안기부

PAGE 1

외 무 부

종 별 :

번 호 : FRW-2570

일 시 : 92 1214 1750

수 신 : 장관(봉기,통상,경일,경기원,농수산부,상공부),사본:주EC,제네바대사-필

발 신 : 주 불 대사

제 목 : UR 협상동향

연:FRW-2544

최근 UR 협상 동향 관련,12.14 조환복 참사관이 외무성 경제재정국 DENIS SIMONNEAU UR 담당관과 면담한내용 아래 보고함.

1. UR 협상 전망

가. 12 월중 협상시간이 10 여일 정도 밖에 없음에 따라 UR 협상은 년말 이전에 POLITICAL PACKAGE 에도 합의하기 어려울 것이라는 것이 불정부 협상팀의 일반적 관측이자 희망이며, 최근 일본, 한국, 카나다는 물론 미국측으로 부터도 UR 협상의 조기타결 의사를 의심케하는 일련의 조짐을 느끼고 있음.

나. 불란서 고위층은 UR 협상의 타결시점이 가능한 지연되기를 바라고 있으며 12.20. 종료되는 금년도 의회 회기 이전에 UR 협상이 재차 정치 이슈화되는 것은 바라지 않고 있음. 개인적 견해로서 현정부는 명년도 국회의원 선거시기(1 차투표 3 월 21 일,2 차투표 3 월 28 일 예정)와 의회 소집(4.2) 이전에 UR 협상이 타결되는 것을 가장 바람직하게 생각할 것인 바, 이는 UR 협상결과 수락에 대한 정치적 부담을 신정부 (야당집권 예상)에 남겨주기 위한 목적임. 현 야당연합 세력내에서 RPR 은 농산물분야 희생을 통한 UR 타결에 반대하는 반면, UDF 와UDC 는 협상의 조기 타결을 희망하는 비교적 진보적 입장을 유지하고 있음.

다. 한편, 불란서는 기존 DUNKEL 보고서 내용의 수정을 위한 TRACK 4 의 개방을 희망하고 있는바 (EC 국가중 영국, 독일, 덴마크, 화란은 반대, 여타 상당수 국가는 어느정도 불입장 동조), 이는 보조금등 불측 희망분야의 이해를 반영키 위한 목적도 있으나 TRACK 4 개방시 UR 협상의 타결시점이 전반적으로 지연될 것이라는 정치적 계산도 있다고 봄.

2. 미.EC 농산물 타협안

통상국	장관	차관	2차보	경제국	통상국	분석관	정와대	안기부
경기원	농수부	상공부						

PAGE 1

92.12.15 04:54

외신 2과 통제관 FR

0068

가. 불란서는 12.7 EC 외무.농업장관 합동회의시 미.EC 타협안과 CAP 개혁내용간 양립불가 입장에 대해 상당수 국가가 적극적으로 동조입장을 표한 성과에 만족하고 있으며, 금번 EC 농업이사회에서 연호 불측 설문서에 대한 구체적 토의시(12.15. 오후 예정) 이러한 입장이 계속 견지될 것으로 기대함.

나. 불란서의 이러한 공세적 입장에도 불구하고 EC 집행위가 미국과 재협상을 하거나 CAP 개혁과의 양립불가를 인정하지는 않을 것으로 전망됨에 따라, UR 여타분야 협상이 불측 기대에 어느정도 부응하게 타결될수 있다면 불측은 결국 미.EC 농산물 타협내용을 수락하게 될것으로 전망하며, 극단적인 경우를 제외하고는 불란서가 VETO 권을 행사하지는 않을 것으로 봄.

다. 불란서의 강경입장은 여타 회원국들로 하여금 미.EC 타협내용이 기본적으로 향후 유럽 농업에 예상 이상의 부담을 줄것이라는 점을 확인시키는 한편, UR 협상이 농산물 분야에 지나친 비중이 주어지는 것을 방지하면서 여타 협상분야 에서 미국 양보의 당위성을 EC 내 제고시킬 것으로 기대함.

3. 불란서의 중점 협상분야

0 불란서는 농산물 분야 희생에 대한 보상은 시장접근, 써비스 분야 뿐아니라 보조금 (연구개발 분야를 그린박스에 포함)과 분쟁해결 (미국의 봉상 보복조치는 모든 다자간 절차가 소진된 이후에 고려한다는 법적 약속) 분야에서 필히 이루어져야 한다고 봄.

0 상기중 보조금 분야는 미국 신정부가 기술개발을 주요 경제정책의 하나로서 천명하고 있음에 비추어 타협가능성이 어느정도 있다고 보나, 후자의 경우 미국의 유보적 입장에도 불구하고 불측으로서는 UR 협상 결과의 대국민 설득을 위해 정치적으로 매우 중요한 사안임.

4. 연호 12.7 EC 외무.농업장관 회담시 불측이 배포한 설문서 및 메모란덤은 FAX 편 송부함.

첨부:FRW(F)-0049. 끝.

(대사 노영찬-국장)

예고:93.6.30. 까지

PAGE 2

이시

주   대   사   관

FRW(F) : 0049 2/   1740

수 신 : 장   관(통상, 경일, 경기원, 농수산부, 상공부) 사본: 주EC, 제네바 대사

발 신 : 주불대사

제 목 : " 청부물 "   (출 처 :   )

총 /3매)

0070

MEMORANDUM FRANCAIS S[...]S SUJETS NON AGRICOLES DU CYCLE D'URUGUAY.

Le Conseil des Ministres du 23 [...]bre 1991 a jugé le projet d'accord final présenté par M. Dunkel globalement déséquilibr[...]mandé à la Commission "de négocier les améliorations qu'il est nécessaire d'y apporter", e[...]blé les Etats-unis et le Japon à de "réels efforts".

Au moment où les négociations rep[...]nt à Genève de manière active sur l'ensemble des sujets du cycle, la délégation française [...]te appeler l'attention de la Commission et des Etats membres sur la nécessité de parve[...]ur les dossiers non agricoles à un accord conforme aux objectifs de négociation de la Com[...]té.

A cette fin, la Communauté devra [...]rir, chaque fois qu'il sera nécessaire, aux possibilités ouvertes par le programme de trav[...]quatre "voies" convenu à Genève, sans limiter a priori le champ de la "voie IV".

La Communauté, dans cette étape [...]doit conduire à un accord global et équilibré, doit se concentrer dans les prochaines se[...]s sur les points essentiels pour ses intérêts et viser à obtenir des concessions tant de la p[...]s Etats-Unis que des autres partenaires commerciaux.

1. Règlement des différends et unila[...]ine.

Les enjeux en matière de règle[...]des différends sont fondamentaux pour les intérêts communautaires. Plus efficace, le s[...]e doit rester équitable.

De ce point de vue, les autorités fra[...]s relèvent que :

- les raisonnements tenus p[...]groupes spéciaux dans deux panels récents n'ont pu être acceptés par la Commu[...] : les analyses relatives à la compatibilité avec le GATT de la garantie de change a[...]ée par le gouvernement allemand dans le cadre de la privatisation de Deutsche A[...]remettant en cause certains des fondements mêmes du Traité de Rome et des p[...]s du fonctionnement de la Communauté ; la non-prise en compte des données éco[...]ues présentées par la Communauté dans le contentieux oléagineux a confirmé la dé[...]rogressive du GATT vers une approche exclusivement juridique.

Il est légitime de s'interrog[...]l'issue et sur les conséquences qu'aurait eu pour les intérêts de la Communauté l[...]ssus de règlement des différends dans chacun de ces deux cas, s'il avait été cond[...]elon le mécanisme automatique et contraignant prévu dans les textes en discussion[...]

- le maintien du consensus [...]re parmi les objectifs de négociation arrêtés par la Communauté en 1986 (conc[...]d'ensemble du 18 juin 1986).

- le ralliement par la Commu[...]au mécanisme quasi-juridictionnel souhaité par certains partenaires a été présenté c[...]indispensable pour que les Etats-Unis acceptent de négocier sur l'unilatéralism[...]o système multilatéral devenant automatique et contraignant, tombait la jus[...]on traditionnellement avancée par les Etats-Unis en défense des mesures unilatér[...]elle de l'inefficacité du mécanisme multilatéral.

Sur ce dernier point, le projet d'acco[...]l n'apporte aucune réponse satisfaisante aux attentes de la Communauté, qui devrait se ré[...]e à l'abandon du consensus, sans obtenir satisfaction sur l'encadrement des dispositifs unil[...]ux :

- l'engagement de "meilleur[...]rts" relatif à la mise en conformité des législations nationales avec le GATT n'i[...]e aucune contrainte juridique au partenaire américain, qui pourra maintenir en l'éta[...]arsenal commercial, voire le renforcer. On notera à ce sujet que des engagement[...]traignants de mise en conformité des législations nationales ont été acceptés p[...]signataires de cinq codes issus du Tokyo Round (dont

0071

-2-

ceux relatifs aux subven████ot à l'anti-dumping). Ces engagements n'ont aucun
équivalent comparable dan████projet d'accord final, alors même que l'objectif poursuivi
depuis 1986 est de renforc████crédibilité du système commercial multilatéral.

- l'engagement de se conf████aux règles et procédures multilatérales (Article 21 de la
Section relative au règlem████es différends du document Dunkel) n'empêchera pas la
publication d'une liste de ████ons, au titre par exemple de la Section 301 américaine,
dont l'efficacité n'a plus ████émontrée. Il est préoccupant, à ce propos, d'entendre le
Directeur Général du GAT████mer dans des réunions informelles que les menaces de
sanctions ne sont pas, en ████e telles, répréhensibles.

- le projet d'accord final ne ████ent aucune disposition incitant les Parties Contractantes
à se conformer pleinement ████prit et à la lettre de l'article 21 évoqué ci-dessus. Le non
respect de ces ongagemen████pourrait-il être sanctionné par un panel, au motif qu'il
compromet un avantage ré████e l'Accord Général ou la réalisation d'un objectif de cet
accord (renforcement du s████e multilatéral) ? Devrait-il être sanctionné par un retour
automatique à la règle du c████sus pour le différend concerné ?

L'appréciation du négociateur com████utaire sur tous ces points serait particulièrement utile à
ce stade de la négociation, ainsi qu████at précis des discussions en cours sur ces sujets.

Les efforts de la Commission pour ████ir à un accord conforme aux intérêts de la Communauté
en matière de règlement des différ████oivent être soutenus. Cet objectif pourrait être poursuivi
sous plusieurs formes :

- un engagement juridiq████nt clair et contraignant de mise en conformité des
législations commerciales n████les avec les accords conclus au GATT, dont le modèle
peut être recherché dans le ████édents de 1979 évoqués ci-dessus;

- l'emprunt à l'article 219 ████rité de Rome de la rédaction suivante : "Les Parties
s'engagent à ne pas soum████un différend relatif à l'interprétation ou à l'application du
présent Accord à un mode ████lement autre que ceux prévus par celui-ci".

- l'ajout à l'article 21-1 de ████ction sur le règlement des différends de la mention ",
l'exclusion de toute action ████au titre de leurs législations nationales, qui ne serait pas
conforme avec leurs eng████ents multilatéraux", pourrait utilement compléter ces
dispositions.

En cas d'échec, la Communauté s████ondée à demander le retour au statu quo en matière de
règlement des différends.

2. Subventions.

a. Appréciation générale.

La Commission a indiqué, dans l'a████ du projet d'accord final transmise aux Etats membres en
février dernier, que :

" *des divergences, parfois* ████ *uées, subsistent sur toute une série d'autres points [sur*
lesquels] le texte reflète le ████ *gement du Président sur ce qu'il considère, en l'absence*
d'accord entre les négocia ████ *comme une base de compromis possible".*

Elle estime que ce projet, de manié ████nérale :

"*présente encore un dése* ████ *re entre les dispositions relatives au renforcement des*
disciplines [...] et la liste ve ████ "

Les autorités françaises partagent ████ appréciation générale, ainsi que l'avis de la Commission
sur plusieurs des dispositions cent████de ce projet d'accord.

0072

·3·

b. Points particuliers.

S'agissant des définitions, la Co[...]sion porte un jugement réservé sur celle du préjudice sérieux, qui conduirait, de fait, à [...]r plus facilement l'existence d'un tel préjudice, la simple observation de déplacements des [...]ants d'échanges suffisant par exemple à faire naître le risque de préjudice sérieux.

La liste verte est jugée par la Com[...]ion *"inférieure aux attentes"* de la Communauté sur deux points : nombre des catégories, [...]contenu des catégories. Pour la délégation française, l'inclusion des aides au dévelop[...]nt (comprenant la conception et le développement de prototypes et de procédés) devrait [...] figure de priorité pour un élargissement indispensable de la liste verte, ainsi que celle des a[...] la restructuration. Le relèvement du plafond des aides à la recherche appliquée contribuera [...]loment à préserver les programmes de recherche mis en oeuvre au plan européen.

La délégation française réaffirme s[...]ttachement à l'existence de la liste verte (article 8), qui offre une sécurité juridique utile, [...]ue relative. L'article 9 permet en effet de contester des aides conformes à la liste verte [...] processus pouvant aller jusqu'à des "contre-mesures appropriées". La délégation franç[...]stime indispensable de clarifier les conditions (mode de décision) dans lesquelles le Comité [...] subventions procédera à l'examen de la demande visant une aide conforme à la liste verte, [...]mmandera des actions, et autorisera des contre-mesures. En dépend, à l'évidence, la réalité d[...] protection apportée par la liste verte.

Le pourcentage de subventionnem[...] dans l'article 6.1 (dit *"seuil de préjudice sérieux"*) est *"inacceptablement bas (5 %)"*, esti[...]uste titre la Commission.

Sur tous ces points, la délégation [...]aise encourage la Commission à maintenir une attitude ambitieuse et ferme dans la négocia[...] pour améliorer le projet d'accord.

c. La question centrale du [...]p d'application.

L'exclusion de l'aéronautique civile [...] l'agriculture du champ d'application de l'accord, qui est liée à la conclusion d'accords et [...] définition de règles spécifiques à ces secteurs, *"devra encore être obtenue de nos parte[...] dans les négociations"*, a estimé la Commission avec raison.

Il s'agit d'un enjeu central de ce [...]sier. Très déséquilibré au détriment des positions de négociation et des intérêts commu[...]ires, le projet d'accord sur les subventions ne pourrait être accepté s'il devait s'appliquer à [...]iculture, ou à l'aéronautique civile.

L'exclusion de la couverture de l'ac[...]des secteurs faisant l'objet de disciplines spécifiques est indispensable. Elle pourrait être [...]enue par l'ajout d'un article 32, intitulé "champ d'application", qui devrait tout à la f[...]

- énoncer le principe selon l[...]les dispositions d'un accord ou arrangement multilatéral instaurant des disciplines s[...]ques pour un secteur particulier prévaudront sur celles contenues dans l'accord sur [...]ubventions.

- préciser que, pour les sect[...] pour lesquels la négociation et la définition de disciplines spécifiques est en cours, l'a[...]d sur les subventions ne s'applique pas (les disciplines convenues en 1979 continu[...] régir ce secteur).

- établir que, lorsqu'un ense[...] de règles spécifiques à un secteur a été défini et mis en application pour une pério[...]née, il appartiendra aux Parties Contractantes au terme de cette période de définir [...]ouveau régime applicable à ce secteur, les disciplines générales sur les subventio[...]e pouvant être applicables que si toutes les parties à l'accord spécifique venu à ex[...]on en conviennent ainsi.

En l'absence de telles dispositions, l[...]mmunauté courrait un double risque.

-4-

Celui de devoir conclure les négoc... es sectorielles (aéronautique, acier, construction navale, notamment) en mauvaise position. ...us des conditions posées par certains partenaires serait en effet très difficile, puisqu'il cond... à l'échec de la négociation, et à l'application au secteur considéré des disciplines générales ...

Celui d'avoir à négocier, le cas éc... la reconduction des régimes spécifiques mis en place pour une période donnée dans des c...tions non moins défavorables, pour les mêmes raisons.

3. Services.

Les autorités françaises souhaitent, ... stade de la négociation services, que la position de la Communauté s'articule autour des t...oints suivants :

a - Nécessité d'amend... rojet d'Accord Cadre.

La France exige la reconnaissance ... la spécificité culturelle, via l'insertion d'une nouvelle exception à l'article XIV du Projet d...ord Cadre. Cet article prévoit déjà un grand nombre de dérogations et est en cours de re...ment sur les questions fiscales. La Communauté peut compter sur l'appui de la plupart de... s européens, du Canada, de l'Australie et de nombreux P.E.D. (dont l'Inde et le Brésil). ...que selon lequel des P.E.D. pourraient utiliser cette exemption pour vider l'Accord de s...ontenu n'a pas été démontré par la Commission. Il est clair également que ce secteur ne ...rait servir de monnaie d'échange dans la suite de la négociation.

La France demande à la Commissio... veiller à obtenir l'introduction d'une annexe sectorielle pour le transport maritime, s'inspira... document déposé par les pays nordiques fin 1990, afin de mettre fin à la dérogation qu'on...nue les Etats-Unis dans leur protocole d'accession au GATT en 1947.

b - Prise en compte de ...es homogènes pour l'évaluation des offres.

A la parution du document Dunke... Commission avait émis des réserves et indiqué que le Projet d'Accord Cadre ne pourrait ... évalué "qu'à la lumière du processus d'offres et de demandes".

Vraisemblablement, trois des princip...bjectifs initiaux de la Communauté - à savoir l'obtention dans le corps même de l'Accord ... d'une clause de statu quo, d'une référence à une obligation d'accès effectif au march... d'une règle d'applicabilité directe aux entités fédérées - ne pourront être atteints en raison ... onsensus qui semble maintenant se dégager autour du projet Dunkel.

En conséquence, la France souhaite ...e la Commission prenne l'engagement formel d'inclure ces trois objectifs précités dans la ... de critères d'évaluation des offres et procède à une évaluation des offres à partir de cett... e.

En effet, le niveau de consolidation ... offres qui est trop souvent inférieur à un simple "statu quo" et aux attentes légitimes de la ...munauté donne pourtant toute son actualité à l'objectif de statu quo. De même, l'étendue d...uvoirs réglementaires des états fédérés, notamment en matière financière, justifie-t-elle tou... le souhait d'une applicabilité directe de l'Accord aux entités fédérées. Quant à la référen... un critère d'accès effectif au marché, l'importance des pratiques dites "non discriminatoires ... osées aux entreprises de services dans leurs tentatives d'accès aux marchés tiers en démon... pertinence.

Parmi ces critères devraient figurer ... r chacun des secteurs ou, le cas échéant, des sous-secteurs concernés :

- le niveau de consolidation ... en distinguant explicitement trois rubriques minimales : inférieur au statu quo, simple... égal au statu quo, supérieur au statu quo (libéralisation effective) ;

- l'ampleur des entorses au...tement national en répertoriant chacune des mesures discriminatoires persistantes,

·5·

- lo degró d'accós offectl...   ...narchó en précisant les pratiques non discriminatoires ...
vigueur,

- l'existence ou l'absence ...   ...gemonts pris au nom des états fédórós,

- le reconsement des claus...   ...réciprocité existant choz nos partenaires.

La France co rósorvo enfin le dro... ...rovoir la liste de sos domandes de dórogation à la clause NPF on fonction de l'évaluation ...ra falte des engagomonts initiaux à l'issue du processus d'offres et de demandos qui pour... ...nt n'est ni terminé ni satisfaisant.

c · Róvision de l'offre com...autaire.

La France ostime qu'en raison du ...uilibro des ongagomonts, la Communauté no peut aller au delà de son offre actuello. L Comm...té ne doit pas abandonnor les clauses de réciprocité, tant que los entreprises de la Comm...é ne bénéficient pas de garentie d'accès offectif aux marchós des pays tiers, ou tout ...ns de nos principaux partenaires.

Do manière générale, la levée ... ...rogations américaines no devrait faire l'objet d'aucune "concession" communautairo.

La France ostime particulièrem... ...opportun de prendre un engagement en matière de subvontions tant que los négocia... ...prévues à l'article XV du projet d'Accord Cadre n'auront pas débouché sur l'instauration d... ...de particulier aux sorvices.

Pour les transports aériens, il ... ...lou d'exclure de l'offre communautaire les Systèmes Informatisés do Réservation (S.I.R... ...urtant couverts par l'Annexe, puisque los Etats Unis eux môme demandent une exclusion s...ble.

Do môme, en matièro de serv... ...financiers, le déséquilibre institutionnel causé par la coexistence ontre uno annexe sec... ...o peu contraignante, commune à l'ensemble dos Parties, et un Mémorandum beaucoup plus ...faisant mais purement optionnel, doit-il être comblé par la qualité dos offres déposées. Les d...tés d'accès au marché américain devront être soulignées ot constituer un élément de la nég...n.

Soctoriellement enfin, une améllor... ...de l'offre do la Communauté et de sos Etats membres sur les sorvices maritimos auxiliaire... ...les professions médicales ot para-médicales doit être conditionnée à l'assuranco d'obte... ...s ongagements substantiols de nos partenaires dans les mômes domaines. Les sorvices do... ...monts spatiaux doivent on outro être retirés de l'offre. Un accord équilibré sera rechorché a... ...s Etats Unis on matière do télécommunication en tenant compte du déséquilibre actuol ... ...matière d'accès au détriment des entreprises do la Communauté.

4. Accès aux marchés.

La Communauté ost bien armée p... ...fondre sos intérôts sur les volets tarifaire et non tarifaire :

- une fois acceptée l'app... ...par échanges d'offres et do demandes, après quatre années d'opposition avec ...ats·Unis sur la móthodo, la Communauté a présenté au partenairo américain uno o...conforme à l'objectif do Montréal ; pour l'égaler, les Etats Unis en appellent au doub... ...o, qui exigerait dos réductions de droits supplémontaires de la part de la Commu..., au risquo de crouser oncoro l'écart ontre los offres respectivos.

- la réduction des pics tarif... ...domeuro une priorité pour la CEE, qui ne maintient aucun droit supérieur à 22 %, qu... ...ar exemple los Etats-Unis comptent dans lour tarif plus do 150 pics consolidés entre ...58,6 %, ou l'Australie plus de 300 pics non consolidés (30 à 75 %) et plus de 18...colidés (26 à 60 %). Cot objectif doit être poursuivi. Mais des rósultats sur co volet ...couvent être acquis au prix d'une remise en cause dos positions de négociation ...intérôts de la Communauté. Ainsi, le refus de certains partenairos de renoncor à ...ivoaux tarifaires suffisamment protectours (une réduction do 50 % d'un pic laisse ...place un droit élevé le plus souvont) doit confortor la

0075

·6·

Communauté dans sa déte...ation à maintenir les exceptions qui s'imposent dans les secteurs les plus sensibles ...tien du droit actuel, ou réduction limitée).

- l'exercice de suppressio... ...proque des droits dans certains secteurs (double zéro) n'est utile pour la Commu... ...que s'il sert directement les intérêts des Etats membres, en particulier dans les sect... ...es plus vulnérables de la Communauté, où les niveaux de droits convenus à Bruxe... ...doivent être préservés, et ne profite pas à d'autres partenaires commerciaux ... ...n'ont pas fait, jusqu'à présent du moins, des efforts suffisants pour assurer le s... ...du cycle.

- à l'égard des pays en dé... ...bement, et tout particulièrement des NPI, la pression doit s'exercer car il y a des en... ...nportants et des difficultés réelles (marchés en expansion rapide, permanence d'obst... ...tarifaires et non tarifaires, taux de consolidation souvent faibles). Ces partenaires de... ...contribuer au résultat équilibré souhaité par tous.

- dans le même temps, ...ommunauté doit maintenir sa pression sur le volet non tarifaire, où les résultats re... ...semble-t-il, très limités.

Les autorités françaises demand... ...la Commission de tenir les Etats-membres étroitement informés de l'évolution de la négo... ...n, afin que les positions communautaires soient, dans la phase ultime de la négociation, fin... ...s en plein accord avec les Etats-membres.

5. Textile-habillement.

Sur le dossier textile-habillement, l... ...torités françaises considèrent qu'il convient d'améliorer le dispositif externe de la Communau... ...demandent une gestion interne beaucoup plus efficace.

Le dispositif externe doit être ferm... ...amélioré sur deux points :

   a. Les marchés des pay... ...doivent s'ouvrir dans le même temps que le marché communautaire.

Le document proposé par le Dire... ...Général du GATT sur le textile est incomplet : s'il précise bien le calendrier de réintégration... ...échanges de textiles et d'habillement au sein des règles générales du GATT, il ne mention... ...les obligations qui en découlent pour les pays considérés comme exportateurs, notamment... ...qui concerne l'ouverture de leurs propres marchés, alors que la réciprocité dans les échan... ...t être un des éléments essentiels du dispositif à mettre en oeuvre à l'issue des négociations.

A cet effet, les engagements d'o... ...ure des marchés des pays tiers, étape par étape, doivent être clairement définis, pour l'ense... ...de la période transitoire, tant en ce qui concerne l'aspect tarifaire que l'aspect non tarifaire.

   b. Une insistance particul... ...oit être mise sur les conditions de commerce loyales.

La Communauté doit pouvoir faire... ...ve de vigilance quant au respect des engagements figurant à l'article 7 paragraphe (ii... ...ocument, notamment en ce qui concerne les importations de la Communauté.

Les procédures communautaires d... ...e contre le dumping et les subventions devront être appliquées de manière efficace.

Les manquements aux obligation... ...matière de respect de la propriété intellectuelle devront pouvoir faire l'objet de sanctions... ...opriées selon des modalités conformes aux résultats de la négociation sur les aspects des d... ...de propriété intellectuelle qui touchent au commerce et aux procédures de règlement des diffé...

Il va de soi que ces indispensabl... ...méliorations du volet extérieur ne peuvent être dissociées d'une plus grande efficacité sur l... ...tion interne du dispositif de l'accord par la Communauté amélioration du processus de m... ...n oeuvre de la clause de sauvegarde, gestion stricte des "sorties de panier", surveillance a... ...e de l'origine.

Ces diverses améliorations sont, ...la France, la contrepartie indispensable, dans le contexte économique actuel, aux ouvertur... ...vues dans le volet économique du projet d'accord final.

0076

-7-

6. Entités subfédérales.

L'équilibre de l'accord final, to... ...utant que celui des droits et obligations entre Parties Contractantes auquel la Commun... est attaché, dépendra de la nature et de la portée des engagements pris par les Etats ...ructure fédérale. Il importe en effet que les règles et disciplines multilatérales s'appliqu... aux organismes publics du ressort territorial des signataires aux différents échelons sub-fédéra...

7. Propriété intellectuelle.

Le projet d'accord final sur ce su... ...onstitue un ensemble globalement satisfaisant, les pays développés, qui poursuivaient ...objectifs convergents à l'égard des partenaires en développement, ayant rempli la plu... de leurs objectifs sur le volet Nord-Sud.

Les déceptions sont, en revanche, ...s sur le volet Nord-Nord.

La Communauté n'a rien obtenu s... ...s droits moraux des auteurs, alors même que les Etats-Unis sont signataires de la Conve... ...de Berne, et qu'il leur était demandé de confirmer les engagements qu'ils ont pris - mais ...liquent pas - dans le cadre de cette Convention.

Des facilités devraient par ailleur... ...recherchées au profit des travailleurs intellectuels et artistiques.

En dépit des efforts déployés par le ...ociateur communautaire, le résultat est décevant sur les appellations d'origine. Le projet d... ...rd ne prévoyent pas le démantèlement progressif des usurpations anciennes, qui sont ...cisément les plus dommageables pour les intérêts communautaires, son application ...permettra pas d'apporter la réponse nécessaire aux difficultés actuelles. L'objectif de la ...mmunauté doit demeurer, dans ces conditions, d'inclure dans le projet d'accord le principe ... tel démantèlement, dont les modalités pourraient être négociées dans le cadre du GATT o... ...manière bilatérale entre partenaires concernés.

8. Examen juridique du projet d'acc... ...nal.

Les autorités françaises relèvent que ...ia III, ouverte pour procéder au "peignage juridique" du projet d'accord, est utilisée égale... ...t pour débattre de sujets de substance, d'une portée politique parfois majeure, qui relèver... ...la voie IV.

Elles demandent à la Commission ...maintenir les Etats membres étroitement informés des négociations en cours, notamment ...r le système intégré de règlement des différends, l'Organisation Mondiale du Commerc... ...environnement.

0077

Paris, le 7 décembre 1992

NOTE DE LA DÉLÉGATION FRANÇAISE

OBJET : Volet agricole de la négociation GATT et réforme de la PAC/
Observations sur la communication de la Commission (SEC (92) 2267
final du 25.11.92)

. . . . .

1 - La communication de la Commission confirme sur de nombreux points les
différents extraits de ses documents antérieurs, qui avaient fait l'objet
d'observations de la France dans la "Note de la délégation française" du
13.11.92. Elle appelle donc d'abord les mêmes remarques, notamment sur les
sujets suivants :

- Produits non couverts par la réforme de la PAC :

La Commission indique que ces produits feront l'objet de
propositions de réforme "dont l'un des objets sera bien entendu de mettre
leurs organisations de marché en harmonie avec les conclusions d'un accord au
GATT".

La Commission répond ainsi à la première question posée par la
délégation française, qui souhaitait savoir si les engagements envisagés au
GATT pourraient être tenus dans le cadre des réglements existants ou s'ils
appelleraient de nouvelles mesures. Pour ces productions au moins, c'est donc
la négociation internationale qui orienterait les réformes internes.

En revanche, la Commission ne répond pas, à ce stade, à la seconde
demande de la France (au cas où ces engagements appelleraient de nouvelles
mesures "il conviendrait a minima que le Conseil soit éclairé sur celles-ci,
de manière à pouvoir apprécier correctement la portée des engagements qui lui
seraient proposés dans le cadre du GATT")

Quand sera-t-elle en état d'indiquer au Conseil ce que devraient
être ces mesures ?

- Viande bovine :

La Commission indique que "le surplus exportable, à la fin des six
ans, sera supérieur au volume d'exportation autorisé". C'est ce qu'indiquait
la note de la délégation française : les engagements envisagés au GATT vont
au-delà des résultats de la réforme.

- Céréales :

La délégation française indiquait que l'estimation détaillée
fournie par la Commission reposait sur trois groupes d'hypothèses :

0078

· 2 ·

. inexactes en ma███e d'accès minimum ; nous y reviend███
ultérieurement (1):

. contestables e███atière de gel de terres, puisqu'e███
retenaient pour l'obligation d███ un taux constant de 15 %, alors que c███
taux avait été présenté par la ███ssion et approuvé par le Conseil comme un
taux justifié la première anné███ par la nécessité de réduire les stocks e███
modulable par la suite.

La communica███ de la Commission ne donne plus aucune
indication sur ce point. La Co███ssion peut-elle indiquer au Conseil le taux
de gel obligatoire sur leque███ ███ppuie ses nouvelles prévisions ?

. très fragiles pou███ qui concerne l'effet de la baisse du prix
d'intervention sur les rend███ céréales et sur la conso███tion intérieure
de céréales.

La Commissio███ répond pas à cette observation. El███
fournit en revanche, à l'appui ███ses affirmations, de nouveaux chiffres qui
ne peuvent que conforter le ███timent que ses calculs sont totale███
aléatoires.

Pourrait-elle expli███ en particulier sur quelles bases :

. elle envis███ un scénario dans lequel le rendem███
augmenterait de 1 % par an, al███que ses estimations antérieures annonça██t
une baisse (l'écart entre les d███ à terme de 5 ans, est d'environ 8 millions
de T.) ;

. elle prévo███ ██e la consommation intérieure de céré███
augmentera de 12 millions de T███ ███oit un écart de + 10 % par rapport à se███
prévisions antérieures (8 milli███ de T.).

Dans ces conditions ███ délégation française ne peut que maint███
ses observations précédentes.

· Porc et volailles ███

Dans son document d███ (aval) sur les incidences financières de la
réforme de la PAC (2) la Commi███n prévoyait la suppression des restitu██ns
pour la viande porcine et le███ ███fs et volailles dès lors que la baisse du
prix d'intervention des céréa███ ███rait été achevée.

Elle indique maint███nt dans sa communication que la baisse du
prix des céréales devrait pe███tre d'exporter une "forte part" de ce███
produits sans restitution.

. . . .

(1) cf. ci-après § III - Accès ███ mum, p. 5.

(2) VI/405/91 REV 1 du 8/7/92 ███6 au rapport 9188/92 du groupe Agrifin.

0.073

- 3 -

En l'absence d'in   tions plus précises et plus stables
délégation française ne peut q   intenir son appréciation antérieure, selon
laquelle "la part de l'alime   ion dans le coût de production est trop
importante pour que l'on puisse   dérer exporter sans restitution, sauf en cas
de dispersition des restitution   ulières elles-mêmes (1)". Ce qui implique
que les limitations en volume   exportations s'appliqueront généralement à
ces produits, avec les conséqu   déjà décrites dans notre précédente note.

* * *

II · La communication de la   mission apporte par ailleurs des éléments
nouveaux sur des points qui   ait fait l'objet d'observations de la
délégation française.

- Oléagineux :

Une partie des   ervations antérieures de la France
s'appliquent plus aux éléme   convenus entre les négociateurs de la
Commission et l'administration   ricaine, éléments qui répondent mieux que
ceux envisagés auparavant aux   êts de la Communauté. Il reste que :

. Un taux de   spécifique et permanent pour les seuls
oléagineux n'est pas conforme à   réforme de la PAC.

. Il en va d   me pour le plafonnement des possibilités de
jachère à usage industriel.

- Produits laitiers

La Commission indi   que l'équilibre "exportations plafonnées en
volume/importations -notamment   titre de l'accès minimum-/production" fait
apparaître un problème (i.e.   surplus) de 3 à 3,6 millions de T.
d'équivalent-lait, soit 3 à 3,6   du quota communautaire.

Cette estimation   correspond pas à celle qu'a pu faire la
délégation française sur la   ase des chiffres déjà publiés par la
Commission (2) et appelle une v   fication.

Par ailleurs, la   mission indique que le règlement de ce
problème ne devrait pas présent   de difficultés sérieuses, grâce au cumul

----

(1) Auquel cas les limitations   volume ne s'appliqueraient pas non plus aux
exportations de céréales   n peut donc supposer que telle n'est pas
l'hypothèse de la Commiss   compte tenu des éléments qu'elle fournit
pour le secteur céréalier.

(2) Notamment pour ce qui conc   l'accès minimum (beurre et poudre) et le
niveau actuel des exportati   (supérieur d'au moins 1,6 millions de T. au
chiffre retenu dans la comm   cation de la Commission).

0080

. 4 .

. du régle___ du problème laitier espagnol et ital____
aucune décision sur la situa____ italienne n'a, à ce jour, été prise pa___
Conseil) ;

. de l'au___tation de la consommation intérieur___
fromages et de produits frais ___ 1991, dans ses propositions sur la réfor___
de la PAC, la Commission ind___it que, dans la meilleure des hypothèses, ___
consommation intérieure de ___duits laitiers resterait stable à ___yen
terme (1). La Commission peu___ a communiquer au Conseil les éléments qui
l'ont conduite à rectifier se___évisions ?

· Céréales :

la délégation fra___se avait signalé, dans sa note antérieure
que tout engagement en v___ spécifique par céréale risquait ___
incompatible avec la réforme ___uf dans le cas, peu probable, où l'évolut___
céréale par céréale après r___me respecterait la structure de produc___
antérieure.

la Commission ind___e dans sa communication que les engagements à
l'exportation sont définis p___uit par produit et qu'ils conduisent à un
volume maximal exportable, to___ céréales, de 23,4 millions de T. à terme de
six ans.

Peut-elle précise___ Conseil____

. si la nomenclat___ de produits retenue agrège les céréales ou au
contraire les distingue, comm___ns le cas des produits laitiers ?

. dans la sec___ hypothèse, comment elle envisage __
compatibilité des engagements ___ céréale et des résultats de la réforme de la
PAC ?

* * *

III · la communication de la ___mmission apporte enfin des éléments nouveaux
sur quatre sujets qui n'avaie___ as fait l'objet de remarques spécifiques dans
la note antérieure de la délé___on française.

· Accès minimum :

les indications ___nnées par la Commission appellent trois
questions essentielles et qu___ de complémentaires :

· la Commission ___que que la clause d'accès minimum cond___a
l'ouverture de contingents t___aires sur le blé, les viandes, la poudre de
lait écrémé, le beurre, les f___ges, les oeufs.

Sur quoi se fon___t-elle pour prévoir que la clause d'accès
minimum n'aura d'effet que p___ ces produits ? les éléments sur lesquels elle
se fonde font-ils l'objet d'u___ccord à Genève avec le Secrétariat du GATT ___
les autres parties contractan___ ?

....

(1) Document COM (91) 258 fi___ __u 12.7.91

0081

- 5 -

- Parmi les élé... qui peuvent expliquer en partie les indications précédentes figur... otamment l'agrégation des catégories de produits que la Commission ava... introduite dans ses "listes d'engagements" déposées à Genève.

Cette agrégation ne ... respond pas aux nomenclatures proposées par le Secrétariat du GATT et par ... autres parties contractantes. Par ailleurs l'agrégation proposée pour les ... portations par la Commission n' a pas été retenue dans la discussion avec ... dministration américaine.

Dans ces conditions ... Commission peut-elle indiquer au Conseil :

. quelle est ... probabilité que l'agrégation qu'elle a proposée pour ce qui concerne ... ccès soit maintenue dans la suite de la négociation ?

. quelles c... quences aurait sa disparition pour les différentes O.C.M. (1) ?

- Ces indication... s'expliquent également en partie par l'interprétation que donne l... ommission de la clause d'accès minimum (ouverture d'un contingent tari... re égal à l'écart entre le % minimum et les importations effectives pendant ... période de référence 86/88). C'est cette interprétation qui explique pa... emple que les importations de céréales se limitent à 3 millions de T. ... les prévisions de la Commission, alors qu'elles ont atteint plus de 4. ... illions de T. en 1991/92.

Cette interprétatio... l'accès minimum, qui pourrait se traduire par une diminution des impor... ions, est-elle admise, ou susceptible de l'être, par le Secrétariat du G... et les parties contractantes ?

- Rééquilibrage

La Commission pourr... elle préciser au Conseil ce qu'elle entend par un niveau d'importation de ... stituts "tel qu'il met en danger la mise en oeuvre de la réforme de la PA... dès lors que ses propres prévisions font apparaître que les engagem... envisagés au GATT ne pourraient être compatibles avec la réforme qu... notamment la consommation intérieure de céréales augmentait fortement ... nsidère-t-elle par exemple qu'une évolution des importations de PSC telle q... servée actuellement justifierait la mise en oeuvre de cette clause ?

Pourrait-elle par ... eurs préciser le statut du texte convenu avec les USA au regard des règ... du GATT, ainsi que sa procédure de mise en oeuvre ?

- Soutien interne

La Commission indi... que les aides directes prévues dans la réforme de la PAC sont excluc... l'AMS et ne sont donc soumises à aucun engagement de réduction du sout... dans la mesure où elles sont assises sur des bases (surface, rendement, ... bre d'animaux) fixes.

----

(1) Rappelons, à titre indicati... qu'un raisonnement viande par viande conduit par exemple à un accès mini... de l'ordre de 600 000 T. de porc.

0082

· 6 ·

Cette indication app___ ___ trois questions :

. A quelles autres ___des analogues et dans quelles conditions s'applique cette disposition ? S___lique-t-elle en particulier aux deficiency payments américains que la Comm___uté souhaitait soumettre à obligation de réduction dans sa position de né___iation ?

. Quelle est la d___ de cette disposition ? L'administration américaine a indiqué qu'elle n___lait que pour la durée de l'accord (six ans). Est-ce exact ? La Commi___on peut-elle préciser ce qui pourrait se passer ensuite pour l'ensemble d___ aides ainsi visées ?

. Quelle est la por___ le cette disposition ? S'applique-t-elle de façon générale à toutes les aid___ épendant à la définition, quel qu'en soit le montant, ou seulement dans le ___ite des montants actuellement existants ou prévus ?

· Clause de paix

La Commission indiq___ que les mesures de soutien interne et les aides à l'exportation sont exc___es d'actions au titre de l'article 16 du GATT, dans la mesure où elles ___pectent les clauses de l'accord agricole. C'est sur cette "clause de paix___ que la Commission s'appuie pour affirmer que le projet d'accord consacre la ___atibilité de la PAC avec le GATT.

La Commission peut-___ indiquer au Conseil : quels éléments de cette clause constituent une ___ée par rapport au projet d'accord final agricole (articles 7.3 et 12) q___elle est la durée de cette clause ? Au cas où elle serait limitée à la ___ée de l'accord, la Commission peut-elle préciser ce qui pourrait se ___asser ensuite pour ce qui concerne la compatibilité GATT des règles d___ PAC ?

La Commission indi___ par ailleurs que des actions en droits compensateurs restent possibles ___s sous des conditions qui les rendent peu vraisemblables. Peut-elle donner ___ Conseil les éléments qui lui permettraient de connaître ces conditions, d'___écier leur vraisemblance et de vérifier que la clause de paix ne risque pas ___r ce biais, d'être vidée de sa substance ?

* * *

Cette communication ___elle enfin deux questions générales :

. La Commission p___elle communiquer au Conseil l'ensemble des textes établis avec l'administ___on américaine et que celle-ci semble avoir déjà diffusés ?

. La Commission p___elle indiquer au Conseil quelle est, selon elle, la probabilité que l'ens___e de ces éléments soient acceptés en l'état par les autres parties contr___ntes et ce qui se passerait si d'autres parties contractantes refusaie___ pour elles-mêmes l'application de telle ou telle de ces dispositions ?

0083

외 무 부

종 별 :

번 호 : GVW-2374   일 시 : 92 1215 1800

수 신 : 장관(통기, 경기원, 재무부, 농림수산부, 상공부)

발 신 : 주제네바대사

제 목 : UR/개도국 비공식 그룹회의

　　1. 표제회의가 12.14(월) BENHIMA 의장주재로 개최되었는바, 동 의장은 당일 저녁 던켈 TNC 의장을 만날 예정임을 밝히고 동 면담시 자신이 던켈의장에게 전달할 개도국들의 집단적(COLLECTIVE) 관심사항에 대하여 협의해 줄것을 요청한바, 주요 발언내용은 아래와 같음.

　　O 베네주엘라, 자이레등은 지난 12.10 그린룸회의 협의결과를 금일에야 비로소 알게 되었다고 언급하고 협상의 명료성(TRANSPARENCY)이 제고되어야 할것임을 강조함.

　　O 알젠틴, 콜롬비아, 케냐등은 미.EC 의 합의에 대한 상세 내용이 아직도 밝혀지지 않고 있음을 지적함

　　O 자이레, 이집트등은 미.EC 합의내용을 DFA 에 반영하는 것과 관련, 동 과정에서 명료성이 유지되지 않을 경우 자국의 농업분야 관심사항이 DFA 에 반영되지 않을 가능성이 있음에 우려를 표명함.

　　O 탄자니아는 푼타델 에스테 선언상의 LLDC 에 대한 특별 고려 조항을 상기시키고 LLDC 에 대한 6년 주기의 TPRM 실시에 따르는 어려움 해소, 서비스분야 INITIAL COMMITAMENT 의 어려움 해결 및 LLDC 농산물에 대한 선진국 시장의 무제한 개방의 필요를 주장함.

　　O 멕시코는 농산물 분야 이외에는 DFA 의 수정이 있어서는 안될 것임을 지적하고, 시장 접근분야에서의 주요협상국들의 조속한 OFFER 제출을 촉구함.

　　O 알젠틴은 DFA 의 개정은 매우 위험한 작업인 만큼 참가국들이 최대한 자제할 것과 DFA 개정과정에서 명료성이 제고되어야 할것임을 강조함.

　　O 이집트, 칠레등은 푼타델 에스테 선언상의 협상결과에 대한 개도국 평가의 중요성을 언급하고, 금년말까지 정치적 PACKAGE 도출시, 동평가에 필요한 시간이 부족함을 우려함.

통상국　　경기원　　재무부　　농수부　　상공부

PAGE 1   92.12.16   04:09 EI

외신 1과 통제관 ✓

0084

2. 의장은 금일 제기된 개도국들의 우려를 던켈의장에 전달하고 동 결과를 협의키 위한 개도국 비공식 회의를 12.17(목) 오전 다시 개최키로 함.끝

(대사 박수길-국장)

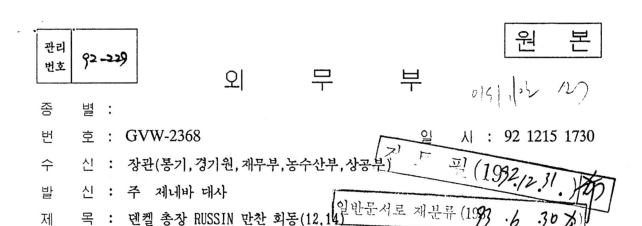

외 무 부

종 별 :

번 호 : GVW-2368

일 시 : 92 1215 1730

수 신 : 장관(통기,경기원,재무부,농수산부,상공부)

발 신 : 주 제네바 대사

제 목 : 덴켈 총장 RUSSIN 만찬 회동(12.14)

1. 12.11(금)에 이어 작 12.14(월) DUNKEL 총장 및 18 개국 수석대표간 RUSSIN 만찬회동이 예정대로 다시 개최 (19:30-24:00) 된바, 동결과를 아래 보고함.

가. DUNKEL 총장은 먼저 아래 요지를 언급함.

1) RUSSIN 만찬 회동으로 반드시 T-4 를 대체한다는 의도는 아니었으나, 지난 12.11 만찬회동의 결과에 비추어 볼때, 철저한 준비없이 T-4 를 공식적으로 열었다면 어떤 결과가 생겨날지는 명백함. (DFA 가 UNRAVELLING 된다는 뜻)

2) 현시점에서 공식적으로 T-4 를 연다는것은 곤란한 일이나, 불명한 현안들은 도외시 할수도 없는 형편인 만큼 현안문제들을 일단 검토해보고 문제의 크기(SIZE OF ICEBERG)를 측정해 보는 것이 타당함.

3) 수차 강조했지만 농산물 문제 해결은 UR 타결을 촉발 (TRIGGER)할 수 있을 뿐이며, 다른 문제를 자동적으로 해결하지 못함.

4) 이상을 염두에 두고 지난번 합의에 따라 우선 MTO, 섬유, SPS/TBT, 반덤핑, 지적재산권등 분야의 문제를 검토하면서, DFA 상의 현재의 균형을 유지할수 있을지 또는 새로운 균형 (NEW BALANCE)이 필요한지를 검토해야 할것임.

나. 이에 대하여 미국은 MTO, SPS/TBT, 반덤핑에 관한 제안을 각각 서면으로 제출 (상세내용 별첨 제안문 참조), 그 취지를 설명하고 질의에 응한바, 아래와 같은 문제점이 따라 각국의 추가 검토후 차기 회동시 재론키로 함.

1) MTO 제안

- 미국은 MTO 의 경우는 조약의 성격을 띄어 상원의 2/3 다수결이 필요하나, PROTOCOL 로 할 경우에는 신속승인 절차에 따라 과반수 다수결이 필요하다는 차이점 이외에는 특별한 HIDDEN AGENDA 가 없음을 강조

- 서서는 미국의 MTO 제안에 기본적으로 찬성한다는 의견을 표명

통상국 재무부	장관 농수부	차관 상공부	2차보	구주국	분석관	청와대	안기부	경기원

PAGE 1

* 원본수령부서 승인없이 복사 금지

92.12.16 05:39

외신 2과 롱제관 DI

0086

284 우루과이라운드 협상 동향 및 무역협상위원회 회의 4

- 항가리, 한국, 싱가폴등은 미국제안의 내용을 검토중이나 실질 내용에 큰변경이 없는 한 긍정적 검토 용의가 있음을 표명

- 반면, 카나다, EC 는 강한 반대입장 표명(특히 카나다는 법률 전문가가 검토한 반대의견을 서면으로 배포할 예정임을 밝힘)

- 한편 다수 대표들은 미국제안이 (1) UR 결과를 조약 (TREATY) 수준이하로격하하고 (2) BEST ENDEAVOR 조항이 없다는 점 (3) 갓트 '47 상의 NON-APPLICATION 과 갓트 '93 상의 NON-APPLICATION 과의 관계에 문제를 제기한다고 지적하고, MULTILATERAL SYSTEM 을 강조하고자 하는 당초 MTO 의 의도가 크게 희석된다고 주장

- 기타 현 TEXT 상에는 환경이 언급되지 않았으나, 미국제안은 무역. 환경 위원회의 설치등을 상정하고 있다는 점과 조부조항(PPA, ANNEX 1)등에도 문제가 많다는 점이 지적됨.

2) SPS/TBT 협정문

- 미국은 제안문에 대한 간략한 설명을 통해, 미국이 안고 있는 기본적인 문제점은 현 TEXT 가 LOW LEVEL OF HARMONIZATION (규격의 하향 평준화)을 가져온다는데 있으며, 여타 사항은 순전히 CLARIFICATION 에 목적이 있다고 언급. (동문제의 기술적 성격에 비추어 구체 논의없이 차기 회동에서 재론키로 함)

3) 반덤핑

- 미국은 동 제안이 일관성 확보 (QUESTION OF COHERENCE)에 목적을 두고 있다고 간단히 언급

- 이에 대하여 카나다, EC 한국, 홍콩, 싱가폴등 거의 대부분의 대사들은 (1) 미국의 수정안은 PANEL 의 기능을 무력화시키고 (2) 보조금 협정과의 소위 HARMONIZATION 을 수출국에 불리한 방향으로 이루려하고 있으며, (3) CIRCUMVENTION 개념을 확대하는등 반덤핑 협상의 역사를 무시하고 균형을 파괴하는 것이라고 크게 반발

다. 인도는 지난 1.13 TNC 회의 이래 계속 섬유분야의 ECONOMIC PACKAGE 에문제가 있음을 지적해 왔다고 말하고, 자국은 주요 교역상대국 (미.EC 등)에게최근 시장접근 협상에서 상당한 정도 관세인하 계획을 제출한 만큼 ECONOMIC PACKAGE 도 수정되어야 함을 강조함 (PACKAGE 중 COVERAGE, 연증가율, 통합비율만 강조하고 통합기간은 불거론)

PAGE 2

- 미국, EC 등은 시장접근 분야의 인도 OFFER 는 환영하나, 미국은 오히려 통합기간(10 년)이 짧다는 점에서 불만이 있으나, PACKAGE 는 현 여건하에서 최대한 양보한 것인만큼 이의 수정은 곤란하다고 함.

- 아국, 홍콩, 카나다등도 인도의 개정 의도에 반대함.

- 인도는 자국의 개정은 수치로 조정되는 문제인 만큼 서면으로는 준비하지않았다고 함.

라. 카나다도 보조금 분야에서 EC 구성 회원국과 카나다 연방구성국간에 차별을 두고 있다면 이를 개정해야 한다고 주장하고 별첨 개정안을 제출함.

마. DUNKEL 총장은 금일 회의 결과에 대하여 굳이 결론을 내리지 않겠다고 전제한후, 12.16(수) 회동에서 일단 금일 제기된 문제를 재토의해서 처리하도록 하자고 말하고, MTO, 반덤핑, 섬유에 대해 아래와 같이 논평함.

1) MTO 문제

- 같은 목적을 다른 방법으로 성취할수 있다는 방법론에 대해서 미국에게 일단 BENEFITS OF DOUBT 를 주어볼수 있으나, 무역환경 위원회의 설치의도는 의문(PUZZLE)임.

- 보다 근본적인 문제는 POST UR 체제의 구조라고 보므로 UR 결과 이행면에서 INTERNATIONAL ASPECT 가 중요함을 강조함.

2) 섬유

- ECONOMIC PACKAGE 의 내용은 총장 자신이 의장으로서 힘겨운 협상끝에 이룩한 DELICATE BALANCE 이기 때문에 이문제에 대해서는 수출국간에도 이견이 많은 것으로 이해하고 있으므로 동 문제를 재론하는 것은 BALANCE 면에서 극히 신중을 기해야 함.

3) 반덤핑

- 반덤핑 TEXT 도 오랜 역사를 갖고 있고, MARCIEL, RAMSAUER 등 많은 인사들이 정력을 투자하여 오랜 협상끝에 이룩한 PACKAGE 임을 유념해야 할것임.

~~바. DUNKEL 총장은 TEXT 도 오랜 역사를 갖고 있고, MARCIEL, RAMSAUER 등 많은 인사들이 정력을 투자하여 오랜 협상끝에 이룩한 PACKAGE 임을 유념해야 할것임.~~

바. DUNKEL 총장은 금일 회의에서 제기된 문제들의 심각성에 비추어 이런 형태의 비밀협상을 계속할 필요성이 있는지 또는 TNC 를 개최하여 문제를 논의할것인지 등 협상 방법에 대하여 깊이 생각지 않을수 없다고 전제하고, 수요일 만찬회동에서 (1) 금일 회의에서 제기되지 못한 지적재산권문제, (2) 금일 제기되었으나 충분히

토의하지 못한 <u>반덤핑, MTO</u> 등의 처리와 함께, (3) <u>앞으로의 작업 계획과 협상</u>
<u>방법론</u>에 대해서도 함께 보다 진지하게 토의해 보아야 하겠다고 언급함.

이하 2 항부터 GVW-2369 로 계속됨. 합본 처리바람.

관리
번호 92-230

외 무 부

종 별 :

번 호 : GVW-2369

일 시 : 92 1215 1730

수 신 : 장관(통기, 경기원, 재무부, 농수산부, 상공부) 검 토 필(1992.12.31.)까지

발 신 : 주 제네바 대사

제 목 : 던켈 총장 RUSSIN 만찬회동(12.14) (GVW-2368 의 계속)

2. 상기와 같이 어제 저녁 제기된 현안문제들의 토의가 완료되지 못했다는 점과 이러한 어려운 문제들이 간단히 처리될수 없을 것이라는 판단하에, 금일 회동에서는 농산물 협정에 대한 아국 제안문서를 의도적으로 제시하지 않았는바 (서서도 불제출) 향후 협상 분위기를 감안 적절한 시점에서 제시코자 함.

(이미 제기된 문제에 대한 토의 미진등으로 인하여, 관세화 문제에 대한 토의는 당초 예정보다 늦어질 것으로 예상됨)

3. 상기 만찬회동 결과등을 토대로 한 본직의 관찰은 아래와 같음.

가. 미국의 제안중 특히 반덤핑은 현행 조항의 SUBSTANCE 와 관련되는 중요한 내용으로서 미국이 이의 개정을 주장할 경우 UR 협상에 결정적인 장애요인으로 등장할 것으로 보임. (CIRCUMVENTION 의 개념확대, PANEL 의 심사권 제한등)

나. 반면 MTO 문제는 EC, 카나다를 제외하고는 각국이 신축적으로 대처할 수 있다는 입장이므로 상대적으로 그다지 큰 문제가 되지 않을 가능성도 있음.

다. 인도의 섬유에 대한 입장이 또한 확고하여 인도가 ECONOMIC PACKAGE 개정을 고집하려고 할 경우에는 UR 협상 전체의 진전을 크게 둔화 시킬수도 있음 (인도의 영향력에 비추어)

일반문서로 재분류(1993. 6. 30.

라. DUNKEL 총장도 금일 미국의 반덤핑 개정안과 인도의 섬유개정안 내용에큰 좌절감을 간접적으로 표시하고 현재의 비공식 협상 구조에 대해서도 재점검이 필요하다는 듯한 의사 표시를 하는등, 앞으로 남은 일정에 비추어 연내 정치적 타결에 대해서 이제는 총장 자신마저도 자신감을 잃은 듯한 인상을 보임.

마. 한편 미.EC 양측은 DUNKEL 총장의 TARIFF OFFER 제출 요청에 대해서도 구체적인 언질을 회피하는 태도를 취함으로서 양측간에 농산물 이외의 분야에서는 지금까지 발표된 바와는 달리 아무런 구체 합의가 없다는 사실을 다시 한번

| 통상국 | 장관 | 차관 | 2차보 | 구주국 | 분석관 | 정와대 | 안기부 | 경기원 |
| 재무부 | 농수부 | 상공부 | | | | | | |

* 원본수령부서 승인없이 복사 금지

92.12.16   05:53

외신 2과   통제관 DI

0090

시사하였음.

바. 이상에 비추어 본직의 관찰로도 12.22 이 불과 며칠 안남은 상황에서 연내 정치적 PACKAGE 합의는 사실상 상당히 어렵다고 보이는바, 수요일 만찬회동이후에는 보다 구체적인 INDICATION 이 나올수 있을 것으로 보임.

4. 참고로 동 만찬 GROUP 참가국은 18 개국(연호 태국은 착오)임.

첨부: 1. 미국제안(반덤핑 및 SPS) 1 부

2. 카나다 제안 1 부. 끝

(GVW(F)-751)

(대사 박수길-장관)

예고 93.6.30 까지

이의 (신)

주 제 네 바 대 표 부

번 호 : GVW(정) - 0751 ___ 년월일 : 2/2/5 ___ 시간 : 1930

수 신 : 장   관 (통기, 꺼기외, 재무부, 농림수산부, 상공부)

발 신 : 주 제네바대사

제 목 : 던걸총장 Russia 면한회동 (12.14)

총   9   매 (브리프함)

브 안	
통 제	

의신규	
통 제	

배부적	장관실	차관실	一차보	二차보	의정실	본석관	아주국	미주국	구주국	중아국	국기국	국기국	경제국	통상국	문협국	의연관	청와대	안기부	공보처	경기원	상공부	재무부	농수부	동자부	환경처	과기처
															○					/	/	/	/		

15/-9-1   0092

December 14, 1992

PROPOSALS

TO ADDRESS ISSUES CONCERNING THE DRAFT
"AGREEMENT ON TECHNICAL BARRIERS TO TRADE" (TBT) AND THE
DRAFT "AGREEMENT ON THE APPLICATION OF SANITARY AND
PHYTOSANITARY MEASURES" (SPS)

SPS TEXT[1]

A.   "Not maintained against available scientific evidence" (para. 6)

Amend paragraph 6 to read:

"6.   Members shall ensure that their sanitary and phytosanitary measures are applied only to the extent necessary to protect human, animal or plant life or health, are based on scientific principles and are not maintained where there is no longer a scientific justification for such measures against available scientific evidence."

B.   "Harmonization" (paragraphs 9 through 11)

a)   Amend paragraph 9 to read as follows:

"9.   To harmonize sanitary and phytosanitary measures on as wide a basis as possible, and without requiring the reduction of the level of protection of human, animal or plant life or health, Members shall base their sanitary or phytosanitary measures on international standards, guidelines or recommendations, where they exist, except as otherwise provided for in this Agreement." and

b)   Add an interpretive note at the end of paragraph 10 to read:

"*   This paragraph is not to be construed to create an adverse presumption regarding the consistency with this Agreement of a measure that does not conform to an international standard, guideline or recommendation."

---

[1]   Language proposed to be added to current text is indicated in redline typeface, and language proposed to be deleted is indicated in ~~strikeout~~ typeface.

0093

2

C. "Scientific justification" (paragraph 11)

Add a definition to Annex A of the text to read:

> "8. Scientific justification means a reason based on data or information derived and analyzed using appropriate scientific methods."

D. "Use of economic factors" (paragraph 18)

Amend paragraph 18 to reads as follows:

> "18. In assessing the risk associated with the introduction, establishment or spread of an animal or plant pest or disease and determining the appropriate level of sanitary or phytosanitary protection from such risk, Members shall take into account as relevant economic factors: the potential damage in terms of loss of production or sales in the event of the entry, establishment or spread of a pest or disease; the costs of control or eradication in the importing Member; and the relative cost effectiveness of alternative approaches to limiting risks."

E. "Least restrictive to trade" (paragraph 21)

Add a definition to Annex A of the text to read:

> "8. least restrictive to trade means that there is no reasonably available alternative measure that is of a type significantly less trade restrictive."

TBT TEXT

A. "Not more trade-restrictive than necessary" (article 2.2)

a) Add a definition to Annex 1 of the text to read:

> "9. Not more trade-restrictive than necessary and in a less trade-restrictive manner
>
> There is no reasonably available alternative technical regulation that is of a type significantly less trade restrictive." and

751-P-3

0094

3

b)   Amend article 2.2 to read:

"Members shall ensure that technical regulations are not
prepared, adopted or applied with a view to or with the
effect of creating unnecessary obstacles to international
trade. For this purpose, technical regulations shall not be
more trade-restrictive than necessary to fulfil a legitimate
objective, taking into account technical and economic
feasibility account of the risks non-fulfilment would
create. Such legitimate objectives are, inter alia,
national security requirements; the prevention of deceptive
practices; protection of human health or safety, animal or
plant life or health, or the environment. In assessing such
risks, relevant elements of consideration are, inter alia,
available scientific and technical information, related
processing technology or intended end uses of products."

"1. This provision is intended to ensure proportionality
between regulations and the risks non-fulfilment of
legitimate objectives would create."

B.   "Harmonization"   (Articles 2.4 and 2.5)

a)   Amend article 2.4 to read:

"Where technical regulations are required and relevant
international standards exist or their completion is
imminent, and without requiring the reduction of the level
of protection of human health or safety, animal or plant
life or health, or the environment, Members shall use them,
or the relevant parts of them, as a basis for their
technical regulations except when such international
standards or relevant parts would be an ineffective or
inappropriate means for the fulfilment of the legitimate
objectives pursued, for instance because of fundamental
climatic or geographical factors or fundamental
technological problems."   and

b)   Add an interpretive note at the end of article 2.5 to read:

"* This paragraph is not to be construed to create an
adverse presumption regarding the consistency with this
Agreement of a technical regulation that does not conform to
an international standard."

751-P-%   0095.

12/14/92

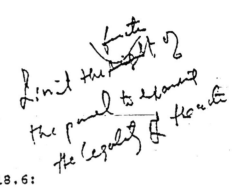

ANTIDUMPING

I.   **Guidelines for Review**

1.   Add the following as a new paragraph 18.6:

A panel shall review an action by an investigating authority
to determine whether it is inconsistent with the provisions
of this agreement, in conformity with the following
principles:

(1)   an action by an investigating authority does not
violate this agreement if that action is consistent
with a reasonable interpretation of the provisions of
this agreement, even if a panel considers other
interpretations preferable or better supported;

(2)   an investigating authority's resolution of factual
issues underlying a determination violates this
agreement only if it is shown that no interpretation of
factual information before the investigating authority
could support that determination, even if a panel would
consider another result preferable or better
supported; [1]

(3)   a panel shall not consider arguments by a party to the
dispute that are inconsistent with representations or
argument made before the investigating authority by
that party's nationals, or that its nationals could
have but did not make before that authority; and

(4)   a panel shall limit review to the record developed by
the investigating authority during the anti-dumping
investigation or review giving rise to the final action
in question. In particular, such record shall include
only:

(a)   information presented to or obtained by the
authority during the administrative proceeding;

(b)   the final action subject to review;

---

[1]   If national legislation adopted to implement Article 14
by the Member taking anti-dumping action does not provide for
review of whether there is sufficient evidence in the record to
support findings of material fact, the complainant may request
that the panel conduct such a review.

(c)   transcripts or records of any conferences or
      hearings held pursuant to the provisions of this
      Agreement.   [Possible footnote on confidentiality
      dependent on final Dispute Settlement text.]

2.   Renumber existing paragraph 18.6 as 18.7.

751-7-6

III. Anticircumvention

1. Revise Article 12.1(iii) to read:

   (iii) the parts or components have been sourced
   in the country subject to the anti-dumping duty
   measure, or supplied by an exporter or producer
   subject to the definitive anti-dumping duty
   measure, or supplied by suppliers that have
   historically supplied the parts or components to
   that exporter or producer or to any other exporter
   or producer subject to the measure, or from any
   party with interlocking corporate relationships [6]
   to the exporter or producer, whether such parts or
   components are supplied from the foreign country
   or any third country(ies);

2. Consistent with draft antidumping texts issued prior to the
   draft "Final Act," move Article 10.5 back to Articles 12.3
   and 12.4. (Existing Article 12.3 would be renumbered as new
   Article 12.5.) Consistent with both the earlier drafts and
   the draft "Final Act" text, the new Articles 12.3 and 12.4
   would operate on the basis of the same criteria as Articles
   12.1 and 12.2.

3. At paragraph 10.4, add the words "of this paragraph and"
   after the word "provisions" to clarify the relationship
   between the criteria set forth in this paragraph and those
   established at Articles 2 and 3 for the determinations of
   dumping and injury.

Note: From the outset of the negotiation, the United States has
made clear that U.S. acceptance of a moderate package of reforms
to methodology depends on inclusion in the text of **effective**
anticircumvention provisions. In order for that balance to exist
in a final agreement, the draft "Final Act" must contain the text
set forth above. If these clarifications to non-negotiated
aspects of the draft "Final Act" are not included, the balance of
the text must be restored through deletion of Articles 10.4, 10.5
and 12 -- in order to preserve signatories' scope of action under
the existing Code to address circumvention problems -- as well as
deletion of comparable provisions addressing antidumping
methodology (e.g., Article 11.3).

---

[6] Interlocking corporate relationships refers to situations
where the party and supplier are part of the same corporate
group, or have cross-shareholding relationships whether directly
or through a third party. It does not include situations where
parts are purchased at arm's length from a wholly unrelated firm.

0098

II. Sunset

1. The following should be substituted for paragraph 11.3 of
    the Antidumping text:

> Notwithstanding the provisions of paragraphs 1 and
> 2, any definitive anti-dumping duty shall be
> terminated not later than five years from the date
> of its imposition [2] or last review of injury [3]
> unless a new review is conducted [4] and a
> determination is made that the continued
> imposition of the duty is not necessary to deter
> or prevent the continuation or recurrence of
> injury, or that if a duty lower than the margin of
> dumping has been applied, that the injury has not
> been removed. The duty may remain in force
> pending the outcome of such a review. [5]

---

[2] For purposes of this paragraph, all existing anti-dumping
duty measures shall be deemed to come into effect on the
effective date of national implementation of this Agreement.

[3] For prospective assessment systems, the five year period
may commence from the last review of dumping, if no valid request
for an injury review has been received.

[4] A review will be initiated either by the authorities
prior to the fifth anniversary date of the imposition of anti-
dumping duty measures or upon a duly substantiated request made
by or on behalf of the domestic industry within a reasonable
period prior to that date.

[5] A definitive anti-dumping duty need not be terminated
just because the sales reviewed under this paragraph (or
paragraphs 11.2 or 9.3.1) are not determined to be at less than
the normal value, unless the two most recently completed reviews
before such review have resulted in a determination that sales
during the relevant periods reviewed have not been at prices
below normal value.

0099

Canadian proposal.

December 14, 1992

Issue: "Sub-National" Specificity (Article 2.2)

The issue is the provision in the draft subsidies/countervail text that deems all subsidies granted by sub-national governments to be specific. Article 2.2 effectively precludes the argument of general availability in avoiding the application of countervailing measures to subsidies granted by levels of government below the national level.

This provision discriminates between federal and non-federal (unitary) systems of government. It strongly favours the E.C. system of member states, each of whom are themselves nation states. The text imposes subsidy disciplines on sub-federal levels of government in federal states but does not give them access to the general availability provision.

Article 2.2 creates a further inequity in allowing the E.C. to subsidize at two levels of granting authority (the Commission as well as the Member States) without constraint on the application of general availability. There is therefore a double standard in the draft subsidies text: it would confer a benefit on one signatory but deny that very same benefit to another signatory, solely as a consequence of its system of government.

Article 2.2 also represents a step backward in terms of countervailing duty practice. USA practice, for example, currently recognizes the general availability concept for subsidies granted by both national and sub-national levels of government.

Canadian Position

- Canadian negotiators have made clear that Canada does not accept Article 2.2 of the Dunkel text on subsidies/countervail.

- This is a discriminatory provision, in that it would deny the benefits of general availability to sub-national levels of government while at the same time subjecting them to subsidy disciplines.

- Discrimination based upon the internal constitutional arrangements of signatories is inconsistent with the general thrust in the Uruguay Round to achieve equivalent levels of international rights and obligations for states with unitary and federal structures of government.

- We have indicated that we are willing to work to secure the removal of this inequity in the text.

0100

기l-p-p

외 무 부

이시 (외)

종 별 :

번 호 : USW-6127   일 시 : 92 1215 20250

수 신 : 장 관(통기,통이,미일)

발 신 : 주 미 대사

제 목 : UR 협상 동향

일반문서로 재분류 (1992. 12. 31.)

대: WUS-5525

당관 장기호 참사관이 12.15. USTR 의 SUZAN EARLY 농업담당 대표보, LEONARD W. CONDONE 부대표보, MARY RICKMAN 다자협상 담당과장을 접촉 파악한 UR 협상 관련 미측 동향 요지를 아래 보고함.

1. UR 전망 (미.EC 관계)

0 EC 측이 제출하기로 되어 있던 농산물 개방 스케쥴은 그간 불란서의 강한반대로 일주일 동안 지연되어 오다가 금(12.15) EC COUNCIL (농업장관) 회의에서 최종 결정을 보아 명일경 미측이 접수가능할 것으로 보임.

0 특히 독일이 불란서의 강한 반대를 봉쇄하므로서 농산물 개방 스케쥴에 대한 EC 내 입장 조정이 가능하게 되었는 바, 불란서는 농산물 분야만이 아니고 서비스 협상에서도 EC 측의 합의내용과 정면으로 상치되는 입장을 담은 문서를 작일(12.14) EC 내부에 회람을 돌림으로서 협상의 진전을 BLOCKING 하는 태도를 보여온 바 이는 매우 실망스러운 일임.

0 최근 수일간은 불란서측의 강한 반대로 인해 UR 협상의 전망은 하루는 낙관적이었다 그다음날은 비관적이었던 시기였는바, 금년말까지 남은 협상시기는 12.22. 부터 시작되는 크리스마스 휴가까지 불과 일주일밖에 남지 않아 금년중 주요 현안 타결이 가능할지 의문시됨.

0 명년 1 월 협상을 개시하면 FAST TRACK AUTHORITY 에 따른 타결 시한인 3.2. 기한까지 모든 절차를 매듭지을수 있을지 우려되며 만약 FAST TRACK AUTHORITY 를 연장해야 할 경우에는 환경단체 등 각종 압력 단체의 저항을 어떻게 해결해 나가느냐가 큰 문제임.

2. MTO 문제

통상국	장관	차관	2차보	미주국	통상국	분석관	청와대	안기부

* 원본수령부서 승인없이 복사 금지

92.12.16   11:37
외신 2과 통제관 BX

0101

O MTO 문제와 관련 미측입장에 대해 교역국들의 오해가 있어 상당한 혼선을빚어내고 있음. 마치 미국이 UR 협상을 봉쇄하기 위한 구실을 만들고 있다고 보는 시각도 없지 않은 바 이는 사실이 아님.

O 작년 12 월 제시된 DUNKEL TEXT 의 MTO 초안내용에 대해서는 금년 2 월에개최된 법률 초안 전문가 그룹으로부터도 좀더 깊은 검토가 있어야 한다는 의견제시도 있었고, EC 를 포함한 여러나라들도 MTO 초안이 아직 완전한 내용의 것이 아니므로 검토가 필요하다고 인정한바 있기때문에 미측의 MTO 관련 수정제안은 새로운 잇슈가 아님.

미측으로서는 문안수정과 CLARIFICATION 을 요구하는 것이지 UR 을 지연시키려는 의도는 없음.

O NON-APPLICATION PROVISION 및 WAIVER 문제등에 관한 기존의 초안 문안이수정되지 않는한 MTO 의 전반적 구조는 WORKABLE 하다고 보지 않음. EC 측이 미측의 수정 노력에 계속 반대하고 있기때문에 UR 협상이 타결 기회를 잃어가고 있다고 봄.

3. 최근 미.일본간 UR 협상 협의

O 일본 농무장관 방미시 HILLS USTR 대표와 UR 협상에 관한 논의가 있었는바, 농산물을 포함 서비스 및 상품에 대한 MARKET ACCESS 등 광범한 문제가 논의되었음.

O 주로 농산물 문제 관련 일본측이 관세화 예외문제등을 거론하였지만 미측은 '예외없는 관세화'라는 기존입장을 강조하고 일측의 협조를 요청하였음.

O 아직까지 일본 정부는 예외없는 관세화 수용이 곤란하다는 공식입장을 내세우고 있지만 최근 일본언론들이 농산물에 대한 예외없는 관세화를 옹호 하는 입장을 게재하고 있는 것은 주목할만한 일이며, 하나의 큰 진전으로 해석됨.

O 일본이 UR 협상에서 일본의 경제규모에 걸맞지 않게 GLOBAL LEADERSHIP 을 발휘하지 못하고 있기 때문에 일본은 비난받아야 마땅하다고 보며, 뒤늦게야 일본이 마지못해 따라 온다면 UR 협상에서 아무런 기여를 하지 못했다고 지적을 받을 것임.

4. 농산물 개도국 우대

O (장 참사관이 대호 일본언론의 보도 내용을 언급하면서 농산물에 대한 예외없는 관세화 적용의 완화 가능성과 개도국 분류에 관한 미측의 반응을 타진한데 대해)

이미 미.EC 도 국내적으로 어려움이 큰 농산물(설탕, 바나나등)이 있는 데에도 불구하고 포괄적 관세화에 합의한 사실을 상기시키면서 개도국에 대한 특별대우는

PAGE 2

0102

관세화의 예외에 있는 것이 아니며 TARIFFICATION 을 어떤 방식으로 산정하느냐하는 계산 방법에 관한 문제가 될 것으로 보며, 어떤 형태로든지 관세화의 예외를 인정한다면 지금까지 해온 농산물 협상과 UR 자체의 골격을 붕괴시키는 위험스런 생각이라고 언급하고 개도국 분류에 관해서는 언급을 회피하였음. 끝.

　　(대사 현홍주 - 국 장)

　　예고: 92.12.31. 까지

기시   원 본 ✓

외 무 부

종   별 :

번   호 : GVW-2376

일   시 : 92 1215 2230

수   신 : 장관(통기, 경기원, 재무부, 농수산부, 상공부, 특허청)

발   신 : 주 제네바 대사

제   목 : RUSSIN 만찬 관련 주요국 대사 협의

검 토 필(1992.P.31.)

연: GVW-2368

1. 12.16(수) 제 4 차 RUSSIN 만찬 회동에 대비, 본직은 12.15(화) 저녁 농산물 이외의 분야에서는 DFA 의 내용 변경을 바라지 않는 입장을 공유하고 있는 싱가폴, 홍콩, 칠레, 멕시코 대사를 당관에 초치, 12.14 제 3 차 RUSSIN 만찬 회동에서 제기되었거나 4 차 회동에서 제기될 것으로 예상되는 현안문제들에 대한 공동 대응책을 협의한바, 동 결과를 아래 보고함.

가. MTO 협정을 각료회의 결정 및 UR PROTOCOL 로 대처하려는 미국의 제안에 대해서는 미국이 분쟁해결 절차의 합의 내용의 본질을 건드리지 않는한 신축적 으로 대응키로 대체적으로 의견 일치를 봄.

나. 미국의 반덤핑 협정문 수정 제안(CIRCUMVENTION 의 범위 확대, PANEL 의 권한 축소 및 SUNSET CLAUSE 약화)에 대해서는 세부 토의에 들어갈 경우 미국의 협상전략에 말려들 우려가 크므로 토의 자체를 봉쇄하는 것이 바람직 하다는 본직의 의견에 참석대사가 모두 동의함으로써 동 토의에 반대입장을 취하기로 함.

다. 섬유협정문에 대한 인도의 수정 요구에 대해 공동으로 반대 입장을 견지 하자는 의견을 아국및 홍콩이 제시하였으나 의견 일치를 보지 못함.

라. SPS 협정문 수정(검역규정의 엄격화) 문제에 대해서는 칠레만이 강한 반대 입장을 표명함.

일반문서로 재분류(1993.6.30)

마. 금일 협의 참서국 대사는 12.16(수) 아침 조찬 회동을 통해 미국이 제기할 것으로 예상되는 지적 소유권 문제 및 금일 토의중 미진했던 사항을 계속 협의키로 함.

2. 한편 12.14 저녁 제 3 차 RUSSIN 회동시 각국 언급 내용중 아래 사항을 추보함.

가. DUNKEL 총장은 TRANSPARENCY 차원에서 조만간 TNC 회의를 소집해야 하나, 12.17 은 개도국 비공식 회의에 참석 초청을 받고 있으며, 12.18 은 주말인 점등을

통상국 농수부	장관 상공부	차관 특허청	2차보	분석관	정와대	안기부	경기원	재무부

감안할때 내주초에나 소집할수있을 형편이라고 한후, 동 TNC 소집 일자 및 운영 방법 등에 대해서도 제 4 차 RUSSIN 만찬회동에서 동시에 협의할 것을 제의함.

　　나. 일본대사(UKAWA)는 미국의 반덤핑 관련 수정제안에 대해 협상의 전체적균형을 크게 파괴하는 여사한 제안은 예외없는 관세화 문제에 관한 일본의 태도에 중대한 영향을 미치게 될것이라고 언급함으로써 TARIFFICATION 에 대한 일본의 입장이 바뀌고 있는 것을 주요국 수석대표가 모인 자리에서 분명히 시사한바 있음.

　　다. 브라질 대사는 자국은 종래 섬유 수출국 입장에서 저차 수입국의 처지로 바뀔 가능성이 있다는점을 언급하고 따라서 특별 세이프가드의 발동 절차를 용이하게 할 필요성이 있다는 점을 언급함.

　　3. 미국이 12.16(수) 제 4 차 RUSSIN 만찬 회동시 제시할 것으로 예상되는 각료회의 결정문안(UR 의정서 초안 포함) 및 미국의 MTO 무산 제의에 대한 카나다측의 반대 입장 분석 자료를 별첨 송부하니, 동 제안 및 연호 송부한 반덤핑, SPS 등에 관한 제안등에 관한 본부 검토의견 있으면 회시 바람.

　　첨부: 미국의 결정문 초안 및 카나다의 반대입장 자료 각 1 부.끝

(GVW(F)-755)

(대사 박수길-장관)

예고 93.6.30 일반

주 제 네 바 대 표 부

번호 : GVW(F) -755   년월일 : 2/2 15   시간 : 18:00

수신 : 장   관 (공기, 경기원, 재무부, 농림수산부, 상공부)

발신 : 주제네바대사

제목 : 〝전문〞

보 안 통 제	

총   12   매 (표지포함)

외신관 통 제	

0106

755-12-1

12/14/92   m3

DECISION

Ministers, members of the Trade Negotiations Committee, meeting on the occasion of the Special Session of the Contracting Parties of the General Agreement on Tariffs and Trade called for in the final paragraph of the Ministerial Declaration on the Uruguay Round, dated 20 September 1986,

Recognizing that their relations in the field of trade and economic endeavor should be conducted with a view to raising standards of living, ensuring full employment and a large and steadily growing volume of real income and effective demand, and expanding the production and trade in goods and services,

Recognizing further that there is need for positive efforts designed to ensure that developing countries, and especially the least developed among them, secure a share in the growth in international trade commensurate with the needs of their economic development,

Desiring to contribute to these objectives by entering into reciprocal and mutually advantageous arrangements directed to the substantial reduction of tariffs and other barriers to trade and to the elimination of discriminatory treatment in international trade relations,

Desiring to undertake each of the preceding in a manner consistent with environmental protection and conservation and that their trade policy and trade liberalization endeavors contribute to the promotion of sustainable development,

Resolved, therefore, to develop an integrated, more viable and durable multilateral trading system encompassing the General Agreement on Tariffs and Trade, the results of past trade liberalization efforts, and all of the results of the Uruguay Round of multilateral trade negotiations,

Determined to preserve the basic principles and to further the objectives underlying this multilateral trading system,

DECIDE as follows:

1.   Ministers agree to submit, as necessary, the attached Uruguay Round Protocol and the instruments annexed thereto (hereinafter "Protocol") for the consideration of their respective governments with a view to seeking approval of the Protocol and annexed instruments in accordance with their respective legal procedures.

0107

755-12-2

2.   Ministers further agree that, upon entry into force of the Protocol and its annexes, the institutional framework (hereinafter referred to as "GATT II")[1] provided for in paragraphs 5 through 8 of the Protocol shall facilitate the post-Uruguay Round operation of the multilateral trading system and shall replace the institutional arrangements of the General Agreement on Tariffs and Trade dated 30 October 1947 as applied on the date of entry into force of this Protocol (hereinafter "GATT 1947"). The GATT II shall provide a common institutional framework for the conduct of trade relations among parties to the Protocol in matters related to the agreements and associated legal instruments included in the Annexes to the Protocol. The GATT II shall also provide a forum for negotiations concerning multilateral trade relations among its parties, including the negotiation of further trade agreements, and the framework for the implementation of the results of such negotiations.

3.   Ministers further agree that acceptance of the Protocol by their respective governments shall constitute acceptance of all the agreements and associated legal instruments included in Annexes 1, 2 and 3 thereto (hereinafter referred to as "Multilateral Trade Agreements"). Ministers agree to consider recommending that their respective governments accept also the agreements and associated legal instruments included in Annex 4 to the Uruguay Round Protocol (hereinafter referred to as "Plurilateral Trade Agreements").

4.   Ministers further agree that the General Agreement on Tariffs and Trade in Annex 1A to the Protocol (hereinafter referred to as "GATT 1993") shall be a successor agreement to the GATT 1947. Upon entry into force of the Multilateral Trade Agreements, GATT 1947 shall remain in force only for those Contracting Parties to GATT 1947 that either do not accept the Uruguay Round Protocol or do not withdraw from the GATT 1947 upon acceptance of the Uruguay Round Protocol. Ministers shall endeavor to take all necessary steps, where changes to domestic laws will be required to implement the provisions of the Multilateral Trade Agreements and, where applicable, the Plurilateral Trade Agreements, to ensure the conformity of their laws with those Agreements.

---

[1] For ease of discussion, the new institutional framework for the post-Uruguay Round multilateral trading system is referred to as "GATT II." Many delegations believe that "GATT" has become a well-known term that should not be changed. However, it is necessary to avoid confusion between the two instruments (GATT 1947 and GATT 1993) and the two institutions (GATT I and GATT II).

- 2 -

715-12-3

0108

URUGUAY ROUND PROTOCOL

1.   Acceptance of this Protocol shall constitute acceptance of all of the Multilateral Trade Agreements in Annexes 1, 2 and 3. Acceptance of a Plurilateral Trade Agreement in Annex 4 shall be in accordance with the provisions of that Agreement.

2.   This Protocol shall be open for acceptance by any party that is, as of ___date___, a contracting party to the General Agreement on Tariffs and Trade dated 30 October 1947, and by the European Communities, provided that each such party accepting this Protocol has annexed to its instrument of acceptance its schedules of concessions and commitments provided for in Annex 1A and its schedules of commitments provided for in Annex 1B.

3.   Any other state or separate customs territory possessing full autonomy in the conduct of its external commercial relations and of the other matters provided for in the Multilateral Trade Agreements may accept this Protocol on terms to be agreed between it and the Ministerial Trade Committee provided for in paragraph 5. Decisions by the Ministerial Trade Committee to approve such terms shall be adopted by a two-thirds majority.

4.   The General Agreement on Tariffs and Trade in Annex 1A (hereinafter referred to as "GATT 1993") shall be a successor agreement to the General Agreement on Tariffs and Trade dated 30 October 1947 as applied on the date of entry into force of this Protocol (hereinafter "GATT 1947"). Upon entry into force of the Multilateral Trade Agreements, GATT 1947 shall remain in force only for those Contracting Parties to GATT 1947 that either do not accept this Protocol or do not withdraw from the GATT 1947 upon acceptance of this Protocol.

5.   Upon entry into force of the Multilateral Trade Agreements, the following organs, composed of representatives of all parties to the Multilateral Trade Agreements, shall be established:

(a)   a Ministerial Trade Committee, which shall meet at least once every two years, to facilitate the administration and operation, and further the objectives, of the Multilateral Trade Agreements, to provide a forum for further negotiations, and to provide the framework for the administration and operation of the Plurilateral Trade Agreements;

(b)   a General Council to conduct the functions of the Ministerial Trade Committee during intervals between meetings of the Ministerial Trade Committee and to convene as

- 3 -

0109

755-12-4

      (i)   a Dispute Settlement Body to discharge the
responsibilities of the Dispute Settlement Body
provided for in the Understanding on Rules and
Procedures Governing the Settlement of Disputes (Annex
2) and as

      (ii)   a Trade Policy Review Body to conduct the functions of
the Trade Policy Review Mechanism provided for in
Annex 3;

(c)   the following subsidiary bodies that shall operate under the
supervision of the General Council and carry out the
functions assigned to them by their respective agreements and
by the General Council

      (i)   a Council on Trade in Goods to oversee the functioning
of the agreements in Annex 1A to this Protocol,

      (ii)   a Council on Trade in Services to oversee the
functioning of the General Agreement on Trade in
Services (Annex 1B), and

      (iii)   a Council on Trade-Related Aspects of Intellectual
Property Rights to oversee the functioning of the
Agreement on Trade-Related Aspects of Intellectual
Property Rights (Annex 1C);

(d)   the following standing committees of the General Council

      (i)   Committee on Budget, Finance and Administration,

      (ii)   Committee on Balance-of-Payments Restrictions,

      (iii)   Committee on Trade and Development and

      (iv)   Committee on Trade and the Environment;

(e)   such subsidiary bodies of the Council on Trade in Goods, the
Council on Trade in Services and the Council on Trade-Related
Aspects of Intellectual Property Rights as those Councils
shall establish;

(f)   organs provided for under the Plurilateral Trade Agreements,
to carry out the functions assigned to them under those
Agreements; and

(g)   such other subsidiary bodies as may be provided for in the
Multilateral Trade Agreements or as the Ministerial Trade
Committee may decide to establish.

- 4 -

0110

255-12-5

6.   The Secretariat of the Interim Commission of the
International Trade Organization (ICITO) that currently serves the
GATT 1947 shall provide administrative support for all of the
Multilateral and Plurilateral Trade Agreements in accordance with
provisions to be adopted by the Ministerial Trade Committee. The
Ministerial Trade Committee shall appoint the Director-General of
the GATT II in accordance with customary practice followed under
the GATT 1947.

7.   The Committee on Budget, Finance and Administration shall
continue the practice and procedures of the GATT 1947 with respect
to the GATT II budget and contributions by parties.

8.   The Ministerial Trade Committee and all other organs shall
continue the practice of the GATT 1947 with respect to decision-
making by consensus, except as otherwise provided in the
Multilateral or Plurilateral Trade Agreements.

9.   Parties accepting this Protocol agree to the adoption of all
the proposed Ministerial decisions contained in the Annexes
hereto.

10.   With respect to those parties that have accepted it, this
Protocol and the Multilateral and Plurilateral Trade Agreements
annexed hereto shall enter into force on the thirtieth day
following the date on which instruments of acceptance have been
deposited on behalf of all of the following parties:

        [insert list of minimum countries to be agreed]

and shall remain open for acceptance for a period of two years
following that date unless the Ministerial Trade Committee decides
otherwise. This Protocol shall become effective for a party
accepting it after the date of its entry into force on the thir-
tieth day following the deposit of the instrument of acceptance by
that party.

11.   A party that accepts this Protocol after the date of its
entry into force shall implement those concessions and obligations
in the Multilateral Trade Agreements that (a) are to be
implemented over a period of time and (b) commence upon entry into
force of this Protocol, as if this Protocol had been effective for
that party on the date of its entry into force.

12.   This Protocol shall be deposited with the Director-General of
the GATT 1947 who shall act as depositary and shall promptly
furnish a certified true copy of this Protocol and the
Multilateral and Plurilateral Trade Agreements, and a notification
of each acceptance thereof, to each signatory of this Protocol.
The Director-General of the GATT 1947 shall relinquish his
functions as depositary under this Protocol to the Director-
General of the GATT II appointed by the Ministerial Trade

- 5 -

0111

Committee pursuant to paragraph 6, who thereupon shall assume such functions.

13.   Any party may withdraw from this Protocol. Such withdrawal shall constitute withdrawal from both this Protocol and the annexed Multilateral Trade Agreements and shall take effect upon the expiration of six months from the date on which written notice of withdrawal is received by the depositary.[2]

14.   Withdrawal from a Plurilateral Trade Agreement shall be governed by the provisions of that Agreement.

15.   Reservations in respect of any of the provisions of the Multilateral Trade Agreements may only be made in accordance with the provisions set forth in those Agreements. Reservations in respect of a provision of a Plurilateral Trade Agreement shall be governed by the provisions of that Agreement.

16.   This Protocol shall be registered in accordance with the provisions of Article 102 of the Charter of the United Nations.

    DONE at Geneva this ____ day of _____ one thousand nine hundred and ninety-_____, in a single copy, in the English, French and Spanish languages, each text being authentic.

---

    [2] Note: This provision and paragraph 1 would require that all acceptance and withdrawal provisions in the Multilateral Trade Agreements be deleted from those agreements.

- 6 -

0112

755-12- 7

<u>**Texts to be Included in Annex 1**</u>

<u>**Annex 1A**</u>

1.   The General Agreement on Tariffs and Trade dated 1993, and associated legal instruments, which would include:

a.   The General Agreement on Tariffs and Trade dated 30 October 1947, as subsequently rectified, amended or otherwise modified (i.e., the text published as Volume IV of the BISD) without the provisions that are superseded by those in the Uruguay Round Protocol (i.e., acceptance, withdrawal, entry into force)

b.   The Annexes to the GATT 1947 except Annex H, which deals with entry into force

c.   Ad Articles negotiated in the Uruguay Round: II:1(b), XII, XVII, XVIII, XXIV, XXV, XXVIII, and XXXV

d.   A text declaring that, unless otherwise specified in the Uruguay Round Protocol or the Multilateral Trade Agreements, the General Agreement referred to in paragraph 1(a) above shall be applied as further provided by the terms of legal instruments and decisions adopted by the CONTRACTING PARTIES prior to the entry into force of the Uruguay Round Protocol, which include, but are not limited to:

   –   Protocols and certifications relating to tariff concessions

   –   Protocols of accession to the General Agreement, without their provisions on withdrawal

   –   Waivers granted under Article XXV of the General Agreement and still in force, and

   –   Decisions of the CONTRACTING PARTIES on Differential and More Favourable Treatment, Reciprocity and Fuller Participation of Developing Countries, Trade Measures Taken for Balance-of-Payments Purposes, Safeguard Action for Development Purposes, Procedures under Article XXIII adopted in 1966, and paragraphs 2-4 and 24-25 of the Understanding Regarding Notification, Consultation, Dispute Settlement and Surveillance;

The text would further declare that the above legal instruments shall not include the Protocol of Provisional Application of the GATT 1947 and the provisions in Protocols of accession relating to provisional application or legislation existing on the date of such Protocols

- 7 -

0113

75-12-8

e. Text of a provision relating to notified, clearly identified
    measures applied under mandatory legislation presently
    justified under the existing legislation provisions of the
    Protocol of Provisional Application or a Protocol of acces-
    sion[3]

f. The protocol to the GATT 1993 containing Schedules of
    Concessions and Commitments resulting from Uruguay Round
    negotiations, and

g. Texts of ministerial decisions, statements, and declarations
    related to the agreements in Annex 1A (referred to in
    paragraph 9 of the Uruguay Round protocol)[4]

2. Agreement on Safeguards

3. Agreement on Implementation of Article VI of the General
        Agreement on Tariffs and Trade 1993

4. Agreement on Subsidies and Countervailing Measures

5. Agreement on Trade-Related Aspects of Investment Measures

6. Agreement on Import Licensing Procedures 1993

7. Agreement on Implementation of Article VII of the General
        Agreement on Tariffs and Trade 1993

8. Agreement on Preshipment Inspection

9. Agreement on Rules of Origin

10. Agreement on Technical Barriers to Trade 1993

11. Agreement on Application of Sanitary and Phytosanitary Mea-
    sures

12. Agreement on Agriculture (except for concessions to be
        included in the GATT 1993 protocol referred to in 1(g)
        above)

13. Agreement on Textiles and Clothing

---

[3] This text has not yet been negotiated.

[4] Rather than separate the various proposed Ministerial
decisions, statements, and understandings from the final Uruguay
Round package, as has been contemplated by the Secretariat, they
would be included in this package and paragraph 9 of the Protocol
would provide for their adoption at the same time as the other
agreements enter into force.

- 8 -

755-12 -P   0114

Annex 1B

General Agreement on Trade in Services and its associated legal
     instruments including Annexes, Schedules of Commitments,
     Understanding on Commitments in Financial Services, and
     Ministerial Decisions[5]

Annex 1C

Agreement on Trade-Related Aspects of Intellectual Property
     Rights, Including Trade in Counterfeit Goods

Texts to be included in Annex 2

     Understanding on Rules and Procedures Governing the
     Settlement of Disputes

Texts to be included in Annex 3

     Trade Policy Review Mechanism

Texts to be included in Annex 4

     Agreement on Trade in Civil Aircraft
     Agreement on Government Procurement
     International Dairy Arrangement
     Arrangement Regarding Bovine Meat

---

     [5] See footnote 4.

155-12-13

0115

14 December 1992

<u>MTO</u>   가나다.

Reasons why we need an "organization", and why the USA proposal to replace MTO with a Ministerial Decision and a Protocol is <u>not</u> adequate:

1. <u>Single Undertaking</u>

It will not be possible to maintain the single undertaking beyond the conclusion of the Uruguay Round and into the future without an MTO. The MTO Agreement requires that Parties must accept all three major parts of the package: goods, services and TRIPs.   It allows countries to accede in future only upon acceptance of the whole package. It also establishes that Members may withdraw from the system only by withdrawing from the whole package.

In addition, centralized decision-making power, amendment procedures and waiver authority in an over-arching MTO body, i.e. the General Council, provide an ongoing mechanism to ensure that Members abide by all obligations. If the final say on any substantive issue, e.g. TRIPs, rests with the TRIPs Council, there will be more of an opportunity for those who do not wish to fully apply those obligations to find ways to circumvent them.

2. <u>Institutional Structure for the Multilateral Trading System</u>

The MTO provides a <u>permanent</u> institutional structure for the administration and management of the multilateral trading system. The current system consists of the GATT, the Tokyo Round Agreements and numerous arrangements, decisions, understandings and agreements, all without a common institutional basis.

A permanent institution is needed to ensure the integration of the system, especially with the new agreements on services and TRIPs. The USA proposal·would not properly establish a central authority, such as the General Council, which has real authority to deal with issues of a cross-cutting nature. Without an MTO, there would be no constitutional basis for a General Council nor any real statement, in any UR text, of its functions. The General Council would not be able to take decisions affecting more than one agreement. It is also difficult to see how one of the USA's major objectives, cross-retaliation, could be carried out without a central authority with any decision-making power.

0116

955-12-11

2

3. Free Riders

The MTO agreement provides for definitive application of the GATT and would have all Members accepting the Uruguay Round package accept the GATT 1993 as part of that package. Without a solid legal basis for the single undertaking in an MTO agreement, there would be an incentive, for some countries, to continue as Contracting Parties of the GATT 1947, but not to accept the UR agreements. By remaining a CP to the GATT, a Party could receive all of the benefits of the UR package as it relates to goods (because of the application of the MFN principle), while allowing it to avoid accepting the obligations in the TRIPs and Services agreements.

Without an MTO, there is no effective way to ensure against free-riders and no effective mechanism for maintaining the single undertaking.

4. Integrated Dispute Settlement

Without the establishment of a General Council, with its supervisory relationship over the Goods, Services and TRIPs Councils and its decision-making powers set out in the MTO Agreement, there will be no central authority with the power to make interpretations, grant waivers, or authorize retaliation in matters that cut across agreements.

Indeed, without a body that has the real authority to deal with issues involving different agreements at the same time, it is difficult to see how cross-retaliation could be effected.

An MTO is fundamental to the proper functioning of an integrated dispute settlement system.

5. Relationship with IMF, World Bank, WIPO, etc.

One of the major objectives of establishing an organization responsible for multilateral trade was to enhance the stature of the GATT system vis-à-vis other international organizations. This objective is recognized in other parts of the Draft Final Act: eg. 1. the FOGs text encourages greater cooperation with the IMF and the IBRD, 2. the TRIPs agreement calls for a relationship with WIPO and other IP agreements, 3. the Services agreement speaks of interaction with various international services organizations.

Establishing an MTO within the existing GATT system will enhance the status of the GATT by giving it legal personality to deal with other organizations while, at the same time, preventing the emergence of a trade organization within the UN system.

0117

외 무 부

종 별 :

번 호 : USW-6144 일 시 : 92 1216 2108

수 신 : 장 관(봉기) 봉이, 미일, 경기원, 재무부, 농림수산부,

발 신 : 주 미대사 상공부) 사본: 주제네바, EC 대사(중계필)

제 목 : UR 동향

1. 최근의 UR 협상동향에 관한 당지의 평가를 하기 보고함. (SYDLEY AND AUSTIN 법률 회사의 당관앞 메모 및 언론보도 참조)

- 12.14. 프랑스는 EC 이사회가 UR/서비스 협상을 추진할 법적 권능이 없다고 선언하였는 바, EC내부의 이러한 이견 표출로 서비스 분야에서의 미.EC 간 협상은 사실상 중단되었음.

- 이에 따라, 미측 협상 대표들은 12월중 협상타결은 불가능하다고 믿고, 1월초협상재개를 추진하고 있음. (미측은 1월초 협상재개문제 협의를 위해 EC 집행위 ANDRIESSEN 부위원장의 내주중 방미를 추진)

- 1.20. 미 신정부 출범에 따른 미 고위 봉상관계관의 전면교체와 ANDERIESSEN부위원장의 금년말 사임도 UR 의 조기타결을 어둡게 하고 있음.

- UR 협상을 가로막고 있는 또다른 장애는 MTO 설립초안에 대한 미국의 우려인 바, 미국은 특히 초안 부속서 1조 규정 즉 GATT 협정문(UR결과 수정분 포함), 동경라운드 협정문, UR협정문의 해석을 MTO 각료이사회 및 총회가 단순과반수에 의해 결정한다는 점에 큰 우려를 갖고 있음.

2. NYT 지는 12.16자 사설을 통해 부쉬 행정부는 UR 협상의 타결을 서두르지 말고 클린턴 행정부에게 협상권은 이양하라고 권고하였는 바, 요지 아래와 같음.

- 던켈 사무총장은 작년 협정문 초안을 제시함으로써 각국에 협상타결이 임박하였다는 환상을 심어주면서 회원국에게 최소한의 수정만을 강요하고 있으나, 동 초안은 미국의 경우에도 대외봉상 목표와 동떨어진 부분이 많이 있음.

- UR 협상은 새로운 분야(지적소유권, 해외투자, 금융, 봉신)을 다루고 있으며, 이 분야에서 각국의 입장차이가 현격한 시점에서 UR 타결을 서두를 필요가 있는 것인지 의문이 제기됨.

통상국   미주국   통상국   경기원   경기원   농수부   상공부

- 93.6.1.로 FAST TRACK AUTHORITY 기한이 만료되기는 하나, 클린턴 행정부가 의회에 동 권한의 연장을 요청하는 경우 의회는 이를 승인할 것으로 보임.

- 따라서 부쉬 행정부는 인위적 시한설정과 국익에 반하는 불필요한 타협을 통해UR타결을 서두를 필요없이, 협상권을 클린턴 행정부에 넘겨주어야 하며, 클린턴 행정부가 출범즉시 UR 협상에 임할수 있도록 부쉬행정부는 클린턴이 지정하는 인사를 UR협상관련 봉상분야 요직에 즉시 임명하여야 함.

3. 관련자료 별첨 송부함.

첨부: USW(F)-8118

(대사 현홍주-국장)

Why Hurry the Trade Talks?

By Robert E. Lighthizer

WASHINGTON

Thank goodness for French farmers. They may be irascible, and are subsidized, but they could save U.S. trade policy from U.S. policy makers.

The farmers oppose the U.S.-European Community agreement on agricultural subsidies, in which the E.C. promised to limit the acreage for oilseed crops. The agreement, worked out under threat of retaliatory U.S. duties against French white wine and other products, broke a stalemate in the Uruguay Round of negotiations under the General Agreement on Tariffs and Trade.

By demonstrating, the farmers, I hope, give pause to our negotiators, who are rushing headlong to conclude the round before President Bush leaves office.

Why the rush? After six years of desultory negotiations, GATT members and their constituents remain deeply divided on such new subjects as rules for protecting intellectual property, the treatment of foreign investments, fair trade in banking and telecommunications services.

Last year, the GATT Director General, Arthur Dunkel, deftly created the illusion that negotiations were near agreement by issuing his own complete draft text. The document would seriously weaken U.S. trade laws and come up well short of our objectives in most major areas.

In its rush to wind up negotiations, the Administration is legitimizing Mr.

Dunkel's illusion and insisting that any changes in his draft be limited to minor tinkering. The problem is that he does not represent any constituents. George Bush does, but his mandate lasts for only a few more weeks. Constituents ranging from steelworkers to farmers to publishers will be significantly affected by thousands of decisions in the final phase of negotiations.

The agreement will redefine the basic rules of international commerce for a generation and determine whether our trade laws are rendered ineffective. There is no compelling reason for Mr. Dunkel and an outgoing Administration to lock us (and much of the world) into such important commitments in haste.

The Clinton Administration will have to work with the new Congress to write implementing legislation for the agreements. Under the fast-track procedure, that legislation cannot be amended by Congress, which must vote it up or down within 60 to 90 days. Will the new Administration work so quickly, and the new Congress cooperate so closely, on agreements with which they were not involved?

By emphasizing its intention to conclude the agreements, the Bush Administration is negotiating from weakness. Other governments need only wait for our positions to soften as Jan. 20 approaches. If they do not get what they want before then, they can try again afterward.

Arguments that the talks must be completed now, because the law requires the President to notify Congress of the content of the agreements by March 1, are unconvincing. The new Congress surely would extend the deadline if Bill Clinton asks it to do so.

George Bush should use his interim appointment authority to place Clinton representatives in key trade positions immediately. They could begin to develop their own view of our national interest. And Bill Clinton would be in a better position to carry on the negotiations without arbitrary deadlines or unnecessary compromises of our interests. He would also have a better basis on which to ask an extension of Congressional fast-track authority so that a well-reasoned agreement could be completed by late June.

Such a transition and negotiating strategy would serve us more fully than a hasty Bush effort to make a deal at any cost.   □

8118 - 12 - 1,   외신1과
              등   제

ᄂ

주 미 대 사 관

USN(F) :   년월일 :   시간 :

수 신 : 장 관 (통기. 통이. 통상(경))

발 신 : 주 미 대 사

제 목 : GATT 동향

(출처 :   )

Internal EC Clash Halts GATT Talks On Services Trade

By JOHN ZAROCOSTAS & KEITH M. ROCKWELL
Journal of Commerce Staff

GENEVA — The European Community has suspended talks aimed at liberalizing world trade in services after France challenged the EC Commission's authority to conduct such negotiations, in a bizarre twist to the saga of the Uruguay Round of trade negotiations.

The unexpected French challenge to the legal "competence" of the community's executive came Monday during bilateral talks here with the United States. The action forced the EC's chief negotiator here to postpone future talks until the matter is settled.

"I have no alternative but to suspend the talks until the internal differences are resolved," said Tran Van Thinh, EC ambassador to the General Agreement on Tariffs and Trade, the overseer of most world trade in goods, which is sponsoring the Uruguay Round.

EC officials said the matter was being resolved and would be sorted out today in Brussels, Belgium With obvious embarrassment, commission officials here said the incident had been of little consequence to the services talks.

But by Tuesday evening, senior U.S. officials said they had still not received notification that Brussels was prepared to restart talks.

Not surprisingly, officials from the Bush administration referred to the EC's internal tiff as a calamity and said it undercut Brussels' oft-stated position that Washington was unprepared to negotiate in the services sector, which along with farm trade has been among the most contentious issues in the talks.

"There are the French in Brussels saying they can't negotiate solely on agriculture because they haven't had enough progress on services. Meanwhile, they are in Geneva saying the commission doesn't have the competence to negotiate on services," said one U.S. official.

Washington sees this as the latest attempt by Paris to derail the six-year round, because it fears the Nov. 20 EC-U.S. farm trade accord — which is critical to the round — will lead to further unrest by French farmers.

This view is shared by officials from other EC countries, who have grown weary with what they see as French efforts to sabotage the round.

"It's the French trying to make difficulties as much as they can," said one commission official.

French Foreign Minister Roland Dumas will meet with GATT Director General Arthur Dunkel today and trade officials here expect Mr Dunkel to inquire about the matter during that meeting. Mr. Dunkel will also meet with British Foreign Secretary Douglas Hurd

The services imbroglio is but the latest mishap to beset the troubled Uruguay Round.

Officials here have become increasingly resigned to the fact that these complicated talks won't end soon. With the Bush administration slated to leave office Jan. 20, no one in Geneva expects the United States to put forward bold offers that might push the talks along

Meanwhile, the EC has begun to challenge existing negotiating texts and, is expected to submit a new proposal on government subsidies that would permit support above the 5% of product value agreed to earlier.

The community is also expected this week to offer a list of tariff cuts in farm and industrial goods.

Officials here held out the hope Tuesday that the EC's double offer could spur the talks. Moreover, should Brussels' offer be seen as a serious one, it would put pressure on Washington to submit its own overdue industrial tariff schedule.

Although the United States has put a farm tariffs proposal on the table, it has not come forward with proposed cuts in industrial goods.

The foot-dragging by Washington and Brussels has infuriated other countries that are prepared to negotiate cuts in import duties.

용116 - 12-2

되신 1과
동   제

The EC farm-product proposal is expected to follow closely the terms hammered out in the deal with Washington.

The manufactured-product tariff schedule will be incomplete, EC officials said. It will not include electronic goods and will not bring down to zero tariffs on many goods that the United States exports to the community.

EC officials said that so-called zero-for-zero tariffs are the subject of further bilateral talks with the United States and other major industrial countries.

"If we do not get what we want, we will downgrade our revised offer," said a senior EC official.

The United States, meanwhile, has responded to domestic pressure and begun to expand its environmentally based GATT proposals.

In the services sector, Washington has called for the removal of restrictions on foreign companies seeking to provide sewage, sanitation and refuse-disposal services.

This offer was conditional on other GATT member countries building on their offers to liberalize their markets for foreign services companies.

4

주 미 대 사 관

USW(F) : 년월일 : 통산 시간 :

수 신 : 장 관 (통기, 통이, 통상)

발 신 : 주 미 대 사

제 목 : GATT 동향

보 안	
통 제	

(출처 : JOC 12/16/92)

Deep-Six the GATT Agreement

By JESSE HELMS

Any way one chooses to examine it, the massive trade agreement being produced by the negotiators in Geneva is a bad deal for the United States and the American people.

It is a strained sophistry to suggest, as some do, that the document has much at all to do with "free trade." Trade that's not fair is not "free trade" — and the current draft of the General Agreement on Tariffs and Trade is anything but fair for the United States.

There still are ominous reports that U.S. negotiators may simply cave in during the next few weeks to cut a political deal in Geneva, a deal that will be an economic disaster for America's farmers and workers. In short, it appears that U.S. negotiators may be snookered — again.

The pending version of the GATT agreement already contains a multitude of provisions that weaken and/or undercut existing U.S. law and U.S. competitiveness. A few cases in point:

• The anti-dumping section of the GATT agreement makes it easier for foreign competitors to dump their products onto U.S. markets at clearly unfair prices. Indeed, new hurdles are imposed upon U.S. businesses that hereafter seek to challenge such injurious practices by foreign producers. This could be devastating to such industries as steel, ball bearings, semiconductors, telecommunications, textile and apparel — just to name a few.

• The section on subsidies specifically allows foreign governments, especially Third World countries, to continue subsidizing their industries.

• The president's trade authority to open foreign markets (called Section 301) has been emasculated — obviously because foreign competitors dislike any provision that helps U.S. producers gain the same access to foreign markets that foreign producers enjoy here.

The Japanese, the Europeans and others stated that they would not sign the GATT deal unless Section 301 is dropped. The U.S. negotiators caved in to the threat, and Section 301 went "kerplop."

• The sections affecting textiles, footwear, apparel, cotton, peanuts and sugar are certain to open the floodgates to U.S. markets without any pretense that U.S. producers will receive equal access to foreign markets.

• This GATT agreement creates a powerful international bureaucracy to preside over world trade. It is called the Multilateral Trade Organization and will have its own tribunals and will be vested with final authority to interpret every jot and title of the GATT agreement. It will, in fact, be a sort of World Court that could run roughshod over U.S. law.

• An even worse attack on U.S. sovereignty is found in Article XVI.4 of the GATT draft. That provision commands the United States "to take all necessary steps where changes to domestic law will be required."

And what if Congress declines to change the domestic laws to suit the GATT? The scenario likely will go something like this: If the GATT panel decides that U.S. law is inconsistent with GATT's rules, retaliation will be threatened unless U.S. laws are changed.

The fear of retaliation will force the United States to change its laws. Indeed, the Congressional Research Service concluded that a country will "no longer have control over whether or not it must change (a) particular policy or law."

Thus, it appears that GATT's jerry-rigged ver-

1/2

(8118-12-60)

외신 1과	
통 제	

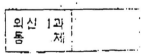

0123

S

sion of an international court, with its faceless bureaucrats, will be armed with the indirect authority to override the laws of the United States.

U.S. industries have been under assault for decades by foreign competitors whose governments target for destruction key U.S. competitors. They subsidize, promote and protect them, which enables them to undercut American companies until ours are driven out of business. Small wonder that few VCRs, televisions, sweaters, footwear, machine tools or video games are made in America.

Congress has enacted numerous trade laws to protect American workers and farmers from predatory foreign trade practices. This is not the first time we have faced the possibility that our laws would be subsumed to international laws. In 1949, President Harry Truman asked the 81st Congress to authorize U.S. membership in the International Trade Organization, which was part of the first GATT agreement.

Congress demurred, as did most business and industrial organizations and the American Bar Association, all of which strongly opposed U.S. membership in the ITO. It was widely regarded as an unwise proposal that would jeopardize U.S. laws and sovereignty. President Truman's proposal was never accepted.

President-elect Bill Clinton has not said where he stands on the latest proposed GATT agreement. In making up his mind, he should recognize that the concerns of the 81st Congress in President Truman's day are at least as valid today.

U.S. sovereignty must survive and prevail. U.S. laws must never fall prey to any foreign authority.

If the latest draft of the GATT agreement is the best the U.S. negotiators can do, Congress should resoundingly reject the GATT agreement. Let the message go out: The United States welcomes *free* trade provided it's *fair* trade.

No agreement is far better for America's working people than this diplomatic turkey.

Sen. Jesse Helms of North Carolina is the ranking Republican on the Senate Foreign Relations Committee.

8118-128

0124

주 미 대 사 관

Andriessen's Retirement To Complicate Trade Talks

By BRUCE BARNARD
Journal of Commerce Staff

BRUSSELS, Belgium — Frans Andriessen, the European Community's top trade official, is retiring at the end of the year, raising concerns about the future of the highly difficult global negotiations limping along in Geneva.

Mr. Andriessen, EC commissioner for external relations, has spent the past four years as the EC's lead negotiator in the Uruguay Round of world trade talks. He was involved in several bilateral trade disputes with the United States.

U.S. officials are concerned that his departure

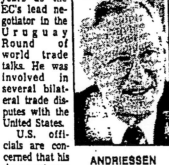

ANDRIESSEN

would add yet another complication to the trade talks. With the passing of the Bush administration, the United States also will have a new chief negotiator, and both EC and U.S. officials conceded the loss of this institutional memory will delay the negotiations even though lower-level officials will remain on both sides.

"Clearly, every time you take away a large player, you've got a problem. It's a problem for the community and for the round itself," said a senior U.S. official.

EC Farm Commissioner Ray MacSharry, another key negotiator in the Uruguay Round, also will leave Brussels at the end of the year.

It was not clear immediately who would assume the portfolio for external relations. The Dutch have nominated Hans Van Den Broek to fill the Dutch seat on the commission, but it appears unlikely that the current Dutch foreign minister would assume the role of chief trade negotiator.

One possibility is that the brief would be split up and that the trade negotiations would fall to Sir Leon Brittan, the current commissioner for competition, while Martin Bangemann, the commissioner for the internal market and industry, would assume duties that pertain specifically to industry.

The foreign affairs aspect of the position may then be assumed by Mr. Van Den Broek.

Mr. Andriessen negotiated the so-called European Economic Area agreement forming a single market between the EC and the seven-nation European Free Trade Association. He also played a key role in drawing up wide-ranging trade accords with Central European and East European nations and in coordinating financial assistance to the former Soviet republics.

Mr. Andriessen is in Tokyo today for discussions with Japanese trade officials on the growing imbalance in EC-Japan trade, expected to be $30 billion in Japan's favor this year, and on measures to open up the Japanese market for European exporters.

Mr. Andriessen's future is unclear. One possibility is that he would return as a professor to the University of Utrecht in the Netherlands.

주 미 대 사 관

USW(F) :   년월일 :   시간 :

수 신 : 장 관 (통기. 통이)

발 신 : 주 미 대 사

제 목 : UR 동향   (출처 FT12/16/92)

보안
동 제

Round and round go the Uruguay trade reform negotiators

By Frances Williams in Geneva

URUGUAY round negotiators are all dressed up and ready to go but someone has called off the party. They winged their way to Geneva from all quarters of the globe earlier this month in the expectation of stitching up the final deals by Christmas. But the trade officials, meeting in the multilateral round of talks under the General Agreement on Tariffs and Trade, are wondering when the real end-game will begin.

Hopes were raised high at the end of last month that the last lap had been entered when US and EC trade negotiators resolved a year-long clash over reform of farm trade. But it now seems clear that there will be no accord, even on a provisional basis, by the end of the year.

However, negotiators have not given up hope that the wide-ranging talks, spanning 15 broad trade areas, 28 separate accords and detailed country commitments to open markets for specific goods and services, will be completed before the US administration's negotiating authority from Congress expires next March.

Since the US-EC settlement last month, governments involved in the 108-nation round have had to make up their minds whether to push for changes to last December's draft "final act" which sets out the rules to govern world trade for the rest of the decade and beyond.

Many countries have problems with aspects of the text – but too much tinkering could upset the delicate balance in the package between different national and sectoral interests. Mr Arthur Dunkel, director-general of the Gatt, has said the draft can only be changed by consensus.

That has not inhibited the US from raising a host of difficulties, to the annoyance of trading partners. The EC, exhausted from internal wranglings over its farm trade deal with Washington, does not much want to renegotiate anything beyond agriculture.

To add to the confusion, all sides are indulging in a certain amount of posturing to show the folks back home they are fighting their corner. But amid the fog, the state of play in the negotiations can be dimly discerned:

● Agriculture: The main dispute concerns plans to convert all farm import barriers into tariffs which would be reduced over time – "tariffication without exception". This is opposed by Japan and South Korea, which want to keep their rice import bans, and by Canada, Switzerland and others which operate farm supply management systems. They privately acknowledge that they have no chance of winning their case – but they still hope to secure compensating concessions.

● Market access: These country-by-country negotiations, designed to cut overall tariffs by at least 30 per cent, have been delayed as negotiating teams have waited for the EC to present a draft list of new farm tariffs.

Meanwhile Washington and Brussels have still not settled arguments over industrial tariffs. The EC is holding out for reductions in very high US tariffs on textiles, ceramics and dyestuffs, while the US is pressing for zero-for-zero deals on wood and paper products, non-ferrous metals, electronics, fish and alcoholic drinks.

● Anti-dumping and anti-subsidy rules: The US says it wants to re-open these texts, which would tighten the rules for imposing anti-dumping and countervailing duties on dumped imports that inflict injury on domestic companies. Japan and other Asian exporters argue that industrial countries are using such duties to harass legitimate trade.

● Intellectual property: The US wants to strengthen protection granted to pharmaceutical patents in developing countries. India has already served notice that it would then press for faster liberalisation in the textiles sector while the US is being urged by its textiles lobby to push back the dismantling of the quota-driven protectionism of the multi-fibre arrangement (MFA) from the proposed 10 to 15 years.

● Services: The framework General Agreement on Trade in Services could be complete by the end of this week, according to Gatt officials. But the complex bilateral negotiations on reform of different services sectors and specific market-open-

(8118 .72 -))

외신 1과
동 제

0,126

ing measures are going slowly.

The US and EC are pressing Japan and Asian developing countries to go further in liberalising financial services, while they continue to battle between themselves over EC restrictions on imports of US and other foreign audiovisual services such as films, videos and TV programmes.
● **Multilateral trade organisation:** The US has questioned the need for an MTO to implement the results of the round and give world trade rules the status of international law.

It remains tantalisingly unknown which of these problems are for real, which are being raised principally for domestic consumption, and which can be successfully renegotiated. But the uncertainty makes it almost impossible for frustrated negotiators to decide whether they should be making a final push for settlement, or packing for Christmas.

SIDLEY & AUSTIN   WASHINGTON, D.C.

MEMORANDUM

FROM: Judith H. Bello and Alan F. Holmer

RE: Uruguay Round: Latest Reports; U.S. Concerns Regarding
           MTO

DATE: December 16, 1992

        This memorandum provides our thoughts regarding the
latest developments in Geneva from a U.S. perspective, as well as
U.S. concerns regarding the proposed Multilateral Trade
Organization (MTO).

Latest Developments

        Senior U.S. trade negotiators are very discouraged by
the latest developments in Geneva. They were particularly
frustrated by the announcement by the French Monday that the
European Commission does not have competency to negotiate on
certain services categories, such as legal, taxation/advertising,
accounting, and others. The effect of this announcement was to
shut down the bilateral services negotiations.

        U.S. negotiators now believe that December has been
lost in terms of negotiations, and they question whether the
force will be present to push the negotiations home in January.
Nonetheless, U.S. negotiators presently plan to attempt to get
the negotiations relaunched on Monday, January 4, hopefully
treating the month of January as the "final crunch" to get the
negotiations completed. They recognize that this is very much a
long shot, but believe it is worth the effort. U.S. officials
are trying to arrange for a visit to Washington by EC Trade
Minister Andriessen within the next week to attempt to work out
an agreed approach for the January effort.

        On a separate but related subject, the current senior
U.S. trade negotiators (Ambassadors Hills, Katz, Moskow, and
Yerxa) plan to depart their current positions on January 20,
1993. Ambassador Katz has indicated that, depending on the
identity of the new U.S. Trade Representative, he might be
willing to stay on for a little while in order to see the Uruguay
Round completed, if asked to do so.

        This point is obviously important, because if the
senior U.S. negotiators all depart, they leave an enormous vacuum
and the prospects for an early completion of the Round will be
even further diminished.

                    ₰118-12-9

                                                            0128

Multilateral Trade Organization

We sense considerable confusion among trade observers regarding the nature of U.S. concerns on the proposed MTO. We understand those concerns to include notably the following:

o   The Annex 1 agreements -- including the GATT as amended in the Uruguay Round, Tokyo Round codes (except those set out in Annex 4) and all Uruguay Round agreements, including TRIPS and services -- are subject to interpretation by the Ministerial Conference and General Council of the MTO, by a simple majority of votes of members.

o   In "exceptional circumstances," the Ministerial Conference or General Council may waive an obligation imposed by these agreements, by a two-thirds majority of votes cast, provided that such majority shall comprise more than half the MTO members.

o   The Annex 1 agreements are subject to amendment by acceptance of any such amendment by two-thirds of the members.

General MTO Functions

The MTO Text would establish an organization responsible for the facilitation of the administration and operation of the Agreement, including the GATT as amended in the Uruguay Round, Tokyo Round codes, and all Uruguay Round agreements. The MTO also would provide the forum for further negotiations among members concerning their multilateral trade relations. Art. III.

Further, the MTO would administer the Integrated Dispute Settlement System. This system applies to all the agreements set out at Annex 1, which covers all the multilateral agreements -- the GATT, Tokyo Round codes (except those set out in Annex 4), and services and TRIPs agreements. It applies to the plurilateral agreements set out at Annex 4 (agreements on civil aircraft, government procurement, dairy and bovine meat) to the extent that disputants are members of the MTO and such an agreement.

MTO Structure

The MTO structure includes:

o   A Ministerial Conference, which meets at least every two years to review and supervise the operation of the Agreement, launch further multilateral trade negotiations and decide on the implementation of results negotiated among and adopted by members;

-2-   8118-12-10

0129

o A General Council, which meets regularly as appropriate, in between meetings of the Ministerial Conference;

o A Dispute Settlement Body;

o Trade Policy Review Mechanism; and

o subsidiary bodies, including a Goods Council and TRIPs Council.

Art. V.

MTO Voting and Waivers

At meetings of the Ministerial Conference and General Council, each MTO member is entitled to one vote. Except as otherwise provided in the Agreement, decisions are made by a majority of votes cast. Art. IX:1. Both bodies have the authority to interpret the provisions of all the agreements annexed to the MTO Text (that is, the GATT, Tokyo Round codes, and all Uruguay Round agreements, including both TRIPs and tariffs/market access). Art. IX:2. This means that a majority of members casting votes are empowered to interpret the provisions of these agreements or other agreements collectively constituting the MTO. Such interpretations would be binding on all members.

The MTO Text further provides:

In exceptional circumstances not elsewhere provided for in this Agreement and the Multilateral Trade Agreements under Annex 1, the Ministerial Conference or the General Council may waive an obligation imposed on a member by this Agreement or a Multilateral Trade Agreement under Annex 1; Provided that any such decision shall be approved by a two-thirds majority of votes cast and that such majority shall comprise more than half the MTO members.

Art. IX:3 (emphasis supplied). This means that a substantial majority of members can waive obligations under Annex 1 agreements "in exceptional circumstances."

Amendments

The MTO Text also addresses the procedures for amendments to the Agreement, including any agreement set out at Annex 1. First, negotiations for amendments are to be concluded by the Ministerial Conference "on the basis of consensus." Art. X:1. Amendments become effective "for each member upon acceptance [of such an amendment] by two-thirds of the members." Art. X:2. The Ministerial Conference may decide that such an amendment, by its nature, may be such that a member that does not

-3-

0130

accept it within a specified period of time "shall be free to
withdraw from this Agreement, or to remain a member with the
consent of the Ministerial Conference." Art. X:3.

On the other hand, amendments to agreements set out at
Annex 4 are made according to the amending procedures in each
such agreement. Art. X:4. Moreover, modifications to the
dispute settlement agreement (set out at Annex 2) or the Trade
Policy Review Mechanism (set out at Annex 3) "shall be made by
consensus in the Ministerial Conference or the General Council."
Art. X:5.

This means that the GATT, Tokyo Round codes, and most
Uruguay Round agreements can be amended by the agreement of only
two thirds of the members. What is less certain is whether such
amendments affect any member that does not accept them. The
article suggests that all members are bound by adopted
amendments, unless the Ministerial Conference chooses to decide
that a member instead may withdraw or remain a member without
agreeing to comply with the amendment.

Accession

A state may accede to the Agreement (including any
agreement set out at Annexes 1, 2 and 3), on terms agreed between
it and the General Council. Decisions on such accession taken by
the General Council, which require the approval of a two-thirds
majority of votes cast (by members comprising more than half the
MTO members). Art. XII:1, 2. However, a member may invoke the
non-application provision of Article XIII (along the lines of
Article XXXV of the GATT currently), at the time of such
accession.

Conclusion

The positive outlook on the MTO text is that decisions
are facilitated by less-than-consensus support among members.
Decisions based on simple or qualified majority votes arguably
would challenge the MTO to achieve _more_ than merely the least
common denominator on issues important to the U.S.

However, in the current risk-averse, anti-GATT
environment in Washington, the negative outlook prevails: that
the MTO text could enable LDCs to be relieved of critical
obligations (through waivers), and strip the U.S. of the ability
to block decisions or interpretation adverse to its positions.

AFH92013.BED (12/16/92 3:44pm)

-4-

0131

관리
번호 92-//2

외 무 부

종   별 :

번   호 : GVW-2386

일   시 : 92 1217 1130

수   신 : 장 관(통기,경기원,재무부,농수산부,상공부,특허청)

발   신 : 주 제네바대사 사본:주미,주 EC 대사(중계요)

제   목 : UR 협상 미국 수석대표 접촉

검 토 필(1992.12.31.)

본직은 금 12.16(수) UR 협상 미국 수석대표인 WARREN LAVOREL 대사와 오찬을
갖고 아국의 예외없는 관세화 문제를 포함, RUSSIN GROUP 에서 논의되고 있는 제반
현안에 대해 의견을 교환한바, 동 결과 아래 보고함.(이성주참사관 동석)

1. 예외없는 관세화

가. 본직이 먼저 아국은 예외없는 관세하에 관한 수정안을 적절한 시점에 제출할
예정인바 CAIRNS GROUP 국가와의 다각적 접촉 결과 쌀에 관한한 별다른 이해관계가
없다는 반응을 접하고 있기 때문에 미국만이 유일한 이해 당사국이라고 본다고
전제하고

나. 아국의 경우에도 보조금 협정을 비롯 DFA 와 관련 상당수 문제점이 있으나
쌀문제가 가장 중대한 (VITAL) 이해사항이므로 협상 전략적인 고려를 무시하고 여타
문제에 대해서는 수정안을 제출치 않기로 일단 생각중이며

다. 미국이 제시한 수개의 수정안에 대해서도 반덤핑 협정 수정안을 제외하고는
가능한한 호의적으로 검토할 용의도 있다는 뜻을 표하고

라. 미국도 이에 상응하여 쌀문제에 대해서 최대한 고려를 해줄것을 당부함.

(한. 미 우호 관계라는 정치적 측면에서도 미국의 협조적 자세가 필요함을 부언)

마. 이에대해 LAVOREL 대사는 쌀문제는 기본적으로 일본을 목표하고 있으며,
여타국에게는 일본 무역제도의 자유화를 상징하는 정치적 의미 (동경라운드시의
CHEMICAL DYES 와 비교하면서 COMMERCIAL VALUE 보다 상징성이 크다는 점을 강조)를
갖고 있으며

사. 한국의 사정이 일본보다 더 어렵다는 것은 알고 있으나, 품목 예외를 요구할
경우 카나다의 유제품, 미국의 SECTION 22 품목등 연쇄효과를 가져와 UR 농산물 협상
결과를 UNRAVELLING 하게 된다는 문제가 걸려있어 특정품목에 대한 예외 인정은

통상국 농수부	장관 상공부	차관 특허청	2차보	분석관	정와대	안기부	경기원	재무부
		중계						

PAGE 1

일반문서로 재분류(1993.6.30)   92.12.17   21:05

* 원본수령부서 승인없이 복사 금지

외신 2과 통제관 FT

0132

어렵다는 반응을 보이면서 아국 수정안 내용에 관심을 표명함.

아. 동인은 또한 아국도 상기 위험을 인식 ANNEX 3 의 주석에 CAREFAUY CIRCUMSCRIBED 된 일부 품목에 한정한다는 문안을 추가하는 LOW-KEY 방식의 접근을염두에 두고 있다는 본직의 설명에 대해, 과연 동 방식이 다수국이 우려하는 UNRAVELLING 을 초래하지 않을 수 있는 방식인지 의문이라고 하면서

자. 일본의 경우 고관세의 원칙은 받아들이면서 스위스 또는 북구의 접근방식을 택할 것이라는 점을 간접적으로 시사함.

2. 반덤핑 협정에 대한 미국의 수정안

- 본직이 미국 수정안의 3 개 요소의 공통분모는 모두 협정문을 미국의 반덤핑 규정에 맞추자는 의도인 것으로 본다고 한후

1) 패널의 심의권한 축소는 패널의 존재가치를 무용화 (NUGATORY) 시키는 결과를 가져오며

2) CIRCUMVENTION 문제는 동개념을 과도하게 확대할뿐 아니라, 아국의 해외투자를 위축시키는 효과를 가져올 것이기 때문에 아국이 일관하게 반대입장을 취해왔던 사항이며

3) SUNSET CLAUSE 도 과거 아국업체의 피해 경험에 비추어 수용키 어렵다는입장을 표명함.

- 이에 대해 LAVOREL 대사는 상기 2), 3) 에 대해서는 아국의 주장이 설득력이 있음을 인정할 수도 있으나, 1)에 대해서는 아래의 이유로 미국입장이 확고하다고 언급함.

0 수출업체가 수입국의 심사과정에서 제기치 않았던 새로운 증거 또는 논거를 PANEL 에 제기할 수 있도록 허용하는 것은 일사부재리 원칙에 반함.(최근 스웨덴 연어 패널등 4-5 건의 PANEL 보고서간에도 이점에 관해 혼선이 있으며, 이러한 상황을 방치할 수 없음)

0 수입국 관계당국의 판정이 반덤핑 협정 규정에 비추어 적법한 판정인지의여부를 심사하는 패널의 권한을 부정하는 것은 아님.

3. MTO 협정에 관한 미국 제안

- LAVOREL 대사는 내용 (SUBSTANCE)면에서는 변화가 없으며, 형식만 바꾸자는 제안임을 다시 강조함.

- 본직은 형식문제와 관련 미국이 안고있는 진정한 어려움이 무엇인지 알수없고,

내용면에서도 변화가 없다고만은 보지 않으나 (조부조항의 유지등)

  - 조부조항등의 문제가 적절히 해결되고, SINGLE UNDERTAKING 의 원칙이 유지되며, UR 협상결과 이행에 차질을 가져오지 않는다는 확신이 서면 미국제안에 신축적 태도를 취할 수도 있다고하면서

  - 아국의 관세화 문제를 염두에 두고 상호간 어려움을 이해하려는 태도의 중요성을 강조함

  - LAVOREL 대사는 MTO 문제는 UR 결과의 이행과 관련된 형식적, 제도적 문제로서 결론도출 및시장접근, 씨비스 양허협상의 실질적 진전에 우선을 두어야 한다고 보는바, 다수국이 MTO 문제만 집중부각시키는 것은 본말이 전도된 것으로본다고 말함.

  (GVW-2387로 계속됨)

관리
번호 *12-113*

외 무 부

종 별 :

번 호 : GVW-2387   일 시 : 92 1217 1130

수 신 : 장관(봉기, 경기원, 재무부, 농수산부, 상공부, 특허청)

발 신 : 주 제네바대사   사본: 주 미, 주 EC 대사 - 중계필

제 목 : GVW-2386 계속

4. LAVOREL 대사는 기타 미국의 수정제안 및 타국의 수정제안에 대해 아래와 같이 언급함.

가. 미국의 SPS 수정제안

- 미국 내부적으로 수출업체의 입장과 수입업자의 이해간에 세심한 균형을 이룬 내용이며, 구라파 제국을 포함 전반적으로 호의적인 반응을 얻고 있음.

(단, CAIRNS GROUP 및 중남미제국이 강한 반발을 보이고 있다는 본직의 언급에 대해서는 답변을 회피함)

검 토 필 (1992. 12. 31.)

나. 분쟁해결 절차에 대한 미국의 불만

- 미국은 제 23 항(일방주의 억제)에 수정을 시도할 의도는 없으며 제 22.6 항(패널이행 관련 중재절차) 문제는 인도와 합의점을 모색하였음.

- 미국의 관심은 PANEL 절차의 TRANSPARENCY 제고(전문가의 참여확대, 패널보고서의 공표등)를 기하고자 하는 것임.

다. 지적소유권 협정에 대한 불만

- PIPELINE PRODUCT 보호가 반영안된점 및 인도에 5 년의 추가적 유예기간을 부여한 것이 불만임.

- 5 년 추가 유예기간은 인도, EC 간의 막후거래(MTO 에 대한 인도의 지지를 얻기 위한)에 불과하며 미국은 이에 동의한바 없음.

일반문서로 재분류(1993 . 6 . 30)

라. 인도의 섬유 협정문 수정기도

- 시장접근 분야에서 BINDING 폭을 40% 확대하는 대신 ECONOMIC PACKAGE 를 수정하자는 인도의 비공식 구두제안을 받고 있으나(인도는 EC 와도 접촉했다 함)

- 미국으로서는 오히려 섬유분야에서의 개도국의 MARKET ACCESS 확대가 이루어지지 않는한 통합기간을 연장해야 한다는 입장임.

통상국 농수부	장관 상공부	차관 특허청	2차보 송계	분석관	청와대	안기부	경기원	재무부

PAGE 1   92.12.18   06:29

외신 2과 봉제관 DI

0135

마. EC 의 보조금 협정 수정 제안

- EC 가 제안 예정인 내용을 확실히 알수는 없으나 민간항공기 분야 및 철강분야에 대한 예외설정을 요구할 계획인 것으로 알고 있음.

바. 카나다의 보조금 협정 제안

- 연방제도를 채택하고 있는 미국으로서는 카나다 제안이 받아들여질 경우 반사적 이익을 기대할 수 있으나, 기본적으로 보조금의 전면금지 입장을 취하고 있기 때문에 카나다의 수정안에 대해서는 가부간에 무방하다는 입장임.

- 다만, 카나다로서는 이문제가 헌법상의 문제로서 예외없는 관세화 문제보다 더 심각한 문제이므로 동입장을 관철할 것으로 보임.

5. LAVOREL 대사는 아래와 같이 UR 협상의 조기 종결에 관한 미국의 의지는불변이나 동 전망은 확실치 않으며, 현재의 부진 원인은 EC 측에 있다고 언급함.

- 자신은 정부로부터 년말까지 정치적 DEAL 을 끝내도록 하라는 명확한 훈령을 받고 있으며, 이를 위해 자신을 포함 모든 협상팀이 FLEXIBLE 한 협상입장 (훈령)을 갖고, 11.20 미.EC 합의이후 제네바에 상주하고 있음.

- 11.20 이후 협상 부진은 무엇보다도 불란서의 제동으로 EC 가 내부입장을정립할 수 없었던 데에 기인하며, 이때문에 EC 는

1) 협상 TEAM 을 지난주에 와서야 제네바에 파견할수 있었고

2) 미.EC 합의문 (LEGAL TEXT) 및 C/S 제출을 이제까지 지연해 왔으며 (미측은 이미 2 주전 TEXT 를 EC 측에 수교하고 동 제출 여부를 EC 측에 일임했다함)

3) 11.20 미.EC 간 서비스분야 합의내용의 상당부분을 철회(11.20 합의시 MA 에서는 특별한 합의가 없었던 것이 사실이나 서비스분야에서는 금융, 전문직,기본통신분야에서 합의가 이루어졌음. 그러나 서비스 교역은 각회원국의 권한 사항이기 때문에 집행위가 협상할 권한이 없다는 이유를 새로 내세우는 불란서의방해로 EC 는 동 합의를 철회했을 뿐만 아니라 양자협상도 할수 없는 입장에 처함) 했고

4) 시장접근 분야에서도 전혀 협상에 임할수 없는 상태에 처해 있음.

- 이러한 최근의 상황에 대해 미국은 강한 좌절을 느끼고 있으며, 연내 정치적 타결은 어렵다고 봄.

- 미국 신행정부의 UR 협상에 대한 태도에 대해서는 아직 확실히 알수 없으나 큰

PAGE 2

0136

변화는 없을 것으로 보며, 따라서 미국으로서는 어떠한 방식으로든지 1 월부터 협상을 계속할 수 있는 길은 일단 열어두어야 한다고 생각함.

(다만, EC 등 주요국이 1 월초 신행정부의 등장을 2 주 남겨놓고 바로 진지한 협상에 응하고자 할런지는 불투명함). 끝

(대사 박수길-국장)

예고:93.6.30 까지

이미 (？？)

외　무　부

종　별 :

번　호 : FRW-2603　　　　　　　　　　일　시 : 92 1217 1830

수　신 : 장관(통기,통삼,경일,경기원,농수부,상공부)

발　신 : 주 불 대사　　　　사본:주EC, 제네바대사-필

제　목 : UR 협상 동향

일반문서로 재분류 (1992. 12. 31)

연:FRW-2589

1. DUMAS 불외상은 12.16. 제네바를 방문하여 DUNKEL GATT 사무총장과 면담, 현 GATT 협상은 세계교역의 10 % 에 불과한 농산물에 지나치게 촛점이 맞추어지는 등 전혀 형평에 맞지 않게 진행되고 있음을 지적하고 동일 EC 집행위가 제출한 EC 의 농산물 OFFER LIST 는 '법적가치가 없는 무효 (NULLE ET NON AVENUE SANS VALEUR JURIDIQUE)' 라고 선언함으로써 UR 협상의 조기타결 가능성을 어렵게 만듬.

2. 또한 동 외상은 EC 집행위의 월권적 교섭행위를 강력히 비난하고 11.20 자 미.EC 타협안은 불측으로서는 전적으로 불만족스러운 단순한 합의초안 (AVANT-PROJET D'ACCORD) 에 불과하다고 지적함.

3. 또한 동 외상과 동행한 DURIEUX 대외무역담당장관 역시, 상기 불란서의 입장 표명으로 농산물 협상이 잠정적으로 중지되기를 희망하는 한편 UR 협상은 균형되고 바람직한 내용으로 타결되는것이 중요한 것이므로 미국내일정에 따라 93년 3 월초까지 무리하게 타결할 필요가 없다고 주장함.

4. 평가

O DUMAS 외상의 상기 선언은 UR 협상의 막바지 단계에서 우발적인 발언일수 없는 대담한 내용으로 미.EC 관계는 물론 EC 회원국간 관계에도 상당한 영향을 미칠것인 바, 이는 EC 의 대외적 단합을 과시한 에딘버러 정상회담이후 불과 4일후, DUMAS 외상이 최근 불정부내에서 UR 협상 조정역할을 수임한 직후에 행해 졌다는 점에서 크게 주목됨.

O 불란서가 상기와 같은 입장을 취하게된것은 에딘버러 정상회담은 물론 제반 EC 이사회에서 UR 협상관련 불란서의 거듭된 유보적 입장과 일부 회원국 (벨지움, 이태리, 아일라니드)의 동조 의향 표시에도 불구하고, EC 의장국인 영국및 EC

통상국	장관	차관	2차보	경제국	통상국	분석관	청와대	안기부
경기원	농수부	상공부						

PAGE 1

92.12.18　10:14

외신 2과 통제관 BX

0138

집행위가 이를 무시하고 (연호 EC 농업이사회 토의 참조) 농산물 OFFER 를 제출하는 등 UR 협상을 서두르고 있는데 대한 극단적인 불만의 표시로 분석됨.

  O 불란서의 UR 협상 기본입장은 농산물을 제외한 여타 협상이 그간 지체되었음에 따라 이를 우선적으로 추진하는 한편, 그동안 농산물분야는 EC 가 내부적으로 CAP 와의 양립문제를 검토후 과도한 분야는 이를 시정하겠다는 것임. 이러한 불 입장은 최근 미국이 농산물 분야에서 새로운 요구를 하고 있음에 비추어어느정도 타당성을 갖고 있다고도 볼수 있으나, 기본적으로는 시간을 두고 UR 협상에 대처하는 일방 EC 내부에서 최대한의 보상을 득하고자 하는 불정부 전략의일환으로 관측됨.

  끝

  (대사 노영찬-국장)

  예고:92.12.31 까지

원 본

외 무 부

종   별 :

번   호 : GVW-2395

일   시 : 92 1217 2030

수   신 : 장관(봉기, 경기원, 재무부, 농수산부, 상공부)

발   신 : 주 제네바 대사

제   목 : UR/개도국 비공식 회의

　　1. 표제회의가 12.17(목) 던켈 TNC 의장이참석한 가운데 BENHIMA 의장 주재로 개최되어먼저 던켈의장이 협상현황 평가 및 자신의 계획을 밝힌 다음, 참가국들의 질문에대해답변하였는바, 주요 내용은 아래와 같음.

　　가. 던켈의장의 평가 및 향후 계획에 관한설명

　　0 사무국이 참가하지 않는 가운데 MA 협상이진행되고 있기 때문에 상세 사항을 평가할 수는없으나 자신은 너무 느리다는 인상을 받고 있음. 한 주요 협상 참가국이 농산물 C/S 를제출하였으며, 몇 주요 협상 참가국들의 공산품 OFFER 제출을 기다리고있음.

　　0 지난 11.26 TNC 회의시 금년말까지 POLITICALPACKAGE 를 도출할 것임을 밝힌바있으나 동목표는 달성하지 못하였음.

　　0 12.18(금) 16:00 TNC 회의를 개최할 예정이며, 성탄절 휴가이후 내년 1.4 부터협상을 재개하여1.15(금) 11:00 에도 TNC 회의를 개최, 계속되는협상의 과정(CONTINUING NEGOTIATION PROCESS)을점검 (STOCK-TAKING)할 예정임.

　　0 T-4 의장으로서 (1) T-1 및 T-2 에서움직임이 없으면 T-4 는 개방이 불가하며 DFA의 다수 ISSUE 들이 문제로 부각되고 있음에비추어 현 DFA 를 고수하려 하거나 문제들을 도외시할수는 없을 것임.

　　0 미.EC 의 합의사항은 곧 협상 TABLE에 올려질것임.

　　0 협상결과의 기정사실화(FAIT ACCOMPLI)는 있을수 없으며, 협상결과는 CONSENSUS 에의하여 확정될 것이고, GNG 평가 절차를거칠것임.

　　0 자신은 TNC 의장으로서 HONEST BROKER 에 지나지않으며, 협상은 참가국들에 의해서 이루어져야 할것임.

　　나. 참가국들의 질문 및 던켈 의장의 답변

통상국   경기원   재무부   농수부   상공부

O FAIT ACCOMPLI 를 허용치 않겠다는 것은 무엇을 의미하는가 하는 페루 및 잠비아의 질문에대하여 던켈 의장은 모든 협상 참가국들이 어떠한 특정 분야에 대해서도검토할수 있는 시간을 주겠다는 의미라고 답변

O T-4 는 엄청난 시간의 낭비(TERRIBLE WASTE OFTIME) 를 가져올 위험이 있는 만큼, 많은쟁점들을 걸러가면서(FILTERING), 매단계에서 TNC를 개최, 특정분야에 대한평가가 아닌협상 전체에 대한 전반적인 평가(GLOBALACCESO)를 실시해 나갈 예정이라고 답변

O 파키스탄 및 자메이카가 협상 종결시 개도국들의평가에 대한 던켈 의장의 견해를 물은데대해, 협상이 한창 진행될 때 무관심한태도를 견지하다가 막바지에서 많은문제를제기하는 국가들이 있음을 지적하고, 협상분야별역동력이 협상 전반의 역동력으로 이어지도록 노력해야 할것이며, 협상 마지막 단계에 FINISHINGTOUCH 가 필요하나 아직은 그 다계가 아니라고 말하고'NOTHING WILL BE CONCLUDED UNTIL EVERY THING ISCONCLUDED'를 재강조

O LLDC 들은 현재 경제 개혁과정에 있는만큼 SCHEDULE 제출에 어려움이 있는 것을이해해야 할것이라는 잠비아의 요청에 대하여 던켈의장은 LLDC 의 어려움은 이해하나, SCHEDULE은 협상 결과의 내용을 추정하는 INSTRUMENT가 되는 만큼 모든 참가국들은 SCHEDULE제출에 협조해야 할것임을 언급

O 콜롬비아가 최근 프랑스가 EC 집행위가 제출한농산물 C/S 를 수락할수 없으며,EC집행위가 서비스 협상을 할수 없다고 언급한데대해 견해를 물은데 대해 EC 의 C/S는EC 집행위가 제출한 것으로 자신으로서는 EC집행위가 EC 를 대표하여 협상에 참여하는것을 인정치 않을수 없으며, 프랑스의 발언은 EC의 내부 문제라고 언급

2. 상기 협의후 BENHIMA 의장은 12.18(금) TNC회의시 개도국 비공식 그룹을 대표하여 자신이STATEMENT 를 행하는데 대해의견을 문의한바,참가 개도국들이 분야별로다양한 INTERESTS 를갖고 있음에 비추어 일반적이고, 집단적인관심사항에 대한 개도국들의 우려를 표명하되,구체적 내용은 의장에게 일임키로 함. 끝

(대사 박수길-국장)

원 본

외 무 부

종 별 : 지 급

번 호 : JAW-6651　　　　　　　　　　일 시 : 92 1217 2351

수 신 : 장 관 (봉기,봉일, 사본:농수산부)

발 신 : 주 일 대사(일경)

제 목 : 주재국 농수산상의 EC 부위원장 회담결과

　　주재국 다나부 농수산상은 금 12,17. UR 및 일. EC 간 문제 관련 방일중인 안드리
센 EC 집행위 부위원장과 회담 하였는바, 동 결과에 관한 농수산성의 기자
브리핑요지와 양인의 동일밤 9시 NHK 뉴스 인터뷰 개요를 아래 보고함

　　　-- 아래 --

　　1. 다나부 농수산 대신의 언급요지

　　0 UR 관련, 일본은 가능한한 조기합의를 위해 노력 예정

　　0 쌀의 관세화관련 EC 측의 유연한 대응을 요망하며, 국회의 3차례 결의에 따라
포괄적 관세화안의 수용은 불가

　　0 EC 관심품목인 치즈, 쵸콜릿 등에대해 관세 인하 노력중

　　0 동식물 검역문제에 대해서도 전문가간 노력중

　　0 일본의 가리비(호타테)에 대한 EC 측의 금지조치 해제 요망

　　0 UR 성공을위해 양보할수 없는것은 양보 못하고, 양보할수 있는것은 양보 예정

　　2. 안드리센 부위원장의 언급요지

　　0 쌀의 관세화에 대해서는 지금이 협의할 시점이라고 생각함

　　0 미국. EC 합의안에 대해 EC 12 개국중 7-8개국이 반대 입장이며, 현재도 이들
국가와 부쟁중임

　　0 농수산 가공품에 관해서는 EC 내의 5-7개국이 관심을 갖고있는바 이와관련일본의
유연한 자세 요망

　　0 일본산 가리비 문제는 해결을 위해 노력할 예정

　　3. 한편 12.17. 저녁 9시 NHK 뉴스 인터뷰에서 안드리센 부위원장은 일본이 쌀관
세화를 수용할 것같은 느낌을 받았느냐는 질문에, UR 농업교섭에서 쌀문제 해결은
불가결 요소이며 농업교섭의 성공이 UR 전체의 성공에도 중요한바, 일본은 국내사정을

통상국　　　통상국　　　농수부

PAGE 1　　　　　　　　　　　　　　　　　　92.12.18　　00:30 FO

들어 관세화 불인정 입장을 취하고 있으나 어려운 가운데서도 해결책 강구 노력이 필요하며 일본 각료 가운데 관세화 수용파와 반대파가 있는 것으로 감지 되었는바, 여하간 진전을 지연시키는 자세는 피해주었으면 한다고 언급함. 또한 동인은 일본의 계속반대로 농업교섭이 실패하고 이것으로 UR 전반이 실패되면 일본의 책임이 크게 될것이라고 부연함.

4. 한편 상기 인터뷰에서 다나부 농수산상은 쌀문제가 UR 의 전부가 아니며 동문제도 써비스, 지적 소유권을 비롯 모든 측면에서 종합적으로 보아야 하며 서로 양보의정신을 갖고 교섭에 임하지 않으면 않된다고 생각하는바, 쌀문제를 비롯 UR 교섭은내년 초로 해를 넘기게 될것갈으며 언제, 어떻게 결론이 날런지는 현재로서는 무어라고 이야기 할수 없다고 언급함.끝

(대사 오재희-국장)

원 본

외 무 부

종   별 :

번   호 : GVW-2392   일   시 : 92 1217 1530

수   신 : 장관(통기, 경기원, 재무부, 농수산부, 상공부, 특허청)

발   신 : 주 제네바대사   사본:주미, 주 EC 대사 - 중계필

제   목 : 제 4차 RUSSIN 회동

작 12.16(수) 저녁 제 4 차 RUSSIN 회동이 개최되어 12.18(금) TNC 회의를 개최,
협상의 현황을 평가한후 내년 1.4 부터 시장접근 협상 중심으로 재개키로 합의한바,
동 회동결과 및 이와관련 당관 평가를 아래 보고함.

    1. RUSSIN 회동 결과

    가. TRIPS 및 남은 현안에 대한 토의를 거쳐 향후 협상 계획을 협의해 보자는
DUNKEL 총장의 회의 벽두 제의에 따라

    나. 미국이 TRIP 협정에 대한 수정안 (별첨)을 제출 설명한데 이어, 인도가 TRIPS
PTU 27 등과 관련 CLARIFICATION 이 필요한 이유를 설명한데 이어

    다. EC 도 보조금 협정관련 수정안 (별첨)을 제출했고, 시청각 서비스관련 부속서
작성 또는 서비스 협정전문에 시청각 서비스의 문화적 측면을 강조하는 내용 추가
문제를 제기하고, 이에 인도도 써비스 협정과 관련 중요 잇슈(PLLICY ISSUE)가 있다는
발언을 하는등 각국이 산발적으로 여러가지 잇슈를 제기하는 상황이 됨으로써

    라. DUNKEL 총장은 각국이 협상을 종결하려는 의지를 갖고 있는지 여부가
의문이라고 하면서 강한 불만을 표시하고, 향후 협상 방법론을 협의할 것을 제의함.
(본직도 아국은 협상 조기 타결에 최대한 협조한다는 고려에서 관세화문제를제외한
여타 사항에 대해서는 자제해 왔으나, 각국이 이런식으로 문제를 제기한다면 아국도
보조금등과 관련 문제를 제기치 않을 수 없다는 불만 토로)

    마. 이에대해 미국은 12.16 본직과의 오찬시 언급내용대로 금년도에 협상타결이
난망시되는 만큼 내년도에 조속히 협상이 재개되기를 희망한다고 간단히 발언한 반면

    바. EC 는 RUSSIN GROUP 에서 제기된 문제들이 기술적인 성격이 강한 것은
사실이나, 모두 정치적으로 해결될수 있는 문제라고 강조하면서, 년내 정치적 타결을
이루려던 DUNKEL 총장의 계획이 무리였음을 인정하고, 내년초 부터는 시장접근

통상국	장관	차관	2차보	분석관	청와대	안기부	경기원	재무부
농수부	상공부	특허청	중계					

PAGE 1   92.12.18   06:50

외신 2과 통제관 DI

0144

협상부터 재개, 이분야에서 착실한 진전을 해야 한다는 의견을 개진함

사. 이에 따라 DUNKEL 총장은 TRANSPARENCY 목적에서 12.18(금) TNC 를 개최, 협상 현황을 평가함과 아울러 내년초 협상 계획을 정하자는 자신의 의견을 개진함.

아. 이에 대해 일본 및 본직등은 12.18 TNC 개최를 굳이 반대할 의사는 없으나, 1) 12.18 로 금년도 협상을 마감할 경우 대외적으로 WRONG MESSAGE 를 줄 우려가 잇고, 2) 아국의 경우 요청대로 농업문제 관련 수정안까지 준비해 두었으나 아직 이를 제시할 기회도 없었기 때문에, 이단 12.22 까지는 협상을 계속하는것이 바람직 하다는 의견을 개진함.

자. DUNKEL 총장은 향후 일정관련 아래와 같이 결론을 지음.

1) 12.22(화) 조찬 형식으로 RUSSIN 회동을 재개, 현안을 계속 협의함.

2) 12.18(금) 오후 TNC 회의를 소집, 협상 현황을 알리고 내년도 협상 일정을 논의함.

3) 동 TNC 회의에서 내년도 협상 일정은 아래와 같이 제시하겠음.

- 1.4(월) 부터 시장접근 중심으로 협상 재개(EC 등이 제출하는 새로운 C/S에 입각)

- 1.15(금) TNC 회의를 개최, 1.4-15 간 진전 상황을 평가함.

2. 평가

가. RUSSIN 회동을 통해 가급적 UNRAVELLING 을 막으면서, 소수 핵심의제에대한 정치적 합의를 이룩하려던 DUNKEL 총장의 당초 의도와는 달리, 미국을 필두로 다수국이 상당수 실질문제를 제기함으로써 금년내 타결이 불가능해 졌음이 확인됨

나. 미국, EC 간 농산물 이외의 주요 잇슈(MTO, 무세화 및 관세조화, MFN 일탈)등에 상당한 입장 대립을 보이고 있으며(본직등이 개별적으로 접촉해 본 결과 서로 책임 전가 하려는 인상을 감촉), 미.EC 양측 모두 동입장차 해소를 어렵게 만들고 있는 내부적 요인을 안고있음. (EC 내 불란서의 집요한 저지 노력, EC집행위원 특히 UR 관련 핵심집행위원인 ANDRIESSEN 및 MCSHARRY 의 퇴임, 미국신행정부의 출범, 동 신행정부의 UR 에 대한 입장 미정립등)

다. 따라서 명년초 시장접근 협상 중심으로 협상이 재개되더라도 1) 동 협상이 RUSSINGROUP 에서 제기된 제반 잇슈와도 밀접히 연계되어 있을뿐만 아니라 2) 상기 "나"항 미.EC 양측의 내부적 요인이 그대로 남아있게 되므로, 1 월초 이후 협상이 원만히 진행되어 2 월말까지 완전 종결이 가능한지의 여부는 계속 불투명함.

PAGE 2

0145

3. 본직은 이와 같이 향후 협상이 불투명하기는 하나 RUSSIN 회동을 통해 대부분의 국가가 자국의 이해사항을 모두 제기하였음에 비추어, 아국도 농산물 문제에 관한 아국의 수정안을 정식으로 제기해 두는 것이 좋다는 판단에서 1.22.RUSSIN 회동을 요구하였고, 동 5 차 회동에서 아국 수정안을 제시할 예정임. (단 서서, 일본등과 제휴)

    첨부: TRIPS(미국), 보조금(EC) 수정안(GVW(F)-0760). 끝

    (대사 박수길 - 장관)

    예고: 93.6.30 일반 DI##########

번 호 : GVR(주) - 0160   년월일 : 2/217   시간 : 1530

수 신 : 장 관 (동기, 경기원, 정무부, 농림수산부, 상공부, 특허청)

발 신 : 주 제네바대사

제 목 : 첨부

층 4 명 (표지포함)

960-8-1

December 16, 1992

TRADE-RELATED ASPECTS OF INTELLECTUAL PROPERTY RIGHTS, INCLUDING TRADE IN COUNTERFEIT GOODS

Article 14bis

1.   Notwithstanding the provisions of Articles 3.1, 4(b), and (c) and 14.6 of this Agreement, right holders in works, phonograms and videograms shall be entitled to any benefit, including remuneration from levies for private copying or rental activity, on the basis of national treatment without formalities, in accordance with the contractual relationships among the persons involved. A Member may require persons claiming such rights and benefits to present appropriate evidence supporting their claim.

2.   Where on the date of initialing of this Agreement, a Member treats nationals of another Member as eligible for any benefit, including remuneration, such eligibility shall be continued on the basis of national treatment.

****

Article 70: Protection of Existing Subject Matter

. . .

    (iv) provide exclusive marketing rights, notwithstanding the provisions of Part VI above, for any such product for which market approval was obtained in that Member, if a patent was granted on that product in another Member based on an application filed between the date of the Punta del Este Ministerial Declaration on the Uruguay Round and the entry into force of this Agreement, and market approval was also obtained in such other Member. The term of such exclusive marketing rights shall expire either at the same time as the patent granted for that product in such other Member or on the date a patent on that product is issued by that Member, whichever occurs first.

Delete Paragraph 9.

760-K-2

0148

Reasons for requesting changes in
the draft Subsidies Agreement

Subsidies are one of many possible legitimate instruments that all governments use in order to pursue their objectives of social and economic-policy. The extent to which they are used, together or instead of other forms of government intervention, depends on the choice and the traditions of each country. It has to be borne in mind, in this respect, that European countries all have a long and deeply rooted tradition of assumption of responsibility by a government for many aspects of a country's life, including the social well-being of its people and certain aspects of economic life.

This is recognised in the Community's constitutive Treaties, even though the same treaties also clearly recognise the danger posed by unfettered use of subsidies for the functioning of a free market economy. For this reason, Community law establishes a strict mechanism of state aid control, which enables the Community to strike a balance between the legitimate use of subsidies and the danger that they may have for free competition.

The Community has always been ready to follow the same principles in the multilateral arena: strengthen disciplines on the use of subsidies, in order to prevent or remedy damage to international trade, but at the same time preserve the freedom to use subsidies, when needed, on a par with other legitimate policy instruments.

In the light of this, the Community feels that the draft Subsidies Agreement is unbalanced, that the strengthening of disciplines on the use of domestic subsidies rests on too heavy a presumption that all subsidies have adverse effects, and that the green list does not assure a "safe harbour" wide enough for subsidies needed to pursue at least the most important policy objectives of the Community.

For this reason, the existing draft risks endangering vital objectives of the Community and its Member States, and its acceptance by the Council would be extremely uncertain, if that unbalance is not somehow redressed.

URUGUAY ROUND: SUBSIDIES AND COUNTERVAILING MEASURES

* A general "lex specialis" clause has to be inserted, to avoid norm and forum-shopping in all future cases of special rules being developed on subsidies:

  "The provisions of this Agreement apply to all subsidies not otherwise covered by special multilateral rules."

* The figure in Article 6.1(a) has to be significantly higher than 5%(1).

* The green list must include subsidies to "development" together with applied research.

  (The notion of development activity must be defined appropriately: one may either go back to the definition of "applied research and development" used in previous negotiating texts, or add to the existing footnote 3 a specific definition of "development")

* The effects of a subsidy in Article 6.3 have to be qualified to prevent that minimal effects are taken to constitute serious prejudice. This can be achieved by a footnote:

  "For the purposes of this provision, the effect of the subsidy must be significant".

* Finally, as provided for in MTN/TNC/W7FA (p. 102), in respect of the Agreement on subsidies and Countervailing Measures, prior to the conclusion of this negotiation, a decision will have to be made as to the scope of coverage of this text, taking into account negotiations taking place in other groups. It is therefore necessary for the Parties to discuss and agree the basic conditions for taking and implementing this decision.

---

(1) The corresponding figure for start up situations in Annex IV, paragraph 4 (currently 15% of investment costs) must be raised significantly.

0150

$960 - K - 6$

長官報告事項

報告畢

1992. 12. 17.
通 商 局
通商機構課(76)

題 目 : UR 協商關聯 NYT 記事

NYT지는 12.16자 사설을 통해 부시 행정부는 UR 협상의 타결을 시한에 쫓기어 서두르지 말고 클린턴 행정부에게 협상권을 이양하라고 권고하였는 바, 동 요지 아래 보고드립니다.

(기사 요지)

o 던켈 사무총장은 작년 협정문 초안을 제시함으로써 각국에 협상타결이 임박하였다는 환상을 심어주면서 회원국에게 최소한의 수정만을 강요하고 있으나, 동 초안은 미국의 경우에도 대외통상 목표와 동떨어진 부분이 많이 있음.

o UR 협상은 새로운 분야(지적소유권, 해외투자, 금융, 통신)를 다루고 있으며, 이분야에서 각국의 입장차이가 현격한 시점에서 UR 타결을 서두를 필요가 있는지 의문시 됨.

o 93.6.1.로 FAST TRACK AUTHORITY 기한이 만료되기는 하나, 클린턴 행정부가 의회에 동 권한의 연장을 요청하는 경우 의회는 이를 승인할 것으로 보임.

o 따라서, 부시 행정부는 인위적 시한설정과 국익에 반하는 불필요한 타협을 통해 UR 타결을 서두를 필요없이, 협상권을 클린턴 행정부에 넘겨 주어야 하며, 클린턴 행정부가 출범즉시 UR 협상에 임할 수 있도록 부시 행정부는 클린턴이 지정하는 인사를 UR 협상관련 통상분야 요직에 즉시 임명하여야 함. 끝.

0151

주 제 네 바 대 표 부

번 /호 : GVW(F) - 0159   년월일 : 21/2/17   시간 : 1500

수 신 : 장   관 (통상기구과 이시형 서기관)

발 신 : 주 제네바대사 (홍종기)

제 목 : 자료송부

총 4 매 (표지포함)

보 안	
공 재	

외신과	
통 제	

장관실	차관실	제1차관보	제2차관보	외정실	분석관	아주국	미주국	구주국	중아국	국기국	경제국	통상국	문협국	의전국	청와대	안기부	공보처	경기원	상공부	재무부	농수부	동자부	환경처	과기처
												◯												

159-4-1   0152

우루과이 라운드 협상의 년내 타결이 어렵게 됨에 따라 협상 참가국들은
12.18 무역협상위원회(TNC)에서 내년초에 협상을 재개하기로 결정 하였는바,
관련 사항 아래 보고드립니다.

1. 최근의 협상 경과

O 우루과이라운드 협상 진전의 장애요소였던 미국.EC간 농업보조금 관련
   협상이 타결됨에 따라 협상 참가국들은 11.26 우루과이라운드 무역협상
   위원회(TNC)에서 금년말까지 정치적 타결만 마련을 목표로 아래
   분야별로 협상키로 결정
   - 상품분야(농산물 포함) 양허협상
   - 서비스분야의 양허협상
   - 우루과이라운드 협정문의 법적 정비 작업
   - 우루과이라운드 협정문에 대한 수정 협상

O 이에 따라 「던켈」 GATT 사무총장은 우리나라, 미국, EC등 주요 18개국
   대사가 참석하는 비공식 협의회를 통하여 우루과이라운드 협정문에 대한
   수정협상을 년말까지 종결하고, 이를 토대로 다른 모든분야의 협상도
   내년 2월말까지 마무리 한다는 전략하에 협상을 진행

O 12월중 협상 과정에서 「던켈」 총장은 협정문 수정은 가급적 최소한
   으로 제한 하기를 희망하였으나, 미국, EC등 주요국가가 다자무역
   기구(MTO) 설치 문제, 반덤핑등 분야에서 다수의 정치적 쟁점에
   대해 협정문 수정을 요구함에 따라, 최대쟁점인 농산물의 예외없는
   관세화 문제를 논의 하기도 전에 교착상태에 봉착
   - 농산물 분야는 12.22 주요국대사 협의회에서 협의 예정

0153

2. 협상 연기 결정

0   이러한 상황에서 12.16 개최된 주요국 대사 ~~(대사)~~ 협의회는 금년말까지
     정치적 타결만 합의가 어려움을 인정하고 협상을 내년초에 재개하기로
     하였으며 12.18 개최된 무역협상위원회(TNC)는 이를 공식적으로 추인
     -   93. 1.4경 부터 상품 및 서비스분야 양허협상을 중심으로 협상 재개
         93. 1.15경 무역협상 위원회를 개최하여 협상 현황 점검

3. 평가 및 전망

0   미국, EC등 주요국들이 내부의 정치적 사정으로 인해 「던켈」 총장의
     최종협정문안에 대한 수정 요구를 최소한으로 억제하지 못한 것이 년내
     타결 실패의 원인
     -   미국의 경우, Clinton 대통령 당선자 및 민주당측의 졸속한 협상
         종결에 대한 우려표명, 다자무역기구(MTO) 창설에 대한 의회의 불만과
         최근 EC와의 협상과정에서 계속된 미측의 양보에 대한 행정부, 업계등의
         불만이 작용
     -   EC의 경우, 농산물 분야 타결에 집요한 반대를 계속하고 있는 불란서의
         국내사정등 내부 사정 고려

0   내년초 재개될 협상에서도 이러한 협상 부진 상태는 계속될 것이므로
     당초 예정대로 2월말까지 협상종결 가능 여부는 불투명하며, 경우에
     따라서는 내년 5월말에 종료되는 미국의 신속협상 권한(Fast Track)의
     연장과 협상 기간의 수개월 또는 그이상 연장이 필요한 상황도 상정가능

0   우리나라로서는 농산물분야와 관련하여 국제적으로 어려운 상황에 처하지
     않고 협상이 연기되어 다소 시간적 여유를 갖고 대처할 수 있게
     되었으나, 예외없는 관세화 문제는 계속 미결 사항으로 상존

0154

15P-4-3

4. 대책

   0   금년말과 내년초에 걸쳐 주요국의 입장 및 협상의 추이를 면밀히 분석

   0   예외없는 관세화등 주요쟁점에 관해 관계부처와의 협의를 통해 협상
       대책 점검.   끝.

0155

151-4-4

관리 번호	92-PP6

외 무 부

종 별 :

번 호 : GVW-2409

일 시 : 92 1218 2210

수 신 : 장관(봉기,경기원,재무부,농림수산부,상공부,특허청)

발 신 : 주 제네바 대사   사본: 주미,EC대사-중계필

제 목 : UR/TNC 회의 개최

제 24 차 TNC 회의가 12.18(금) 오후 던켈 TNC 의장 주재로 개최되어, 먼저 던켈 총장이 협상 현황 평가 및 계획을 밝힌다음. 참가국들이 발언하는 순서로협상 현황을 점검 (STOCK-TAKING) 하였는바, 주요 내용은 아래와 같음.

1. DUNKEL 총장은 협상의 "계속성과 속도 (CONTINUITY AND SPEED)" 를 강조, 11.26 이후 협상이 지연된것은 인정하면서도 과거에 집착, 상호 비방하기 보다는 금년 남은 기간 및 내년초 FOCUSSED AND SPECIFIC MANNER 로 협상을 가속화할것을 촉구하고, 1.15. TNC 회의를 포함 앞으로 정기적으로 TNC 회의를 개최 협상 진전 상황을 수시로 점검, 평가 (STOCK-TAKING)할 예정 (적절한 시기에 협상 결과 평가 (EVALUATION)을 위한 GNG 회의도 소집) 이라고 한후 참가국의 의견 개진을 요청함.

2. 발언에 나선 19 개 협상 참가국들은 대체로 금년말까지 정치적 PACKAGE 를 도출 한다는 당초 목표가 달성되지 못한데 실망을 나타내면서도 계속적인 협상을 통해 신속히 협상을 종결 시켜야 한다는 DUNKEL 총장의 제의에 동의를 표하고 이를 위해 계속 노력할 예정임을 밝혔으며, 이중 상당수 국가는 자국의 특별 관심 사항도 함께 표명한바, 주요 협상참가국 발언 요지는 아래와같음.

1) EC

O 최근 농.공산품 C/S 및 서비스의 새로운 SCHEDULE 을 제출 하였으며, 이에 기초하여 내년초 협상 종결을 위한 확고한 결의를 갖고 있음.

O 미.EC 농산물 합의사항외에 여타 분야에서의 DFA 실질 내용 변경 기도에 반대함. (농산물 협정안에 대한 EC 는 1.13 TNC 부터 분명히 반대입장을 표명했으므로 정당하다는 입장)

O EC 의 대외협상권은 ROME 조약에 의하며 명백히 집행위에 부여되어 있음. (EC 내부 분열에 대한 협상참가국의 우려를 의식)

롱상국 농수부	장관 상공부	차관 특허청	2차보 중계	분석관	청와대	안기부	경기원	재무부

일반문서로 재분류 93. 6.30

92.12.19   07:55

* 원본수령부서 승인없이 복사 금지

외신 2과 통제관 CM

0156

2) 미국(상세별첨)

0 EC 의 농산물 C/S 제출을 환영하나, 동 C/S 에 협상을 지연시킬 문제점이 포함되어 있음을 우려함.

0 현재 필요한것은 농산물 시장접근에 대한 의미있는 협상이며, 이분야의 성과 없이는 다수 협상국들이 FINAL DEAL 을 정치적으로 지원할수 없음.

0 공산품 분야의 PACKAGE 에는 다수의 무세화 분야가 포함되어야 하며, 미국도 EC 와 유사한 STATUS REPORT(TARIFF PEAKS 포함) 내주초 제출하겠음

0 TNC 의장의 계획과 달리, T1, T2 는 T3, T4 의 진전에 필요한 여건을 마련치 못하고 있음.

3) 한국(별첨 발언문 참조)

0 아직도 협상타결에 필요한 정치적, 기술적 기반이 확고하지 못함.

0 주요 협상 참가국의 정치적 결의 부족이 최근 협상 부진의 가장 근본적인 원인이 되었으며

0 그밖에 미.EC 간 분야별 시장접근 협상에서의 이견, 다수국에 의한 수정안 제기, 관세화를 포함한 주요 현안 타개책 마련 실패등도 협상 부진의 원인 되었음.

0 우리의 핵심이해 사항이 다자협상 과정을 통하여 이루어질 (ADDRESSED) 것을 희망 하였으나 지난 수주간 이문제를 진지하게 제기할 기회 마져 주어지지않았음.

4) 기타국가

0 일본: 공정적 (CONSTRUCTIVE) 자세로 협상에 임할 용의 표명 및 자국이 안고 있는 문제점이 협상 결과에 반영되어야 함을 언급

0 인도: DFA 의 균형결여를 지적하면서, 자국의 관심사항 반영 필요성 강조

0 PAKISTAN: 협상 PROCESS 에 대한 불만 토론 및 농산물(PEACE CLAUSE, 국내 보조), 섬유등 자국 관심사항 반영 필요성 강조

0 카나다: 농산물(11 조 2 항 C) 및 보조금 문제이 있어서 EC 와 동일취급을 요구하고 MTO 에 관련 미국제안을 비난

0 인니: 쌀에 대한 최소시장 접근 허용이 어렵다는 입장 천명

0 홍콩: 농산물 이외의 DFA 수정에 강한 반대의사 표명

0 코스타리카: BANANA 수입제도에 관한 12.17. EC 농업이사회 결정을 비난

3. 던켈 의장은 참가국들의 의견 청취후 아래 요지의 결론을 맺음

0 이제는 HIDDEN PROBLEM 이 없기를 희망하며, 앞으로의 마지막 단계에서는 정확한

PAGE 2

0157

목적을 갖고 솔직한 의견 개진이 필요함

0 협상의 TRANSPARENCY 와 함께 GLOBALITY 가 중요한바, GLOBALITY 는 동시에 모든 작업을 추진할수 없는 만큼 PARALLELISM 에 의해 여러문제를 협상한후 일정 시점에 협상 전반에 대한 GLOBAL 한 평가를 실시하는 것을 의미함.

0 상품 및 서비스 분야 시장접근 협상이 중요하며, 동 결과가 나오지 않는한 협상 결과에 대한 GLOBAL 한 평가 및 T4 협상의 의미있는 진전이 불가능함.

0 T4 에는 COLLECTIVE AGREEMENT 가 있어야 한다는 신념은 변함없으나, 이러한 COLLECTIVE AGREEMENT 가 있는지의 여부를 확인하기 위해서는 문제를 검토(LOOK INTO THE PROBLEMS) 해 보아야 함.(이는 RUSSIN 회동에서 상당수 문제가 제기된 상황에서 T-4 는 극히 제한적으로 운영하겠다는 종전의 입장을 더이상 고수할 수만은 없다는 현실 인식에 기인한 듯함.)

첨부; 1. 아국발언문 1 부

2. 미국발언문 1 부(GVW(F)-0766). 끝

(대사 박수길-국장)

예고:93.6.30 까지

주 제 네 바 대 표 부

번 호 : GVW(F) - *0166*   년월일 : 2/2/8   시간 : 22/0

수 신 : 장   관 (총기, 경기원, 재무부, 농수산부, 상공부, 특허청)

발 신 : 주 제네바대사   사본: 주미, EC 대사 - 협제됨

제 목 : 첨부

총 *9* 매 (표지포함)

보 안 통 제	

외신국 통 제	

0159

566-1-1

18 December 1992
Republic of Korea

Talking Points

TNC Meeting

1. Just like everyone here, this delegation is extremely disappointed
    that once again the successful conclusion of the Uruguay Round
    proved to be such an elusive goal. We had high hopes after our
    November 26 TNC meeting that by today we would have arrived at a
    stage where the so-called political package could have been sent to
    our capitals for serious considerations. It seems that it is going
    to take some time before we will be able to congratulate each other
    on our collective success.

2. Rather naively, Korea believed that the agreement on agriculture
    reached between the US and the Community on 20 November would
    be a catalyst that would free the blocked UR negotiations.
    We prepared ourselves accordingly, and a full delegation has,
    since two weeks, been here from Seoul to participate in the final
    phase of negotiations.

3. In hindsight, I see that we were too optimistic. It is now clearer
    than ever that the political and technical foundations needed for
    the success, have still not been solidly laid.

4. There are a number of reasons why the negotiating process has once
    again lost momentum. The first and foremost is, of course, the
    lack of political will on the part of responsible players.

0160

766-7-2

Also notable are the disagreement among the majors in the sectoral
market access negotiations, emergence of a number of new proposals
which could tilt the delicately struck balance in the Draft Final
Act and our common failure to work out a solution to the other
important pending issues, including tariffication.

5. As to this last point, we really hoped this issue of our serious
    concern to be properly addressed through the multilateral process
    in the past few weeks. Unfortunately, however, we have not even
    been given an opportunity to present our case seriously. And
    this is, I believe, enough indication of another deadlock we have
    encountered since the Blair House Agreement of last November.

6. The present situation reminds me of a Korean proverb which says
    that "one crosses a big mountain only to find there are still
    other mountains."

7. Nevertheless, our work over the last few weeks has not been entirely
    fruitless. Some progress was recorded in the services area in
    particular. We were able to clarify certain technical issues, and
    we were also able to make some headway in the initial commitment
    negotiations.   I hope that the same positive spirit will soon be
    found in other negotiating areas, when we meet early next year.

8. For our part, Korea is firmly committed to the success of the
    Round. We have submitted our offers in market access, as well
    as our initial commitments in services, and we are fully
    prepared to engage in serious access negotiations with our trading
    partners. As I said earlier, our full team of negotiators

0161

766-13

have been in Geneva. We intend to continue bilateral negotiations
up until the Christmas break. We encourage all of the participants
to make the best use of their negotiators' time and to do likewise.

9.   We fully support the Chairman's proposed time-table for the
     new year. We fully agree with your proposal that we should
     minimize our holidays and return as soon as possible to
     the negotiating table. In this connection, we are delighted
     to hear the determination of the E.C. to conclude the Round
     in the first week of the next year. But this time all must
     come back with a firm resolve not to enter into another
     lingering process and with strong determination to wind up,
     once and for all, the 6-year-long negotiations for the
     obvious reason. What is at stake is important for all of us.
     The greatest casualty of the failure or even the delay of the
     Uruguay Round will undoubtedly be the world economy which is
     already in deep trouble. We all know too well what awaits us
     in terms of the expensive price we have to pay in case the
     round is not concluded before March next year.

0162

166-1-4

UNITED STATES TRADE REPRESENTATIVE
1-3 AVENUE DE LA PAIX
1202 GENEVA, SWITZERLAND

FOR IMMEDIATE RELEASE

Statement of Ambassador Rufus H. Yerxa
Deputy U.S. Trade Representative
before the
Uruguay Round Trade Negotiations Committee
Geneva, Switzerland
December 18, 1992

Mr. Chairman, the United States comes to this meeting
disappointed that circumstances and events have left us with
insufficient time to achieve a political consensus on the
Uruguay Round by the end of this year. We remain convinced,
however, that the effort to achieve the needed reform of the
international trading system must continue.

There will be a lot of what we Americans call "armchair
quarterbacking" by those outside the negotiating process to
determine what went wrong and to assign blame. There will
undoubtedly be finger pointing by some, as we all attempt to
convince the world that our respective governments are not to
blame for this unfortunate situation. This is to be expected.
But if we are to genuinely discover what it will take to
complete the Uruguay Round it will be vital for us to explore
the real sources of delay and disagreement. Only then can we
begin to attack them, systematically and with realism. For it
is now obvious that it will take further hard bargaining --
real bargaining and not just posturing or hiding behind
others -- to bring a successful end to the most sweeeping trade
agreement in history. It will not be solved with quick fixes
or gimmicks that none of us could sell at home, but only with a
fully negotiated final document to which all participants are
committed.

One of our biggest barriers has been the fact that unforeseen
circumstances have led to such a late start in engaging the
real market access negotiations. This has unquestionably
affected the sense of progress overall in Geneva. I am pleased

766-7-5

0163

- 2 -

to see that the European Community has now submitted an
agricultural schedule, although I can already tell that
elements of their offer raise additional problems that will
prolong the negotiations. Unfortunately, it was impossible to
negotiate agricultural access before the Community had resolved
its internal problems. That resolution has just emerged. Some
might try to tell you that there is enough time between a
December 17 submission and a December 22 deadline to reach a
political deal on the basis of this new submission, but I
question that logic. Moreover, other key participants are still
unable to submit comprehensive agriculture offers.

What is now needed -- in fact long overdue -- is a meaningful
negotiation of the agriculture market access package. Without
progress in this area, many participants simply will not give
their political support to a final deal. Moreover, if the
positions of certain participants prevail in that process, the
conditions for market access for agriculture will be more
restrictive after the conclusion of the Uruguay Round. This is
not a result we can accept, nor one that is in the best
interest of most countries.

On industrial products, the participants have not yet been able
to resolve a market access package that meets everyone's
objectives and provides maximum liberalization. There are
those who would settle quickly for a minimum package. We, on
the other hand, have made no secret of the necessity of having
a package that includes numerous tariff-free sectors, such as
electronics, wood, paper, non-ferrous metals and many others.
We are willing to make our contribution to such a package,
including in the area of tariff peaks, all of which remain on
the table. We will not resolve the blockage that exists on
industrial tariffs without a commitment from all sides for a
maximum -- rather than minimum -- approach to the final package.

Some may point to the recent submission of a revised offer by
the European Community. But this offer is essentially a
snapshot of the negotiating process that shows the need for
further negotiations if we are to complete a market access
package.   The United States is willing to submit a similar
"status report" offer early next week. As we do so, however,
we will put others on notice that only through a commitment to
go beyond politically safe positions and acheive maximum
opening of markets can we give the needed signal that the
industrial tariff package is taking shape at last.

These regrettable and unforeseen delays in achieving real,
tangible results in market access have kept us from gaining the
much-needed momentum to sort out our differences over the text
of the draft "Final Act." In effect, Tracks 1 and 2 have,
contrary to the TNC Chairman's plan, not created the climate
for progress in Tracks 3 and 4. Some participants would

766 - 7 - 6

0164

- 3 -

suggest that we should solve this problem by banging the gavel
and approving the Draft Final Act. That is unrealistic. Many
delegations have raised substantive, interpretive and drafting
problems that they want addressed. Of course, many want to
point the finger of blame around the room so that someone else
gets the dirty end of the stick for opening areas other than
agriculture. But the real problem is a refusal to acknowledge
the need to embark on the difficult and sensitive task of
finalizing the text.

At the TNC meeting on January 13, the EC indicated its problems
with the Agriculture portions of the text, which, I might add,
we were willing to accept. At that same meeting, the United
States said "we find certain other sections of the text
deficient," and said that "in some cases the text does not go
far enough in reducing barriers, setting rigorous standards or
providing strong disciplines and remedies against unfair
behavior." We told parties that we must all be willing to
work out our remaining differences or risk failure.

But for the next 10 months we discovered that it was impossible
to have a multilateral negotiation on problems of relevance to
us. Instead, it was necessary to see if we could, on behalf of
many concerned agricultural exporters, accommodate the EC's
objections on agriculture. You all know the history of that
drama, and I will not review it. Suffice it to say there was a
tacit understanding here in Geneva that we needed such a
breakthrough on agriculture. But that never should have
clouded anyone's judgement about the need for a focused and
intensive process to resolve problems with other areas of the
draft. The TNC has been unable to develop such a process and
give it sufficient time to do the job. The United States has
had a full team on the ground since mid-November prepared for
just such a negotiation. We remain prepared to go through what
we know will be a difficult exercise. A number of proposals
are now out on the table. Our discussions in recent days
confirm that, in some cases, negotiators have come forward with
text language that appears to have been warming in their back
pockets for quite some time, waiting for the right moment.

The reality is simple: we have not been able to negotiate the
final bargain. So be it. At least now we know what the real
differences are that separate us all from a happy signing
ceremony. What we must all now do is intensify our informal
contacts with one another over the coming weeks to see how we
can resolve our differences. It goes without saying that all of
us want to succeed. The question now is whether we can find a
way.

Mr. Chairman, we look forward to commencing our discussions in
the new year with a renewed atmosphere of hope, but also a
sober sense of realism about the task that lies ahead.

166-7-7

UR 協商動向

1992. 12. 19.

外 務 部

> 우루과이라운드 協商의 年內妥結이 어렵게 됨에
> 따라 協商 參加國들은 12.18 貿易協商委員會(TNC)에서
> 來年初에 協商을 再開하기로 決定 하였는 바, 관련
> 사항을 아래 보고드립니다.

1. 最近의 協商 經過

   o 우루과이라운드 協商 進展의 障碍요소였던 美國,
     EC間 農業補助金 관련 協商 妥結에 따라, 11. 26
     우루과이라운드 무역협상위원회(TNC)에서는
     今年末까지 政治的 妥結案 마련을 目標로 아래
     分野別로 協商키로 결정

     - 商品分野(農産物 포함)의 양허협상
     - 서비스분야의 양허협상
     - 우루과이라운드 協定文의 法的整備 작업
     - 우루과이라운드 協定文에 대한 修正 협상

   o 이에따라 「던켈」 GATT 사무총장은 우리나라, 美國,
     EC등 主要 18개국 大使가 참석하는 非公式協議會를
     통하여 協定文 修正協商을 年末까지 終結하고, 이를
     토대로 다른 모든분야의 협상도 來年 2月까지 마무리
     한다는 전략하에 협상을 진행

0166

o 「던켈」 總長은 協定文 修正의 最小化를 希望하였으나,
美國, EC등 主要國家가 다자무역기구(MTO) 設置 문제,
반덤핑분야등 多數의 政治的 爭點에 대해 협정문 修正을
要求, 예외없는 關稅化 問題를 論議 하기도 前에 協商은
교착상태에 봉착
- 農産物분야는 12.22 主要國 大使 協議會時 協議豫定

2. 協商 延期 決定

o 12.16 主要國 大使 協議會는 今年末까지 政治的
妥結案 합의가 어려움을 인정, 協商을 來年初에 再開
하기로 하였으며 12.18 貿易協商委員會(TNC)는 이를
공식 追認
- 93.1.4경 상품 및 서비스분야 양허협상을 중심으로
協商 再開
- 93.1.15경 貿易協商委員會를 개최, 협상현황 점검

3. 評價 및 展望

o 미국, EC등 主要國들이 内部의 政治的 事情으로
「던켈」 總長의 最終協定文案에 대한 修正要求를
最小限으로 自制하지 못한것이 年内妥結失敗 原因

0167

- 美國의.경우, 졸속한 협상종결 추진에 대한 「클린턴」
  대통령 당선자 및 民主黨측의 憂慮表明, 다자무역기구
  (MTO) 창설에 대한 議會의 不滿, 최근 對 EC 協商에서
  계속된 讓步에 대한 行政府, 業界 등의 不滿 작용
- EC의 경우, 農産物 분야 妥結에 집요하게 反對하고
  있는 불란서의 國內事情등 내부사정 고려
o 來年初 재개될 協商에서도 이러한 不振狀態는 繼續될
  것으로 보여 당초 豫定대로 2月末까지 協商終結 展望은
  不透明하며, 경우에 따라서는 협상종결이 數個月 또는
  그이상 늦어질 可能性도 배제할 수 없음.
o 우리로서는 어려운 상황에 처하지 않고 協商이 延期
  되어 다소 時間的 餘裕를 가지고 對處할 수 있게
  되었으나, 예외없는 關稅化 문제는 未決事項으로 尚存

4. 對 策
  o 금년말과 내년초에 걸쳐 主要國의 立場 및 協商의
    推移를 면밀히 分析
  o 예외없는 關稅化等 主要爭點에 대하여 關係部處間
    協議를 통해 협상 對策 點檢.   끝.

0168

외 무 부

종 별 :

번 호 : USW-6205 　　　　　　　　　　일 시 : 92 1218

수 신 : 장 관(통기,통이,통삼,경기원,농수산부,재무부,상공부)

발 신 : 주 미 대사　사본: 주제네바, EC 대사(중계필)

제 목 : UR 동향

1. 당지 SIDLEY AND AUSTIN 법률회사는 당분간 UR타결이 어렵다는 요지의 UR 동향 관련 메모를 당관 구본영 공사에게 보내온바 이를 별첨 송부함. 동 요지 아래와 같음.

　O 부쉬행정부 하에서 UR 의 정치적 타결은 사실상 불가능할 것이며, 93년 또는 그이후에 나타결 가능할 것으로 여겨짐.

　O 지난주 서비스협상에 대한 프랑스의 EC 권능 부인과 작일 불외상이 던켈 사무총장에게 EC의 농산물관세 오퍼는 EC 농무장관 회의의 승인을 받지 못하여 효력이 없다고 언급한 점등 프랑스의 UR 협상 지연책동이 효력을 보고있음.

　또한 EC 가 '무세화' 협상 입장을 철회하려는 움직임을 보이고 있음.

　O 미국은 12.16. 반덤핑,IPR, MTO, 시청각 서비스 분야에 대한 새로운 제안을 제시하였으나, 여타국 의 호응을 받지못하였음.

　O 미 관리들은 미. EC 간에 연합전선을 구축한다면 협상타결이 가능할 것이나, 그러한 가능성을 점점 희박해 지고 있다고 믿고 있음.

2. 금일 당지 언론들도 당분간 UR 타결이 난망시 된다는 기사를 게재한바 동 기사 별첨 송부함.끝.

　첨부 : USW(F)-8189.

　(대사 현홍주 - 국장)

통상국　　통상국　　통상국　　경기원　　재무부　　농수부　　상공부　　중계

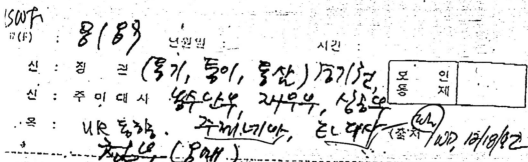

Hopes Fade For Trade Agreement

U.S. Official Says GATT Talks Stalled

By Stuart Auerbach
Washington Post Staff Writer

It would take a "miracle" to conclude the current round of global trade talks before President Bush leaves office Jan. 20 and it is unclear whether the negotiations can be resumed even then, a senior Bush administration trade official said yesterday.

The official accused France, its European allies and Japan of stalling six years of talks to revitalize world trade rules, known as the General Agreement on Tariffs and Trade, or GATT.

As a result of the stalemate, the administration is weighing bringing home its top negotiators from the talks in Geneva. "If people are not engaged and not doing anything and no negotiations are taking place ... we should send them home. ... I can tell you that most of our negotiators would prefer not to be sitting around in Geneva twiddling their thumbs," the official said.

"The picture is exceedingly grim and it doesn't look like we are going to be able to conclude," the official told reporters in Geneva. There are "lots and lots of issues requiring further negotiations. I can't imagine any reasonable person ... would say we can get there by the end of this week or next week."

The development came on the same day that President Bush signed the North American Free Trade Agreement, which would create the world's largest free-trade zone, encompassing the United States, Mexico and Canada.

The hitch in the global trade negotiations has taken the pressure off the incoming Clinton administration to act on requests by influential Democratic lawmakers and the semiconductor, steel and film industries to try to delay a conclusion of the trade talks until Clinton takes office.

These industries and legislators said they feared that the Bush administration would make too many con-

GATT, From B9

cessions in its haste to wrap up a deal before leaving office.

U.S. officials thought they had achieved a critical breakthrough in the talks, which have been deadlocked for the past two years, with an agreement Nov. 20 with the 12-nation European Community on curbing government payments to farmers.

GATT Director-General Arthur Dunkel said at the time that an intensive month of negotiations could bring about a settlement to the trade talks before Christmas.

In the past month, however, farmers have rallied against the agricultural deal in the streets of Europe and French government officials have threatened to veto the agreement within the EC.

Further, the U.S. official said France and its European allies have thrown up new roadblocks to concluding the trade talks.

European officials are insisting on the right to subsidize their steel and aircraft industries, exempt open trade in movies and television programs from an accord and pull back on opening their market to foreign telecommunications equipment and services.

As for Japan, the U.S. official said the country that has gained the most from the world's free-trade system has refused to put credible offers on the negotiating table in politically sensitive areas, such as its ban on rice imports and its barriers to the sale of foreign wood products.

"Under these circumstances," the official said, "how are people going to negotiate with the Japanese on agriculture?"

Signing the North American trade agreement at the headquarters of the Organization of American States here in Washington, Bush predicted that all of Latin America eventually would join the world's largest and richest trade bloc. The agreement would not only help the weak Mexican economy but, contrary to critics' assertions, would create more American jobs than it would cost, Bush said.

f) :   년원월 :   시간 :

신 : 징 권

신 : 주 이 대 사

옥 :   UR 동향   〈출처 : FT, 2/8/92〉

EC revises list of tariff cuts

THE European Community yesterday presented a revised draft list of tariff cuts for industrial products in the Uruguay round of trade liberalisation talks, but admitted it fell short of the target set by ministers of a one-third overall reduction in import duties, writes Frances Williams from Geneva. The EC offer, described by a senior official as "illustrative" and a basis for negotiation, would lower tariffs across the range of industrial products by an average of nearly 25 per cent.

However, for countries such as the US and Canada, the reduction is nearer 30 per cent while for others, notably Japan, it is less generous. This reflects what EC negotiators say are unsatisfactory offers from the other side.

Community officials said the Uruguay round target had been missed because the US had rejected the across-the-board formula approach favoured by the EC and others. Instead, it had insisted on a request and offer approach to the tariff negotiations, alongside reciprocal zero-for-zero deals in particular sectors. "It

on industrial goods

is now clear this is not leading to a satisfactory outcome," a top EC negotiator said.

However, US officials complained yesterday that the EC appeared to be pulling back on parts of an "emerging maximum package" the two sides had agreed to aim for last month, which would have combined additional zero-for-zero sectors with reductions in remaining very high tariffs.

The EC offer mixes a tariff cut formula, including bigger reductions for the highest duties, with some sectoral initiatives. Officials claim that, after applying formula cuts averaging one-third, the EC would be the only leading trader with no duties on industrial products above 20 per cent.

8189 - 8 - 2

0171

Trade talks season likely

By David Dodwell in Geneva

INTERNATIONAL trade negotiators are today expected to call a halt to the pre-Christmas push for a breakthrough in the Uruguay Round of talks on global trade liberalisation.

Many are voicing frustration at the slow progress made in recent weeks, while others are casting doubt over whether a successful result is achievable.

Mr Arthur Dunkel, director general of the General Agreement on Tariffs and Trade, has called a meeting today of the top-level Trade Negotiations Committee (TNC), at which he is expected to "close the negotiating season".

His hope that a final Uruguay Round text might be agreed by Christmas has been dashed. Negotiators expressed fears in Geneva yesterday that top-level changes in the EC on January 1, and the change in the US administration on January 20, would slow negotiating progress still further in the new year.

A gloomy senior US official complained of "an overall disappointing lack of progress in securing a large market access package either in industry or agriculture", and said that it was "becoming increasingly difficult to imagine how we can possibly wrap up a political consensus in the near future".

He challenged the credibility of compromises proposed by

to come to end

the European Community in industrial, services and agriculture schedules published in the past week: "Before the ink is even dry on the EC offer, it has been repudiated by one of the EC members."

He was referring to a statement made by Mr Roland Dumas, the French foreign minister, in Geneva on Wednesday, in which he said the EC package went beyond the European Commission's mandate, and as such was "null and void".

The US official said that France's actions "call into question the status of much of the EC's overall negotiating position". EC negotiators were swift to challenge Mr Dumas' claims, insisting they had a full and unequivocal mandate to negotiate a Uruguay Round deal. They said the offers tabled this week were aimed at achieving a "global, balanced package" (one of few phrases they shared with Mr Dumas).

EC says Japan must open up legal and financial services

By Robert Thomson in Tokyo

MR Frans Andriessen, the EC external affairs commissioner, said yesterday Japan should not regard agriculture as "the only issue" in the Uruguay Round of trade talks and should be ready to make concessions in areas such as legal and financial services.

The controversy within Japan over a likely relaxation of the rice import ban as part of a Uruguay Round settlement has dominated Mr Andriessen's two-day visit to Tokyo, but he sought to draw attention to a range of other outstanding issues.

Mr Andriessen said Japanese banking and insurance regulations still unfairly limit the activities of foreign institutions.

He said import controls should be lifted on foodstuffs, leather and footwear as part of the multilateral negotiations under the General Agreement on Tariffs and Trade.

"Financial services have always been a key area in the Gatt agreement," he said.

"In Europe, we have the most open financial services market in the world, and we want others to give us fair treatment."

On rice, Mr Andriessen yesterday met Mr Masami Tanabu, agriculture minister, who defended Japanese farmers' interests. While other Japanese ministers indicated that the government will be "flexible" on rice, Mr Tanabu said a market opening was unlikely.

But Mr Andriessen's general impression after his round of the ministries was that the "mood is there" for a market opening.

U.S.-Europe Discord on Trade Talks

By ROGER COHEN

Special to The New York Times

PARIS, Dec. 17 — Vehement exchanges between European and American officials, the most vitriolic since a trans-Atlantic trade war was averted by an accord on Nov. 20, suggested today that a world trade agreement might not be achievable in the next few months.

Foreign Minister Roland Dumas of France described the November agreement between the European Community and the United States on European oilseed production and agricultural exports as "null and void" — the most strongly worded French rejection yet of an accord that had been widely seen as opening the way for a successful conclusion of broad six-year trade negotiations intended to reduce barriers to world trade.

Those talks, under the auspices of the General Agreement on Tariffs and Trade, are widely viewed as vital to reviving the stagnant world economy.

In response to Mr. Dumas, a senior United States official, who insisted on anonymity, said the Foreign Minister's remarks "put in question whether the European Community can seri-

A GATT agreement may be unlikely in the next few months.

ously negotiate on behalf of its members."

The official, who was attending GATT talks in Geneva, added, "It is increasingly difficult to imagine how we can possibly wrap up a conensus on the text of the Uruguay Round agreement in the near future." The trade talks are known as the Uruguay Round because they began in that country in 1986.

One reason a quick agreement is important is that March is the expiration date of American legislation that has allowed Presidents to negotiate trade agreements and submit them for consideration by Congress with no amendments permitted. If this "fast track" legislation is no longer in place, Congressional approval could be a lengthy process and might add amendments that would require re-

negotiation with the 104 other members of GATT.

Although European Community negotiators in Washington in November were supposed to be representing the agreed position of member countries, France, the largest European agricultural producer and exporter, immediately reacted angrily to the accord, under which subsidized grain exports from the community would be reduced by 21 percent and oilseed production cut back sharply.

The French have argued that the compromise is unfair to Europe's farmers. Farmers in France have enormous political power, and general elections are scheduled for March.

But for all the harsh words, it is possible that the French are posturing, hoping to gain concessions in other areas under negotiation, like financial services and telecommunications.

Tran Van Thinh of France, the European Community's Ambassador to GATT, said today that negotiations must continue in Geneva and that a final decision by the community, including France, would be made only when a complete GATT package was in place. France has threatened to veto an accord at that stage if its farmers do not secure a better deal.

8169-8-5

0174

SIDLEY & AUSTIN ,   WASHINGTON, D.C.

MEMORANDUM

TO: Bohn-Young Koo

FROM: Judith H. Bello and Alan F. Holmer

RE: Uruguay Round Breakdown: What It Means

DATE: December 17, 1992

Summary

It is now virtually certain that a political deal will
not be reached on the Uruguay Round during the Bush Presidency.
In our view, it is now likely that a Uruguay Round completion
will be delayed until well into 1993, and perhaps much later.

Latest Developments

U.S. negotiators in Geneva are quite discouraged. The
environment in Geneva is not conducive to closing a deal and, as
a result, there is some pulling back of negotiating positions.

The French guerilla warfare against the Uruguay Round
seems to be working. Early this week we saw the French challenge
of EC authority over services, which apparently remains
unresolved. Yesterday the French Foreign Minister advised Arthur
Dunkel, Director-General of the GATT, that the EC offer on
agriculture tariffs was invalid because it had not been approved
by EC agriculture ministers. And there are indications that the
EC is pulling back from the zero-for-zero tariff negotiations.

A meeting of the Trade Negotiations Committee will be
held in Geneva on December 18, and also on January 15. But while
earlier this week U.S. negotiators appeared willing to attempt
another major push starting January 4, that effort has now been
shelved. No one that we have spoken with expects a deal to be
struck in January. As one senior U.S. negotiator put it, "the
gods are against us."

The U.S. tabled new proposals late Wednesday involving
antidumping, intellectual property, Multilateral Trade
Organization (MTO), and audio visual services. According to
reports, the U.S. was isolated in its position in each area.

U.S. officials believe it is possible to reach a deal
if U.S.-EC differences can be resolved and the U.S. and EC
present a united front, but that appears to be more problematic
each day.

8189-8-6

For the first time, we are hearing U.S. negotiators
discuss the possibility of simply dropping certain subjects from
the Dunkel text such as antidumping reform, subsidies, and the
MTO.

What the Breakdown Means

We now see the following scenario in early 1993:

* Transition in the U.S., with second- and third-
  tier negotiators not nominated, confirmed, and up-
  to-speed on their new portfolios until mid-1993;

* Cabinet reshuffles in the EC and Japan;

* French preoccupation with elections in March,
  1993;

* A new GATT Director-General, minimizing even
  further the relevance of the Dunkel text;

* Clinton Administration preoccupation with U.S.
  domestic economic recovery, health care, and
  education;

* Congressional trade committee (Senate Finance and
  House Ways and Means) preoccupation with economic
  recovery and health care;

* To the extent trade issues make the radar screen
  in Washington, preoccupation with North American
  Trade Free Agreement implementation, China MFN,
  Japan, and an extension of fast track negotiating
  authority;

* A U.S. fast track extension battle which, while
  ultimately successful, will be bruising, with U.S.
  negotiators having to make concessions at a
  minimum to address environmental issues in the
  Round, perhaps to include something like a quasi-
  waiver from GATT obligations for national
  measures, otherwise in violation of the GATT,
  which are demonstrably shown to protect the
  environment; and

* A Clinton Administration likely to take a harsher
  negotiating position regarding a number of issues,
  including dumping and subsidies (where the Bush
  Administration was already isolated
  internationally);

In light of these developments, we now consider it
quite likely that the Uruguay Round will be delayed well into
1993 and perhaps much later. How much later will depend on

-2-　　　　0176

various trade policy appointments in the U.S. and elsewhere and
other developments which we are, at present, unable to forecast.

AFH92Q16.SID (12/17/92 4:18pm)

-3-

0177

발 신 전 보

번 호 : WVE-0430   921222 1908 CR   종별 :   검토필(1992.12.31.)

수 신 : 주 장관   대사,,,총영사   (경유 : 주 베트남 대사)

발 신 : 장 관 대리 (통기)

제 목 : UR 협상관련 주한 영국대사 서한

공개문서(19)

일반문서로 재분류 (1993. 6. 30)

1. Wright 주한 영국 대사는 장관님 앞으로 12.22(화) UR 협상관련 아래 내용의
   서한을 보내옴.

   ㅇ 영국정부는 12.18. 부쉬 대통령 - 메이저 수상간 정상회담 결과, 던켈
      사무총장 앞으로 보낸 아래 요지의 메시지를 한국정부에 전달하도록 지시

      - 미.EC 정상은 UR 협상이 가속화되어 93년 1월 중순까지 타결되기를
        희망

      - 이를 위해 미.EC의 협상대표들은 UR 협상의 모든 분야에서 협정문안을 조속히
        확정하도록 노력 예정

      - 양 정상은 협상의 조기 타결을 위한 던켈 총장의 노력을 지지

   ㅇ 영국정부는 또한 아래 사항을 한국 정부에 전달토록 지시

      - 미.EC 정상회담에서 양측은 미국 신속처리절차 시한내에 UR 협상을 종결
        한다는 점을 분명히 하였는바, 내년초 빠른 시기에 협상을 재개하여
        1월 중순까지 중요 쟁점에 합의해야만 신속처리절차 시한인 3월초까지
        최종협정문안 마련 가능   / 계속...

0178

- 미.EC간 농산물 분야 합의에 따라 각국의 협정안 수정 요청이 있을 것으로 예상되나, 양 정상들은 이러한 수정이 전체 협정을 해치지 않는 범위내로 한정할 것을 희망
- 각국의 각료들이 자국의 협상팀을 1월 4일부터 제네바에 파견할 것을 희망

2. 주한 영국대사는 상기와 동일한 내용의 서한을 금 12.22. 부총리, 상공부장관, 청와대 경제수석 및 김영삼 대통령 당선자에도 송부하였다 함. 끝.

(장관 대리   노 창 희)

0179

British Embassy
Seoul

HE Lee Sang-ock
Minister
Ministry of Foreign Affairs
Seoul   22 December 1992

Your Excellency

    You will know that the European Community held a Summit meeting
with the US Administration in Washington on 18 December. The
European Community was represented by my Prime Minister, John Major
(holding the EC Presidency) and by the President of the EC
Commission, M. Delors.

    At that Summit, President Bush, Prime Minister Major and
President Delors agreed to send a joint message to M. Arthur
Dunkel, the Director-General of the GATT.

    I have been instructed as Ambassador representing the British
Presidency to convey the text of that message to the Government of
the Republic of Korea. The text is:

    "Message to Mr Arthur Dunkel

    Meeting in Washington today, 18 December, the President of the
United States, the Prime Minister of the United Kingdom and the
President of the European Commission agreed, and stated in public,
that the Uruguay Round negotiations in Geneva should be speeded up.
The aim should be to conclude a balanced and comprehensive
agreement by the middle of January.

    To this end, it was agreed that US and EC representatives will
urgently step up their efforts in the multilateral negotiations in
Geneva, in order to finalise the texts of agreements in all areas
of the Round, to complete the outstanding negotiations on market
access and services, and to determine the institutional structure
which will govern both existing and new agreements.

    The Heads of Government and the President of the Commission
wished to inform you immediately, as Director General of GATT, of
this understanding, to support your efforts, and to help you
facilitate the early and successful completion of the negotiations.

                                              18 December 1992"

                                              0180

In transmitting this message, I have also been instructed to
make the following additional points.

   1)   The EC/US Summit gave clearest possible message that both
sides still want an early Uruguay Round agreement, before expiry of
US fast-track authority. Whilst political agreement by end-1992
has not proved possible, we all need early resumption in New Year
with the aim of agreeing all key elements of a deal, if not
necessarily all the details, by mid-January. That would allow time
to complete technical work in Geneva, and for preparation of US
legislation so that they can submit final text before 2 March fast-
track deadline.

   2)   It is understandable that, following EC/US agriculture
accord, parties are coming forward with their own requests for
changes to the Dunkel text. The clear message from the Summit is
that these ambitions will have to be subordinated to an overall
agreement.

   3)   Hope Ministers will therefore ensure that appropriate
instructions are fed down to negotiators, and that they are
available in Geneva from 4 January onwards.

   I am also conveying the above information to the Deputy Prime
Minister, the Minister for Trade and Industry, to the Economic
Secretary in the Blue House and to President-elect Kim Young-sam.

                              Yours sincerely

                              David Wright

                              D J Wright
                              HM Ambassador

0181

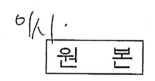

외 무 부

종 별 :

번 호 : GVW-2423 　　　　　　　　　　일 시 : 92 1221 1900

수 신 : 장관(통기,경기원,재무부,농림수산부,상공부,특허청)

발 신 : 주제네바대사

제 목 : 미.EC 정상의 UR 협상 가속화 촉구 멧세지

　　　내년 1월 중반까지 종결을 목표로 UR 협상을가속화할 것을 촉구하는 BUSH 미대통령, MAJOR영수상 및 DELORS EC 집행위원장의 12.18 자 DUNKEL 총장앞 멧세지를 별첨 송부 함. 첨부: 상기 멧세지 1부(GVW(F)-0772).끝

　　　(대사 박수길-국장)

통상국　　경기원　　재무부　　농수부　　상공부　　특허청

PAGE 1　　　　　　　　　　　　　　　　　　　　92.12.22　07:46 BD

외신 1과 통제관 ✓

0182

주 제 네 바 대 표 부

번 호 : GVW(F) - 0772   년월일 : 21/21   시간 : 1900

수 신 : 장   관 (총기, 경기원, 재무부, 농림수산부, 상정부, 특러형)

발 신 : 주 제네바대사

제 목 : GVW-2423 회부

총 2 매(표지프함)

보 안 봉 재	

외신과 동 재	

0183

772-27

MIPT: EC/U.S. SUMMIT: GATT ROUND

TEXT BEGINS:

MESSAGE TO MR ARTHUR DUNKEL

MEETING IN WASHINGTON TODAY, 18 DECEMBER, THE PRESIDENT OF THE
UNITED STATES, THE PRIME MINISTER OF THE UNITED KINGDOM AND THE
PRESIDENT OF THE EUROPEAN COMMISSION AGREED, AND STATED IN PUBLIC,
THAT THE URUGUAY ROUND NEGOTIATIONS IN GENEVA SHOULD BE SPEEDED UP.
THE AIM SHOULD BE TO CONCLUDE A BALANCED AND COMPREHENSIVE
AGREEMENT BY THE MIDDLE OF JANUARY.

TO THIS END, IT WAS AGREED THAT U.S. AND EC REPRESENTATIVES WILL
URGENTLY STEP UP THEIR EFFORTS IN THE MULTILATERAL NEGOTIATIONS IN
GENEVA, IN ORDER TO FINALISE THE TEXTS OF AGREEMENTS IN ALL AREAS
OF THE ROUND, TO COMPLETE THE OUTSTANDING NEGOTIATIONS ON MARKET
ACCESS AND SERVICES, AND TO DETERMINE THE INSTITUTIONAL STRUCTURE
WHICH WILL GOVERN BOTH EXISTING AND NEW AGREEMENTS.

THE HEADS OF GOVERNMENT AND THE PRESIDENT OF THE COMMISSION WISHED
TO INFORM YOU IMMEDIATELY, AS DIRECTOR GENERAL OF GATT, OF THIS
UNDERSTANDING, TO SUPPORT YOUR EFFORTS, AND TO HELP YOU FACILITATE
THE EARLY AND SUCCESSFUL COMPLETION OF THE NEGOTIATIONS.

18 DECEMBER 1992

TEXT ENDS.

772-2-2   0184

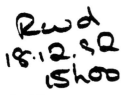

CHECK AGAINST DELIVERY

Ladies and Gentlemen,

Good afternoon.

I call this 24th meeting of the Committee to order. This
meeting of the TNC has been convened by the Airgram
GATT/AIR/3383, dated 17 December 1992.

This Airgram draws your attention to the fact that another
meeting of the TNC is planned for 15 January 1993 at 11 a.m.
(By the way, it may very well be that the meeting will be held
in the afternoon. If so, a notification to this effect will be
issued in due time).

Since we are, clearly, now in the concluding phase of the
Uruguay Round, I think it is essential that the TNC be called
at regular intervals to take stock of the overall situation.
I want also to confirm my intention to call - as soon as
circumstances justify such a step - the GNG to carry out its
mandate in respect of the evaluation of the results as foreseen
in Part I, Section G of the Punta del Este Declaration.

The Airgram also shows that the pause in the Uruguay Round
negotiating process, imposed on us by the traditional
end-of-the year holidays, has been reduced to a minimum. The
message sent to you by the Chairman of the TNC, through this
Airgram, is therefore a very clear and simple one. It can be
expressed in two words "continuity" and "speed": continuity in
our collective effort to bring this Round to a positive and
quick conclusion; and, therefore, continuity in the
multilateral negotiating process. In other words, today's TNC
meeting does not in any way imply that work will <u>not</u> take place
next week.

0185

This being said, I cannot hide from you that now, more than ever, we are engaged in a race against time. Even more so since a number of steps in the negotiating process which were expected to take place immediately after our last TNC meeting have been delayed. In noting this fact, I do not propose that we look back or point fingers. None of this would change the reality which faces us today. What counts in the ultimate analysis is that the process in Geneva, far from being stalemated, is moving forward and that recent contributions will help us to work in a focussed and specific manner during the last part of this year and from 4 January onwards.

Ladies and Gentlemen, you can count on the chair to go on promoting solid progress. You are, however, the negotiators and, therefore, the only ones who can deliver the goods. I now offer you the floor.

이시(안)

외 무 부

종 별 :

번 호 : ECW-1609   일 시 : 92 1222 1730

수 신 : 장 관(통기,통삼,경기원,재무부,농림수산부,상공부,기정동문)

발 신 : 주 EC 대사   사본: 주불, 제네바 대사-필

제 목 : 갓트 / UR 협상 동향

표제와 관련한 최근 당지의 동향을 아래 보고함.

1. EC 일반이사회

가. 12.21 개최된 동 이사회에서 DUMAS 불란서 외상은 대미협상 결과가 CAP 개혁 범위를 초월하고 있다는 자국의 지적에도 불구하고, 집행위가 감축 공약서를 제출하는 등 UR 협상을 계속 추진하고 있어 이사회가 부여한 MANDATE에 위반하고 있으며, 집행위는 이사회와 충분한 협의없이 서비스 및 공산품의 시장개방 계획안을 제출함으로서 집행위의 권한을 일탈하고 있다고 비난함. 또한 동인은 미측도 양자 협상 에서 합의한 사항에서 후퇴 하고 있다고 비난함.

나. 이에 대해 ANDRIESSEN 집행 위원은 UR 협상 권한은 집행위에 있음을 지적하고 불란서의 비난을 강하게 부정함. 동 이사회는 UR협상 추진 상황에 대해 집행위는 정기적 으로 이사회에 보고 하여야 한다고 결정함.

다. 동 이사회 종료후, HURD 영국외상 (이사회 의장)은 쌀, 바나나등 UR 협상에서 해결 되어야 할 사항들이 많이 남아 있으나, 최근의 상황을 보면, 미측의 입장이 경직되고 있는 것같이 보인다고 분석함. 그러나, 동인은 MAJOR- BUSH 대통령간에 합의한 대로 UR 협상은 내년 1월 중순까지 종료될 수있을 것이라고 덧붙임.

2. 바나나문제

가. 콜롬비아등 중남미 7개국 정상들이 EC측에 보낸 성명서에서, 최근 EC 가 채택한 바나나 수입제도 개편 내용은 중남미 국가들의 경제에 심각한 영향을 미칠 것이라 고 지적하고, 이의 재고를 요청함.

나. 동 성명서에서 중남미 정상들은 EC 의 바나나 수입 제도는 갓트 규범과 UR협상 에 위배됨으로 동 수입 조건에 대해 양자 협의를 개최할 것을 요구 하면서 중남미

통상국   통상국   안기부   경기원   재무부   농수부   상공부

국가들 의 '92 대 EC 바나나 수출 물량이 2.7 백만톤 이었음에도 불구하고, EC가달라 바나나 수입 쿼타를 2백만 톤으로 확정한것은 수락할 수 없다고 말함. 끝.

　　(대사 권동만 - 국장)

이시

외 무 부

종   별 :

번   호 : CNW-1326   일   시 : 92 1222 1700

수   신 : 장관(통삼,구일,미일,통기)

발   신 : 주 캐나다대사   검 토 필 (1992. 12. 31.) 希

제   목 : 카-EC 정상회담   검 토 필 (1993. 6. 30.) 希

대 : ECW - 1575

1. 안 참사관이 12. 22(화) 주재국 외무부 KLASSEN EC 과장 면담시 파악한 12. 17(목) 오타와 개최 카-EC 간 정례 정상회담 관련 사항을 아래 보고함.

가. 일기 불순으로 MAJOR 수상과 DELORS 집행위원장이 예정보다 늦게 몬트리올로 부터 육로로 오타와에 도착함에 따라 정상회담이 당초 예정한 1 시간반에서 40 분 정도로 단축 되었으며, 시간 관계상 유고 사태에 관하여만 논의하고 어업문제등 여타 사항은 논의되지 않았음.

나. 유고사태와 관련, 기본적으로 UN 지휘하에 참가할 것과 군대 부입 방안은 기활동중인 원조기관 및 PKO 관련 인원이 인질이 될 위험성 때문에 신중히 검토되어야 한다는 점이 거론되었다고 함.

다. 고위 실무회의 역시 30 분 정도로 단축 개최 되었으며, 에딘버러 EC 정상회담 결과 브리핑, 유고사태 이외에 MTN 문제가 논의됨. 카측에서는 MORDEN 차관과 CAMPBELL 통상차관이 참석함. MTN 회의 관련, 영국측은 예정된 93. 1. 15 보다 앞당겨 1. 4 부터 조기 개최할 것을 제의함.

2. KLASSEN 과장은 에딘버러 EC 정상회담에서 MAASTRICHT 협정을 일부 수정, 덴마크를 수용할 수 있는 여지를 마련하는등 EC 내부문제를 어느정도 타결함에 따라 93 년도에는 92 년에 비하여 EC 내부문제 보다 CIS 원조문제, 유고 문제등 외부 문제에 더 집중할 것으로 본다고 언급함. 동인은 UR 협상 전망 관련, 93 년도에 불, 독, 카등 중요국의 총선이 예정되어 있고 시장접근 서비스시장 개방등 주요 사항이 아직 타결 안되어 어려운 상황이나 미국이 FAST TRACK 을 이용, 적극 추진 할 경우 93 년도에 UR 협상이 타결될 가능성도 있다는 개인적 의견을 밝힘. (대사 박건우 - 국장)

예고:93. 12. 31. 까지

통상국	장관	차관	2차보	미주국	구주국	통상국	분석관	정와대
안기부								

외신 2과 통제관 BX

0189

이시 ✓

외 무 부

종 별 :

번 호 : GVW-2429

일 시 : 92 1222 2350

수 신 : 장관(봉기, 경기원, 재무부, 농수산부, 상공부, 특허청)

검토 필 (1992.12.31.)

발 신 : 주 제네바대사

검 토 필 (1993. 6.30.)

제 목 : UR 협상 제 5차 RUSSIN 회동

연: GVW-2368, 2369, 2392

1. 금 12.22(화) RUSSIN GROUP 조찬 회동(5 차)이 예정대로 개최되어 장시간 논의 끝에 1.4 이후 협상 추진 방향에 대해 아래와 같이 대체적 합의를 보았으며, 아울러 아국, 일본, 스위스등이 간단한 설명과 함께 농산물 (관세화) 관련 자국의 수정제안 (상세 별첨 참조)을 참가국에 배포한바, 시간제약으로 세부 토의는 없었음.

가. 시장접근 협상은 내년초 DENIS 의장이 미.EC 등 주요국을 접촉, 동 결과에 입각, 가능한한 1.4 전후 즉각 협상을 재개함.

나. DFA 의 수정과 관련된 RUSSIN GROUP 의 재가동 시기는 1.4 부터 DUNKEL 총장이 주요국과 협의하여 결정함.(1.11 주간부터 재가동될 것으로 보임)

다. DFA 수정작업은 1) 반덤핑, TRIPS, 보조금등 규범분야, 2) 농산물, 섬유분야, 3) MTO 등 제도 분야의 순으로 진행함.

2. 금일 , 회의 주요의제는 1) 12.18 자 BUSH/MAJOR/DELORS 3 자간 정상회담 선언에 대한 평가, 2) 1.4 이후 작업계획, 3) 농산물등 DFA 관련 여타 수정제안의 접수였는바, 동 의제별 주요토의 내용은 아래와 같음.

가. 워싱턴 선언에 대한 평가

1) DUNKEL 총장은 UR 의 조기타결 의지를 재확인한 동 선언으로 자신은 크게 고무 받고 있다고 언급함

2) EC(HUGO PAEMAN 대표)는 동 선언이후 미측의 LAVOREL 대사와 2 차례 접촉을 갖고 동 선언의 실현문제를 협의했다고 하면서 동 선언을 EC 로서는 MARCHING ORDER 로 인식한다고 적극적으로 평가하고 아래 사항을 언급함.

- EC 의 1.15 협상 종결의지는 불변

- EC 외상회의에서 금일중 ANDRIESSEN 및 MCSHARRY 후임으로 종래 UR 및

통상국 농수부	장관 상공부	차관 특허정	2차보	분석관	정와대	안기부	경기원	재무부

* 원본수령부서 승인없이 복사 금지

외신 2과 통제관 CM

0190

무역정책에 상당히 관여해오던 인사를 지정할 것으로 보이므로 EC 의 지도부개편이 UR 의 큰 장애 요소로 작용치는 않을 것임

　　3) 미국은 동 선언이 기본적으로 정치적 선언이긴 하나, 3 인이 UR 현황을 소상히 보고받고 난후 합의, 발표한 성명이므로, 정치적 타결의지가 있는 것은 사실이라 하면서도 , EC 에 비해서는 다소 유보적으로 평가하는 태도를 보임.

　　4) 본직, 스위스, 홍콩대표등은 워싱턴선언이 정치적 선언의 성격을 가진 것은 사실이나 이 시점에서 동 선언이 나왔다는 것은 긍정적으로 평가해야 한다고 한 반면, 인도, 우루과이등은 동 선언이 <u>현실과는 거리가 있</u>다는 점에 유념해야 한다는 소극적인 평가를 내림

　나. 1.4 이후의 협상 추진 계획 및 작업의 우선 순위등

　　1) DUNKEL 총장은 시장접근 협상과 DFA 수정 작업의 병행이 필요하다고 전제한후, 시장접근 협상의 DEADLOCK 해소가 급선무임을 강조하고, 상기 양 작업관련 아래 사항을 언급함.

　　- 시장접근 협상 분야에서는 각 참가국이 협상의 주역임을 명심하여 본격적인 협상에 임해 구체적 성과를 거양해야 함.

　　- DFA 수정 작업에는 RUSSIN GROUP 이 계속 지도적 역할을 수행해야 함.

　　2) EC 는 금일 회동중 DFA 수정보다 시장접근 협상 특허, 무세화 및 TARIFF PEAKS 문제해결이 더 중요함을 수차 강조하였으며, EC 로서는 이를 위해 1 주일전 공산품 및 농산물 C/S 를 제출하였고, 여타국도 몬트리올 목표달성에 성의를 다해야 할것이라고 함으로써 미국을 간접적으로 비난함

　　3) 이에대해 미국도 시장접근 협상의 중요성에는 전적으로 동감이나 EC 의 농산물, 공산품 OFFER 에는 문제가 많으며 동 문제점이 개선되지 않으면 시장접근 협상은 물론 DFA 수정 작업 진전도 어려울 것이라고 대응한후, 시장접근분야에서 구체적 진전이 있어야 동 결과를 DFA 에 반영할 수 있다고 언급함.

　　4) 본직은 1) 이제까지의 협상부진은 주로 미.EC 간 무세화 및 TARIFF PEAKS 등 분야별(SECTORAL) 협상에서의 입장차이에 기인하므로, 양측이 동 분야에서 조속 합의를 도출해야 진정한 협상 진전이 가능하며, 2) 1.4 이후 또 한차례의 협상 공전 현상을 막으려면 미.EC 간에는 1.4 이전에라도 사전 합의에 도달하려는 노력이 필요하다고 언급함.(일본도 동일 취지 발언)

　　본직은 또한 인도대사등과 함께 DFA 수정 작업과 관련, 주제별로 소그룹을

PAGE 2

0191

구성하자는 뉴질랜드의 제의에 반대하면서 RUSSIN GROUP 이 모든 문제를 포괄적(GLOBALLY)으로 다루어 나가는 방식이 보다 효과적이라는 의견을 피력함.

5) 호주, 스웨덴, 브라질, 인도등 대부분의 국가도 PARALLELISM 에 대한 지지입장 및 시장접근 협상에서의 미.EC 의 LEADERSHIP 역할 필요성을 언급함.

6) 기타 브라질, 인도는 여하한 경우에도 미.EC 등 주요국간 합의를 기정 사실화하는 기도는 받아들일수 없다는 입장을, 스위스, 카나다는 여타국의 조속 OFFER 제출 또는 기제출 OFFER 의 개선을 촉구함.

7) DUNKEL 총장은 회의 결과를 종합하면서 아래와 같이 향후 협상 추진계획을 제시, 참가국의 동의를 구함.

- 시장접근 협상의 의미있는 진전을 위해서는 미.EC 의 분명한 SIGNAL 이 있어야 함을 감안, DENIS 의장이 1.4 부터 미.EC 를 접촉하여, 동 결과에 입각, 즉각 시장접근 협상을 재개

- DFA 수정 작업은 금일까지 제출된 수정안을 아래 3 개 범주로 분류하여 <u>1.4 부터 매일 RUSSIN GROUP 이 회동하여</u> 3), 2), 1) 의 순서로 다루어 나가되, 각국은 최대한의 자제력을 행사함.

1) MTO, 분쟁해결등 UR 협상 전체 PACKAGE 와 관련되는 제도적 성격의 잇슈

2) 농산물, 섬유등 시장접근 및 DFA 수정이 상호 연계되어 있는 잇슈

3) 반덤핑, TRIPS, 보조금, 서비스등 순수한 규범분야 잇슈

8) 상기 DUNKEL 총장 제의에 EC, 미국, 아국, 일본, 스웨덴등이 년초의 각국 사정상 RUSSIN GROUP 의 1.4 가동에 다소 문제가 있다는 반응을 보임으로써 DUNKEL 총장은 1.4 부터 자신이 주요국과 협의하여 동 가동 시기를 결정하겠다함.

다. DFA 수정안 제시

- 아국, 스위스, 일본등이 금일 농산물 협정관련 수정문안을 제출하였으며

- 브라질(12.18, 섬유, 보조금등), 이집트(12.21, TRIPS, 농산물등), 인니(12.17 농산물 MMA 관련 의견서) 등이 DUNKEL 총장앞 서한 형식으로 제출한 수정안도 참가국에 배포됨.(동 수정안 별첨 참조)

(GVW-2430 으로 계속됨)

외 무 부

종 별 :

번 호 : GVW-2430　　　　　　　　　　　일 시 : 92 1222 2350

수 신 : 장관(봉기,경기원,재무부,농수산부,상공부,특허청)

발 신 : 주 제네바대사

제 목 : GVW-2429 의 계속

검 토 필 (1992. 12. 31.) 序

2. 금일 회동 결과에 대한 본직의 평가 및 앞으로의 협상 전망은 아래와 같음.

가. EC 가 워싱턴 선언을 적극적으로 평가한 것은 EC 회원국 (특히 불란서 입장) 과는 무관한 집행위의 입장이라고 보며, 미국을 궁지에 몰아 넣자는 의도는 없지 않다고 봄.

나. 미.EC 양측이 다수의 현안이 남아있음을 시인하고 특히 시장접근 협상에 역점을 둔것에 비추어 볼때, 양측은 표면적으로는 워싱턴 선언을 평가한다고 하면서도 1.15 까지 정치적합의를 도출 할 수 있다는 확신은 결여되어 있다는 인상이었음.

다. 대부분의 참가국은 시간적 제약을 인식하여 PARALLELISM 을 인정 또는 강조 하면서도 사실상 앞으로 협상진전의 관건은 시장접근 협상 특히 미.EC 간 입장 차 해소에 있다는 점을 인식하고 있었음. 검 토 필 (1993. 6. 30.) 序

라. DUNKEL 총장 자신도 1) 시장접근 분야에서의 미.EC 간 현격한 입장차이 2) DFA 관련 다수의 수정안이 제출된 점 3) 미.EC 내 지도부 교체등 제반 불확실성을 의식, 자신이 적극적 방향제시 보다는 참가국의 의견을 주로 유도하고자 하였으나, 다만 1.4 시장접근 협상을 재개하고 DFA 수정 작업도 가급적 조기 재개하여 계속 논의를 진행해 나간다는 동 의장의 의지는 확고한 듯 하였음.

마. 금일 회동시 아국, 일본, 스위스등이 관세화 문제를 정식 제기함으로써 농산물 포함 모든 현안 문제가 일단 제기된 만큼(물론 향후 협상 진전 여하에 따라 추가 제기 가능성은 상존) 이들 문제에 대한 협상은 앞으로 시장접근 협상과 병행하여 진행될 것임.

바. 향후 협상 전망을 확언키는 어려우나, 현재의 제반 미결사항에 비추어

1) 1.15 까지 정치적 타결은 어려울 것으로 보이나

2) 미.EC 의 정치적 의지만 확고하다면 2 월말까지의 타결은 일응 가능할 수

통상국　장관　차관　2차보　분석관　정와대　안기부　경기원　재무부
농수부　상공부　특허청

* 원본수령부서 승인없이 복사 금지　　　　　　　　　외신 2과 롱제관 CM
0193

있다고 보며, (이경우에 대비 아국으로서 농산물에 대한 사전 대비 및 준비태세 유지는 계속필요함)

　　3) 2 월말까지 정치적 타결이 이루어지지 않을경우 UR 협상은 장기적 과제로 전환한다고 볼 수 있음.

　　사. 시장접근 협상이 임하기 위한 대표단 파견시기 및 규모등은 년초 DENIS 의장의 협의결과를 본후 별도 건의 예정임

　　첨부: 1. 아국, 스위스, 일본의 농산물 분야 수정 제안 각 1 부

　　2. 브라질(섬유, 보조금), 이집트(TRIPS, 농산물), 인니(농산물) 제안 각 1 부

　　(GVW(F)-0773)끝

　　(대사 박수길-장관)

　　예고:93.12.31. 일반

PAGE 2

0194

주 제 네 바 대 표 부

번 호 : GVW(문) - 0773   년월일 : 2/2 22   시간 : 2340

수 신 : 장   관(통기, 경기원, 재무부, 농림수산부, 상공부, 특허청)

발 신 : 주 제네바대사

제 목 : '첨부

총 27 매(표지포함)

브	안	
통	제	

과신구		
통	제	

773-27-1

December 22, 1992
Republic of Korea

PROPOSALS[1]

The following amendments are proposed to the texts on Agriculture in the Draft Final Act of December 20, 1991 :

PART A

ANNEX 2

DOMESTIC SUPPORT: THE BASIS FOR EXEMPTION FROM THE REDUCTION COMMITMENTS

Government Service Programmes

3. Public stockholding for food security purposes

Expenditures (or revenue foregone) in relation to the accumulation and holding of stocks of products which form an integral part of a food security programme identified in national legislation. This may include government aid to private storage of products as part of such a programme.

The volume and accumulation of such stocks shall correspond to predetermined targets related solely to food security. The process of stock accumulation and disposal shall be financially transparent. Food purchases by the government shall be made at current market prices and sales from food security stocks shall be made at no less than the current domestic market price for the product and quality in question.

PART B

Special and Differential Treatment

14. In the case of products subject to unbound ordinary customs duties developing countries shall have the flexibility to offer ceiling bindings on these products and the flexibility in the scope of bindings notwithstanding paragraph 7 above.

---

[1] Deletions appear as struck-through text. Additions appear as underlined text.

1

0196

773-27-2

15. Developing countries shall have the flexibility to apply lower rates of reduction in the areas of market access, domestic support, export competition and lower level of minimum access opportunities provided that the rate or the level of reduction in each case is no less than two thirds of that specified in paragraphs 5, 8 and 11 above. Developing countries shall have the flexibility to implement the reduction commitments over a period of up to 10 years.

15 bis. Developing countries shall have the flexibility in the use of the base period governing the commitments on market access, domestic support, and export competition specified in paragraphs 8, 11, and Annex 3 paragraphs 2 and 11.

Annex 3

MARKET ACCESS: AGRICULTURAL PRODUCTS SUBJECT TO BORDER MEASURES OTHER THAN ORDINARY CUSTOMS DUTIES

Section A: The calculation of tariff equivalents and related provisions

1. The policy coverage of tariffication shall include all border measures other than ordinary customs duties* such as: quantitative import restrictions, variable import levies, minimum import prices, discretionary import licensing, non-tariff measures maintained through state trading enterprises, voluntary export restraints and any other schemes similar to those listed above, whether or not the measures are maintained under country-specific derogations from the provisions of the General Agreement.

---

*Excluding measures maintained under supply management programs, for balance-of-payments reasons or under general safeguard and exception provisions (Articles XI, XII, XVIII, XIX, XX, and XXI of the General Agreement). For exceptionally sensitive agricultural products which should be carefully circumscribed, participants may request a special derogation from tariffication and other related provisions as part of Schedules of market access concessions.

2

0197

793-27-3

~~handwritten signature~~

December 22 1992

AGRICULTURE

The following adjustments to the Draft Final Act from December 20, 1991 are proposed in order to reach a coherent and balanced outcome of the agricultural negotiations:

1. Implementation period

Period of 10 years regarding the implementation of the commitments

The implementation of the Uruguay-Round requires a phasing out of existing policy measures. In the case of Switzerland these measures are legally covered by a GATT-instrument, the Protocol of Accession of August 1, 1966. It has already been recognized in other major areas of the negotiation that a minimum of ten years is necessary in order to bring a sector under new GATT-rules and disciplines. The reasons justifying a ten years period are of a political, legal and economic nature :

- *an acceptable time-frame is needed for political reasons in order to achieve a fundamental reform of the agricultural policies;*

- *for obvious economic reasons an adequate payback period must be provided for investments made under the present agricultural policy, that ought to be changed fundamentally;*

- *enough time must also be provided in order to adapt existing national legislation, which in the case of Switzerland will be subject to referendum.*

2. Market access

The above mentioned reasons call also for some adjustments in the area of market access.

Flexibility in the implementation of the concept of comprehensive tariffication

- The principle of comprehensive tariffication as such can be accepted by Switzerland.

- Article XI (in an improved form) should be added to the list of Articles permitting exceptions from tariffication.

0198

~~773-27-X~~

- 2 -

- For a limited number of products, subject to measures based on legal GATT instruments negotiated under Article XXXIII, tariff equivalents will be established and will be implemented at the latest after ten years.

- For the limited number of products that will not be tariffied immediately, additional minimal access opportunities, beyond the requirements of the Draft Final Act, shall be extended right from the beginning of the implementation period.

Safeguard

- The trigger level for the quantitative safeguard must take into account the existing level of market penetration. A link must therefore be established between the trigger level and the current market access opportunities in the following way: the smaller the current market access opportunities, the higher the level of the trigger giving the possibility of invoking the safeguard (e.g. trigger level of 125% if the current market access opportunities are smaller than 10% of the corresponding domestic consumption; trigger level of 105% if the current access opportunities are larger than 30%).

  Calculations show that the proposed quantitative safeguard mechanism for agricultural products is working properly only for large markets with small actual market access opportunities. For small markets however, with large current market access opportunities, the proposed trigger level of 125% has no safeguard effect.

- With respect to the quantitative safeguard the base period should cover the five preceding years for which data is available and the limit of the duty which may be imposed shall be increased to 100 per cent of the level of the ordinary customs duty in effect in the year in which the action is taken.

3. Continuation clause

Explicit mentioning in the continuation clause of non-trade concerns.

The process of reform in agriculture is built on two basic principles: first, on the continuation of the liberalization process and second, on considerations given in the course of this process to non-trade concerns. These concerns are reflected in the Draft Final Act by the concept of the multifunctionality and the establishment of the green box. However in its present version the continuation clause covers only the principle of further liberalization.

0199

3

4. Export competition

- Similar to the de-minimis clause in the area of internal support, a de-minimis clause should be introduced also for commitments concerning export competition.

  Such a clause is justified for small exporters, since they do not distort world trade in agriculture. Therefore, there should be no obligation to reduce the support, as long as the total volume of subsidized exports for a product of a Party does not exceed a given share of the world trade for this product or does not exceed a certain part of imports of this product into the market of another Party.

- For processed products clarification is sought that payments for agricultural products contingent on their incorporation in exported products should be subject to reduction commitments only with respect to the part of these payments exceeding the difference between the domestic and the world market price of the input.

0200

Explanatory note
& declaration of

Implementation period

The following amendment is proposed:

- Page L3, Article 1f): This Para should read as follows:

"implementation period" covers a ten year period commencing in the year ... and ending in the year ... .

Market Access: Flexibility in the implementation of the concept of comprehensive tariffication

The following amendments are proposed:

- Page L25, Footnote to Para 1: This Footnote should read as follows:

  Excluding measures maintained for balance-of-payments reasons or under general safeguard and exception provisions (Articles XI, XII, XVIII, XIX, XX, XXI of the General Agreement). Measures maintained on the basis of other legal GATT-instruments negotiated under Article XXXIII shall be phased out at the latest at the end of a period of ten years.

  [For products which will not be tariffied at the beginning of the implementation period, minimal access opportunities shall be expanded according to the schedule in Annexe... . (This sentence could also be added on page L19, after the last sentence of Para 5)]

0202

773-27-8

Annexe ... (improvement of access opportunities)

For products, which are excempted from tariffication, access opportunities shall be expanded according to the following schedule:

- Where access opportunities are less than 4% of the corresponding consumption in the base period 1986-88, they shall be expanded to represent in the first year of the implementation not less than 4 per cent and shall be expanded to reach 8 per cent of that base figure by the end of the implementation period.

- Where access opportunities are greater than 4 per cent but less than or equal to 33% of the corresponding consumption in the base period 1986-88, they shall be increased by 4 percentage points during the implementation period.

- Where access opportunities are greater than 33 per cent but less than or equal to 66% of the corresponding consumption in the base period 1986-88, they shall be increased by 2 percentage points during the implementation period.

0203

Market access: Safeguard

The following amendments are proposed:

- Page L4, Article 5, Para 1 (i): This Para should read as follows:

the volume of imports of that product entering the customs territory of the participant granting the concession during any year exceeds a trigger level, which depends from the existing market access opportunities as set out in sub-paragraph 4 below; or, but not concurrently:

- Page L5, Article 5, Para 4: This Para should be amended as follows:

Any additional duty imposed under subparagraph 1 (i) above shall only be maintained until the end of the year in which it has been imposed, and may only be levied at a level which shall not exceed 100 per cent of the level of the ordinary customs duty in effect in the year in which the action is taken, and shall be set according to the following schedule:

a) if the market access opportunities for a product are less than or equal to 10 per cent of the corresponding domestic consumption during the five preceding years for which data are available, the additional duty may be imposed if the volume of imports of that product entering the customs territory of the participant granting the concession during any year exceeds a trigger level equal to 125 per cent of the corresponding average quantity during the five preceding years for which data are available;

b) if the market access opportunities for a product are greater than 10 per cent but less than or equal to 30 per cent of the corresponding domestic consumption during the five preceding years for which data are available, the additional duty may be imposed if the volume of imports of that product entering the customs territory of the participant granting the concession during any year exceeds a trigger level equal to 110 per cent of the corresponding average quantity during the five preceding years for which data are available;

c) if the market access opportunities for a product are greater than 30 per cent of the corresponding domestic consumption during the five preceding years for which data are available, the additional duty may be imposed if the volume of imports of that product entering the customs territory of the participant granting the concession during any year exceeds a trigger level equal to 105 per cent of the corresponding average quantity during the five preceding years for which data are available.

0204

Export competition: de minimis clause

The following amendment is proposed:

Page L7, Article 8: This Article should be amended by a new Para 2 as follows:

As long as the total volume of subsidized exports per product of a Party does not exceed 2 % of the world market trade for this product or does not exceed 5% of the imports of this product into the market of any other Party, there shall be no requirement to undertake to the reduction of that support.

0205

113 - 27 -11

Export competition: Clarification concerning processed products

The following amendment is proposed:

- Page L8, Article 9. 1f: This Article should read as folllows:

    Payments on agricultural products contingent on their incorporation in exported products, exceeding the difference between the domestic and world market price of the input.

0206

113 - 21 - 12

Continuation clause

The following amendment is proposed:

Page L11, Article 19: The third alinea of this Article should be amended as follows:

what further commitments are necessary to achieve the above mentioned long-term objectives, taking into account non trade-concerns mentioned in the preamble.

Safeguard on the volume of imports

current access: average 1986/88 (=100)

case a) 100 = 50 % of domestic consumption
(sugar, poultry)

case b) 100 = 3 % of domestic consumption
(pig meat)

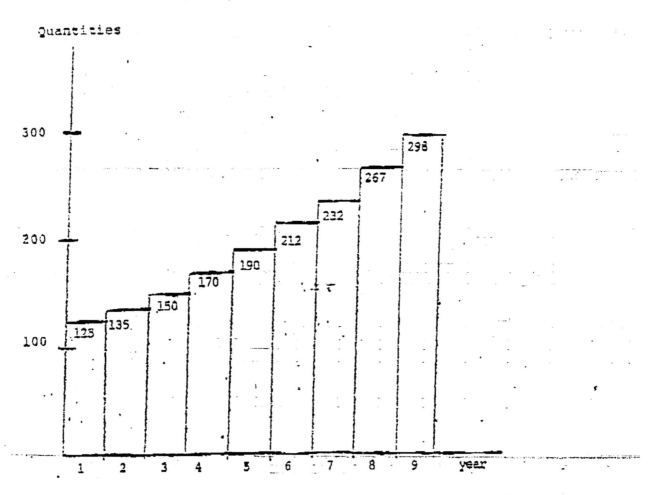

Trigger level for invoking safeguard		% of domestic consumption	
		case a)	case b)
1st year	125	62,5 %	3,8 %
2nd year	135	67,5 %	4,0 %
3rd year	150	75 %	4,5 %
4th year	170	85 %	5,1 %
5th year	190	95 %	5,7 %
6th year	212	106 %	5,3 %

0208

Japan

Agriculture

(Scope of tariffication)

1. The word "all" should be deleted in Part B, Annex 3,
   Section A, paragraph 1 and paragraph 3.

2. The following new sentence should be added at the end
   of Part B, Annex 3, Section A, paragraph 1.
   The coverage above shall not include border
   measures necessary for the enforcement of production
   control measures applied to products of vital
   importance (to be defined) for a Member's agriculture
   or food supply.

0209

113-27-15

Japan

Agriculture

(No-new-products or no-new-markets commitments)

The following new sentence should be added at the end
of Part B, paragraph 12.

This paragraph shall not apply to export subsidies
to be granted for the products for which production
control was implemented and export subsidies were
not granted during the base period.

0210

773-27-16

Geneva, 18 December 1992.

Mr. Arthur Dunkel
Chairman of the Trade Negotiations Committee
GATT
Centre William Rappard
154, rue de Lausanne
1211 Genéve 21

Dear Arthur,

Please find herewith in a written form, as I had anticipated, the proposals on specific provisions of the DFA agreements on textiles and subsidies I mentioned in our dinners. As for the circulation of such proposals among those who have been participating in this "exercise", I would leave it at your discretion.

As regards TRIPS, I wish to confirm that Brazil fully shares India's views concerning the need for clarification of Article 27:1 in fine, in a manner consistent with Article 5A of the Paris Convention.

Best regards,

0211

<u>Subsidies and Countervailing Measures. Privatization.</u>

Option 1

Article 27.12
        Following changes proposed (new words underlined, deletions struckthrough)

        "Without prejudice to the provisions of Article 8.1, signatories agree that the following shall be considered non-actionable: ~~The provisions of Part III of this Agreement shall not be applicable to~~ direct forgiveness of debts~~,~~ and subsidies to cover social costs, in whatever form [the rest remains unchanged]."

Option 2

Article 8.1
        Signatories agree that the following shall be considered as non-actionable:

    "(a) ...
        (b) ...
        (c) direct forgiveness of debts~~,~~ and subsidies to cover social costs, in whatever form, including relinquishment of government revenue and other transfer of liabilities when such subsidies are granted within and directly linked to a privatization programme of a developing country signatory provided that both such programme and the subsidies involved are granted for a limited period and notified to the Committee and that the programme results in eventual privatization of the enterprise concerned."

<u>Special and Differential Treatment to Developing Countries. Domestic content. Exceptions to Article 3 (prohibited subsidies)</u>

Article 27.2
        The heading of the Article would read (new words are underlined):
        "The prohibition of Article 3.1 (a) and (b) shall not apply to:"
        This change would concede to developing countries the same exemption as that conceded under Article 29 to signatories under transition to a market economy, although for a different time span.

<u>Brazil</u>

<u>Textiles</u>

<u>Safeguard Mechanism</u>

Article 6.12
     [to add at the ends of Article 6.12, after
"whichever comes first":]. A developing contracting party
applying a measure under the provisions of this Article
shall have the right to extend the period of application
provided for in (a) of this paragraph to five years. A
developing contracting party shall have the right to
apply a safeguard measure again, under this Article, in
relation to a product which has been subject to such a
measure, for a period of time equal to half that during
which such a measure has been previously applied,
provided that the period of non-application is at least
two years."

Annex, paragraph 2
     [to add at the end of paragraph 2:]",except as when
the action is taken by a developing contracting party, in
which case the provisions of this paragraph will apply
whenever possible."

December 1992

0213

PROPOSAL BY EGYPT
TO THE AMENDMENTS
PROPOSED AGREEMENT ON TRIPS

Article 6 : Exhaustion.

- Replace Article 6 as follows :

"Subject to the provision of Articles 3 and 4 above, nothing in this agreement imposes any obligation on, or limits the freedom of, PARTIES with respect to the determination of their respective regimes regarding the exhaustion of any intellectual property rights conferred in respect of the use, sale, importation or other distribution of goods once those goods have been put on the market by or with the consent of the right holder."

Article 10 : Computer Programs and Compilation of Data.

- Delete the word "literary" in the second line in para 1.

Article 27 : Patentable Subject Matter.

- Para 1 : To read as follows :

Subject to the provisions of paragraphs 2 and 3 below, patent shall be available for inventions in all field of technology provided that they are new, involve an inventive step and are capable of industrial application. Subject to paragraph 4 of Article 65 and paragraph 3 of this Article, patents shall be available and patent rights enjoyable without discrimination as to the place of invention.

0214

- Para 3 : Add sub-para "C" as follows :

(C)   Developing Countries Parties to this agreement may exclude from patentability certain products, and processes for the manufacture of these products on grounds of public interest, national security, public health including chemical and pharmaceutical products.

Article 28 :

   - Para 1 :
   Sub-para (a) : Delete the word "importing" in the third line.

   Sub-para (b) : Delete the second part which starts with "..., and from the acts of using..."

Article 29 : Amend the title, to read as follows :

   Conditions "and obligations" on patent applicants and owners.
   - Add new sub-para 3 which would read as follows :
   3 - "Parties may provide that a patent owner shall have the obligation to ensure the exploitation of the patented invention in order to satisfy the reasonable requirement of the public."

Article 33 : Term of Protection

   - Amend this article as to read as follows :

   The term of protection available shall not end before the expiration of a period of 10 years counted from filing date. However this period may be extended by 10 years if the patent is locally manufactured.

0215

773-27-21

AMENDMENTS PROPOSED TO THE DRAFT TEXT ON AGRICULTURE

Part A.

Article (5). Page 4: footnote to paragraph 1 (1) :
Paragraph 4 we propose to add a sentence at the end
of the pragraph as follows :
the additional duty shall not exceed 50% of the
level of the ordinary customs duty in effect in the
year in which the action is taken.

Article (16). Paragraph 2. Add a new sentence at the end of this
paragraph to read as follows :
"Differential treatment shall be accorded to NFIDCs
and LDCs as provided for in part D."

Paragraph 4.(C) : Correct the date of the Food Aid
Convention to be 1991 instead of 1986.

Article (15). A new paragraph "2" to read as follows :
"2.   Given the negative effects of the reform
process on them, Net Food Importing Developing
Countries shall be given flexibility with respect
to reduction commitments in market access areas."

Part B.

Paragraph 5 : Add a new sentence at the end of this
paragraph to read as follows :

"For developing countries, they shall represent
1.5% in the base period to reach 2.5% of that base
figure by the end of the implementation period."

Paragraph 15 : Substitute the words two thirds by
one half and ten years by 15 years.

0216

2

Part D.

Page L.53. <u>As an integral part of the Draft Final Act the Draft Declaration is to be concretised by a "Ministerial Decision".</u>

<u>Paragraph 3(I).</u> To read as follows :
"...to review the level of food aid established periodically by the Committee of Food Aid under the Food Aid Convention and to initiate negotiations in the appropriate forum with a view to ensure <u>additional levels</u> of food aid commitments sufficient to meet the legitimate needs of NFIDCs and LDCs during the reform programme."

<u>Paragraph 3.(II).</u> Add "/and" at the end of the third line.

<u>Paragraph 3.(III)</u> To read as follows :

"To give full consideration in the context of their aid programme to requests for the provision of sufficient <u>and additional</u> technical and financial assistance to least developed and net food-importing developing countries to improve their agricultural productivity and infrastructure."

<u>Paragraph 4.</u> To read as follows :

"Participants further agree to ensure that any agreement relating to agriculture export credits <u>shall</u> provide for differential and more favourable treatment to least developed and net food-importing developing countries."

<u>Paragraph 5.</u> The first sentence should read as follows :

773 - 29 - 23

"Participants recognize that as a result of the Uruguay Round in general, and the reform process of the world trade in agriculture in particular, least developed countries and net food-importing developing countries may experience short-term difficulties in financing normal levels of commercial imports and that these countries may be eligible to draw on the resources of international financial institutions under existing facilities in the context of adjustment programmes, or under the time-bound window established during the reform process, in order to offset the negative effects thereof on these countries."

Paragraph 6. The provisions of this declaration will be subject to regular review by the contracting parties to ensure its implementation.

0218

PERMANENT MISSION
OF THE REPUBLIC OF INDONESIA
TO THE UNITED NATIONS
AND OTHER INTERNATIONAL ORGANIZATIONS
GENEVA
No: 097/S/G/DGATT/XII/92

Geneva,
17 December, 1992

Dear Mr. Dunkel,

    Allow me first of all to take this opportunity to
thank you and the GATT Secretariat for keeping
participants informed of the complex process and rapid
developments in the Uruguay Round negotiations. You
have our full support in your difficult job of managing
the Round to its conclusion.

    In the complex process of negotiations,
unintentionally, small economies like mine may not have
the opportunity to have their voices heard unless they
are explicit about their concerns. Accordingly, I would
like to take this opportunity to inform you about some
of our concerns.

    I have been asked by my authorities to convey to
you that my government has serious difficulties with
some aspects of the Draft Final Act. One area of
difficulty is related to agriculture. Specifically, our
problem relates to minimum access and tariffication
especially with respect to one sensitive product,
namely rice.

1

0219

While our central concern is with minimum access, after serious discussions and examination with various interested parties, it appears that minimum access and tariffication (two spearate concepts), are linked in the DFA. Accordingly, to the extent that they are linked, then by implication, my government's difficulty is with both tariffication and minimum access.

We are looking for ways to deal with the question technically, within the existing DFA. After careful consideration it appears that the solution is to request a small change in the DFA which would permit the postponement of the application of the DFA provision with respect to minimum access and tariffication.

The second point I wish to convey relates to TRIPS. While we could accept the obligation to adhere to the high standards of protection contained in the DFA, after serious thoughts, we anticipate serious difficulties in administering the enforcement of some specific aspects of the provision within the transition time available.

We are worried about the possible disputes which might emerge arising from the technical incapacity of our administrative system to fully implement all the aspects of the TRIPS provisions of the DFA within the time frame available. We are discussing the question with interested parties to seek specific solution to the problem. However, I have also been asked to convey this concern to you.

2

0220

Finally, allow me again to say that you have our full support in your task to ensure that the Round comes to a successful conclusion. Despite our difficulties we shall continue to work constructively with you and with the all participating countries.

Please accept, Mr. Dunkel, the assurances of my highest consideration.

Sincerely Yours,

H. S. Kartadjoemena,
Ambassador
Special Representative
of the Republic of Indonesia
to the GATT/Uruguay Round

Mr. Arthur Dunkel
Chairman of the Trade Negotiations Committee
of the Uruguay Round
Centre William Rappard
Rue de Lausanne, 154
1211 Geneva 21

3

0221

통상국장(통기) 0/시
- o.k.

원 본

관리번호	92-255

외 무 부

종 별 :

번 호 : GVW-2434 일 시 : 92 1223 1730

수 신 : 장관(친전)

발 신 : 주 제네바 대사

제 목 : 업무협의 일시귀국

일반문서로 재분류 (1992. 12. 31)

연: GVW-2429

1. UR 협상은 일단 연말고비는 넘기고 1 월초(1.4) 부터 곧바로 재개키로 되었으나, 아직도 여러가지 불확실한 요소가 없지 않아 미국의 신속승인 절차 시한인 2 월말까지 타결 가능성을 포함한 연초 협상 전망을 현시점에서 정확히 예측하기는 어려운 점이 있읍니다.

2. 그러나 미.EC 의 확고한 조기타결 의지만 있으면 제반 기술적, 실무적 어려움에도 불구하고 2 월까지는 협상종결이 가능하다고 보는 것이 당지 협상자들의 관측이고 미.EC 도 계속 1 월중 타결 의지가 있음을 밝히고 있는 만큼(12.18 WASHINGTON 에서 있었던 BUSH/MAJOR/DELORS 3 자 정상회담에서도 이를 재확인), 1-2 월중 협상이 급진전할 수도 있으며, 이경우 아국의 농산물 문제에 대한 협상도 동 기간중에 본격화 될 가능성이 많다고 하겠읍니다.

3. 앞으로 당지 협상은 순수한 시장접근 차원의 문제를 제외하고는 모든 주요 잇슈에 대한 실질 협상이 주로 RUSSIN GROUP 내에서 협상 전반을 총괄하는 대사 또는 수석대표를 중심으로 포괄적(GLOBALLY), 비공식으로 진행될 전망임에 비추어, 본직으로서는 15 개 NTC 품목의 처리문제등 농산물협상 대책과 무세화 참여문제등 여타 UR 협상 전반에 관한 대책을 관계요로와 협의함으로써 본부와의 상호 교감을 높이는 것이 긴요하다고 사료되어 12.28(월) 부터 약 1 주간 일시 귀국을 건의하오니 허가하여 주시기 바랍니다. 끝

예고: 92.12.31. 일반

12.28(월) ~ 1.3(일)
- 중농총리 인사관계
- [illegible]

장관

PAGE 1

* 원본수령부서 승인없이 복사 금지

92.12.24 01:05

외신 2과 통제관 DV

0222

관리번호	92-254

발 신 전 보

번 호 : WGV-2033   921226 1045 WG   종별 : 급

수 신 : 주 제네바 대사. 총영사

발 신 : 장 관 (통 기)

제 목 : 일시귀국 허가

대 : GVW-2429

1. ~~대응~~, UR 협상과 관련한 업무협의차 귀직의 92.12.28(월)-93.1.3.(일)간 일시 귀국을 허가함. 끝.

2. UR 협상 현황과 전망 및 대책에 관한 보고자료를 준비바람. 끝.

(장 관 이 상 옥)

예고 : 92.12.31 일반

일반문서로 재분류 (1992.12.31)

총무과장 :

앙 고 재	92 년 12 월 26 일	통 상 기 구 과	기안자 성명		과 장	심의관	국 장	차관보	차 관	장 관	보 안 통 제	
												외신과통제

관리
번호 *92-1006*

외 무 부

종 별 : 지급

번 호 : USW-6281   일 시 : 92 1224 1734

수 신 : 장 관 (통이, 미일, ~~통기~~, 정총, 경일, 외교안보, 경제수석)

발 신 : 주 미 대 사

제 목 : 신임 USTR 대표 임명

검 토 필 (1993. 6. 30.)

연: USW-6276

1. 연호 금 12.24. MICKEY KANTOR 신임 USTR 대표로 임명발표시 클린턴 당선자는 세계 시장에서의 <u>경쟁력 확보</u>가 미국의 경제안보를 좌우하는 관건인바, 공정하고 <u>개방된 교역시장</u>을 확보하는데 있어 USTR 의 역할이 중요함을 강조하고멕시코, 카나다와의 NAFTA 추가 협상, UR 의 종결, 교역상대국과의 공정교역을 추진하기 위해 정치적인 수완과 대통령의 전적인 신임을 가진 인사가 USTR 을 맡는 것이 필요하다고 전제하면서 HILLARY 여사와의 근무경력, 능숙한 선거 캠페인수행, 최근 국내경제회의의 성공적 개최등이 KANTOR 를 USTR 대표로 임명하게된 배경이 되었음을 시사하였음.

2. 신임 KANTOR USTR 대표의 주요 약력은 아래임.

- 연령: 53 세(39.8.7 생)

- 출생지: 테네시주 NASHVILLE

- 학력:

. 61 년 VANDERBILT 대 문학사

. 68 년 GOERGETOWN 대 법학박사

- 현직책: 75 년 이래 LA 소재 MARNATT, PHELPS, PHILLIPS AND KANTOR 법률회사 PARTNER

- 주요경력

. 카터 행정부시 LEGAL SERVICES CORPORATION(불우시민 법률구조를 위한 민간 비영리 단체)근무 (대통령 임명직책)

. 아동보호기금 이사 (86-88)

. WARREN CHRISTOPHER 위원회 (RODNEY KING 폭행사건 조사 위원회) 위원 (92)

통상국 청와대	장관 청와대	차관 안기부	2차보 경기원	미주국 농수부	경제국 상공부	통상국	외정실	분석관

PAGE 1   92.12.25   08:59

* 원본수령부서 승인없이 복사 금지   외신 2과 통제관 CH

0224

422 우루과이라운드 협상 동향 및 무역협상위원회 회의 4

. 72 년이래 카터(80), 몬데일(84), 클린턴(92) 대봉롱 선거운동본부장 역임등

- 비고

. 클린턴 및 힐러리 여사와는 LEGAL SERVICES CORPORATION 근무이래 약 15 년간 친교 유지

. 현 법률회사는 자메이카, 사이프러스 정부 및 PHILIP MORRIS 담배회사등을 고객으로 포함.

3. KANTOR 의 USTR 대표 임명 배경은 아래와 같이 추정됨.

- 대봉롱 선거대책 본부장으로서 주변이사들과의 불협화와 클린턴정책 방향에 대한 사전 정보누설등의 물의를 일으켜 정책인수반 편성에서는 제외되었으나 선거대책 본부장으로서의 기여도가 평가되었고 최근 "리틀록" ECONOMIC CONFERENCE 의 성공적인 기획 및 주관능력을 인정받아 요직 기용이 불가피하였을 가능성(상기 관련, 최근까지 BRUCE BABBIT 전 아리조나 주지사가 거론되었으나 유력한 내무장관 후보이던 BILL RICHARDSON 의 환경보호론자들의 반발로 인선에서 제외되고 BABBIT 가 내무장관으로 최종 결정됨에 따라 KANTOR USTR 기용이 가능해 졌을 것으로 보임.)

- 동인이 특기할 만한 대외통상 취급기반이 없음에도 불구하고 PAULA STERN과 같은 자유무역론자와 PRESTOWICZ 와 같은 "JAPAN BASHER" 등 뚜렷한 성향의인사를 기용함으로써 야기될 수 있는 논쟁의 소지를 최소화하기 위해서는 중립적인 성향의 인사 기용이 필요하였을 가능성

- 과거 10 여년간 클린턴 당선장 내외와의 친교를 유지하였음에 비추어, 인선 최종단계에서 강력한 USTR 직책을 희망하였다는 당지의 관측도 있음.

4. 상기와 같이 클린턴 전문지식보다는 개인적인 신임이 있는 정치적인 인물을 선택하였음에 비추어 USTR 부대표는 통상전문가로 기용할 가능성이 높아지 것으로 보임.

5. KANTOR 이력사항은 별첨 FAX 송부하며, 행정부등의반응, 정책방향등은 계속 파악, 추보하겠음.

(대사 현홍주-국장)

첨부: USWF-8301 (3 매)

93.12.31 까지

0226

MICHAEL KANTOR

PERSONAL DATA

Age: 52   (born August 7, 1939, Nashville, Tennessee)
Marital Status: Married -- Heidi Schulman, four children

PROFESSIONAL DATA

Partner -- Manatt, Phelps, Phillips & Kantor, 1975 to present

CIVIC AND COMMUNITY

Commissioner, Independent Commission to Investigate the Los
Angeles Police Department, "Christopher Commission"

Chair, Los Angeles Conservation Corps

Board Member, California Commission on Campaign Financing

Board Member, Center for Law in the Public Interest

Board Member, Center for the Study of Democratic Institutions

Presidential Appointee, Legal Services Corporation, 1976-80

Board Member, Mexican American Legal Defense and Education Fund,
1977-81; 1983-1987

Board Member, Children's Defense Fund, 1986-1988

National Advisory Board, California Rural Legal Assistance
Foundation

National Advisory Council, American-Israeli Public Affairs
Committee

Executive Committee, American Jewish Committee

State Chair, Californians for Public Broadcasting, 1980

Advisory Council, Los Angeles Institute of Contemporary Art

830/- 3- 2

0227

POLITICAL DATA

Chair, National Campaign, Clinton/Gore '92 Campaign

State Chair, Mondale for President, 1983-84

State Chair, Brown for U.S. Senate, 1981-82

California State Chair, Carter Presidential Campaign, 1980

State Chair, Citizens for California: "NO ON 9", 1980

National Campaign Manager, Brown for President, 1976

State Campaign Director, Citizens for Senator Alan Cranston, 1973-74

Staff Director, Shriver for Vice President, 1972

PROFESSIONAL ORGANIZATIONS

Florida Bar Association

California Bar Association

District of Columbia Bar Association

American Bar Association

EDUCATIONAL BACKGROUND

School of Law: Georgetown University Law Center
Juris Doctor - June, 1968

Undergraduate College: Vanderbilt University
Bachelor of Arts - June, 1961

MILITARY SERVICE

Naval Officer, 1961-65

OTHER

Moderator, "Inside Politics" and "Financial Forum", Financial News Network 1982-84

이시

관리 번호	72-100%

외 무 부

종   별 :

번   호 : USW-6285   일   시 : 92 1224 1757

수   신 : 장관(통이,미일,통일,통기,경기원,상공부,농수부,경제수석,외교안보)

발   신 : 주 미 대사

제   목 : USTR 신임대표 임명관련

일반문서로 재분류 (1993 . 6 . 30)

연: USW-6281

1. 당관 장기호 참사관이 금 (12.24) 연호 KANTOR USTR 신임대표 임명과 관련 ROBERT CASSIDY 대표보 (아시아 담당)와 접촉한바, 동 대표보는 신임 USTR 대표는 CLINTON 당선자와 매우 가까운 관계에 있으며 대통령 선거운동 본부장으로서의 역할이 평가받은데다 최근 '리틀록'에서의 ECONOMIC CONFERENCE 를 직접 주선, 성공적으로 매듭을 지은 성과등이 고려되었을 것이라고 하였음.

2. 통상문제에 대한 전문적 지식이 없지만 CARLA HILLS 대표가 통상문제에 대한 배경이 없더라도 USTR 대표를 성공적으로 수행해온 것과 마찬가지로 신임대표도 통상에 대한 전문적 지식이 없는 것이 흠이 될수 없으며, 대통령과 매우 밀접한 관계에 있기 때문에 보다더 소신있는 정책을 펼수 있을 것이라고 하였음.

3. (장참사관이 신임 USTR 대표의 성향과 미국의 대외통상정책의 전망에 대해 문의한데 대해)

동 부대표보는 아직 KANTOR 대표의 업무수행 STYLE 과 어느 부분에 더 정책의 FOCUS 를 둘지 두고보아야 하지만 미국의 대외통상정책은 초당적으로 이루어져 왔으며 앞으로도 이러한 방향으로 움직이기 때문에 NAFTA, UR 협상등 주요 문제에 있어서는 우선 큰 정책의 변화는 예상되지는 않는다고 언급하고 CLINTON 당선자가 경쟁력의 강화를 최대의 목표로 내세우고 있기 때문에 신임 USTR 대표도 이러한 정책에 따라 교역의 공정성에 보다더 큰 중점을 둘 것으로 보며 과거 보다는 좀더 강력한 수단 (FORCEFUL ENFORCEMENT)을 이용해 나갈 가능성이 높다고 하였음.

4. KANTOR 신임 USTR 대표에 대한 외무장관 및 상공장관 명의 축전 발송을 건의함. 끝.

(대사 현홍주-국장)

통상국 청와대	장관 정와대	차관 경기원	2차보 농수부	미주국 상공부	통상국	통상국	외연원	분석관

PAGE 1   92.12.25   08:39

* 원본수령부서 승인없이 복사 금지   외신 2과 통제관 CH

0229

예고: 93.6.30. 까지

경 제 기 획 원

우 427-760 / 경기도 과천시 중앙동1 정부제2청사 / 전화   5186   / 전송 503-9138

문서번호 국제10523-*169*

시행일자 1992. 12. 24.

선결			지시		
접	일자 시간	9ᐣ : 12.28	시 결 재 · 공 람		
수	번호	**43902**			
처리과					
담당자		0151			

수   신 수신처 참조

참   조

제목 부총리 주한 EC대사들과의 오찬간담회 결과통보

　　　지난 12.22(화)있었던 부총리의 주한 EC대사들과의 오찬간담회 결과를 별첨과 같이
통보하니 업무에 참고하시기 바랍니다.

첨부: 부총리 주한 EC대사들과의 오찬간담회 주요내용 1부.

경 제 기 획 원 장

수신처: <u>외무부장관(통상국장),</u> 상공부장관(통상진흥국장), 농림수산부장관(농업협력통상관)

0231

(副 總 理)

駐韓 EC大使들과의 午餐懇談會 主要內容

I. 행사개요

- 일 시: 92.12.22(火), 12:15~14:00

- 장 소: 駐韓英國大使官邸(英國은 92年 下半期中 EC議長國)

- 참석자

  0 우리측: 副總理, 對外經濟調整室長, 諮問官

  0 EC측: 駐韓 EC會員國 및 EC執行委 代表部 大使 12명

   ※ 독일, 폴투갈, 스페인, 덴마크는 참사관 代參,
     룩셈부르크는 常駐公館 없음

II. 주요내용

1. 우루과이 라운드(UR)

< EC 側 >

- 12.18(금) 美.EC 頂上會談에서의 UR협상관련 협의사항을 설명
  한후, 英大使는 現EC 議長國으로서 本國訓令임을 전제하며,
  副總理受信 公翰 전달

0232

```
┌─────────────< ※ 公翰 主要內容(사본별첨) >─────────────┐
│                                                        │
│  - Bush 美大統領, Major 英首相, Delors EC執行委員長은 Dunkel │
│    GATT 事務總長에게 아래 Message를 전달                    │
│                                                        │
│    O 美國의 신속처리절차 (Fast Track Authority)만료前(93.3.2)│
│      UR협상의 종료를 강력히 희망하는 바, 이는 93.1중순까지    │
│      협상의 모든 주요사항에 대한 타결이 필요함을 의미         │
│                                                        │
│    O 美-EC간 농산물 협상타결후, 他 協商參與國으로부터 Dunkel │
│      사무총장 Text에 대한 修正을 요구하는 事例가 나타나고    │
│      있으나, 이는 억제되어야 할 필요                        │
│                                                        │
│    O 협상의 신속한 타결을 위해 93.1.4부터 제네바에서 본격    │
│      협상 개시                                            │
│                                                        │
└────────────────────────────────────────────────────────┘
```

- UR협상이 본격화될 경우 쌀의 관세화 예외를 주장하는 한국
  의 입장이 매우 어려워질 것인바, 이에대한 한국정부의
  적극적 대응 촉구

    O 他國家들로 부터의 例外認定 요구확대 가능성을 방지하기
      위해서도, 한국을 포함한 어떤 국가의 例外要求도 不可

    O 日本이 마지막 순간에서 한국과의 共同步調에서 후퇴할
      가능성이 높은바, 이경우 한국입장이 매우 고립될 가능성

- 금번 한국의 대통령 선거기간중 各政黨候補者들은 쌀 개방
  문제에 대해 매우 강한 (extremely vehement)입장을 제기
  하였는바,

    O 이로인해 한국내에서 쌀 개방문제에 대한 輿論形成조차
      어려운 현실을 우려

0233

< 부총리 >
- 쌀 개방문제는 經濟的 차원을 넘은 政治社會的 문제임을 강조

    0 총 취업인구중 17%가 여전히 농업인구이며, 쌀이 農家의
      主所得源인 한국의 실정은, 7%수준의 농업인구와 80%以上
      의 農外所得을 갖고 있는 일본과는 본질적으로 相異

    0 쌀, 특히 Short-grain의 세계교역량 규모가 미미하여 수출국
      입장에는 重要事案이 아니나, 한국에서는 매우 重要事案이라
      는 點에 대한 이해 기대

- 설령 EC측 설명처럼 내년 1月중순까지 例外不認定 입장이 굳어
  져 한국이 고립화될 가능성이 있다하더라도, 現時点에서 한국
  정부가 쌀 개방문제를 거론할 수 없는 입장임을 강조

    0 關稅化에 대한 모든 例外不認定이 協定文案으로 최종 確定
      된다면, 그때야 비로서 쌀 개방에 대한 各界各層의 의견을
      들어보는 機會를 갖을 수 있음은 이미 밝힌바 있음

2. EC통합 및 韓.中관계를 포함한 동아시아권 경제협력

< EC측 >
- EC시장 단일화가 역내 무역장벽제거를 위한 deregulation
  성격임을 강조하며, 韓國內의 " 유럽 要塞化 " (Fortress Europe)
  憂慮 視角은 불식되어야 함을 지적

- 최근 한국의 對中國, 베트남과의 경제협력증진을 지적하며,
  이로인해 한국의 유럽에 대한 관심이 멀어질 가능성 지적

    0 東아시아 지역내 경제협력 강화가 " Fortress Asia " 로
      나타날 가능성 우려

0234

< 부총리 >
- EC市場 單一化는 우리경제에겐 새로운 機會이자 挑戰임을 강조

- 한국의 對中國 경협증진 가능성은 매우 높은 것은 사실이나,
  우리로서는 중국의 競爭相對國으로의 浮上可能性에 대비할
  필요성이 있음을 지적

    O 한국이 중국과의 競爭을 극복하기 위해서는 상대적으로 높은
      技術力을 보유해야 하며, 이를위해 EC등 先進圈과 계속 협력
      해야 할 필요성 강조

- 東아시아 지역국가의 발전단계별 多樣性으로 인해, EC와 같은
  經濟共同體로의 발전은 현실적으로 불가능함을 지적
    O 오히려 한국은 EC등 세계 다른지역에서의 地域主義를 경계
      하고 있는 입장

3. 韓國經濟政策方向

< EC측 >
- 新政府에서의 경제정책 방향에 대한 문의

< 부총리 >
- 그동안 經濟安定化시책이 추진되며 物價, 국제수지등 巨視的
  측면에서 안정기조가 회복되는 추세임을 설명
    O 다만 설비투자증가의 둔화가 다소 우려되는 상황

    - 내년도에도 안정기조를 유지하는 범위내에서 適正成長을
      추구하기 위해 산업구조 고도화, 금융자율화등 Fundemental
      을 갖추는 方向으로 정책이 추진되어야 할 필요성 강조

0235

British Embassy
Seoul

HE Choi Gak-kyu
Deputy Prime Minister and
Minister of Economic Planning
Board   22 December 1992

Your Excellency,

    You will know that the European Community held a Summit meeting
with the US Administration in Washington on 18 December. The
European Community was represented by my Prime Minister, John Major
(holding the EC Presidency) and by the President of the EC
Commission, M. Delors.

    At that Summit, President Bush, Prime Minister Major and
President Delors agreed to send a joint message to M. Arthur
Dunkel, the Director-General of the GATT.

    I have been instructed as Ambassador representing the British
Presidency to convey the text of that message to the Government of
the Republic of Korea.   The text is:

    "Message to Mr Arthur Dunkel

    Meeting in Washington today, 18 December, the President of the
United States, the Prime Minister of the United Kingdom and the
President of the European Commission agreed, and stated in public,
that the Uruguay Round negotiations in Geneva should be speeded up.
The aim should be to conclude a balanced and comprehensive
agreement by the middle of January.

    To this end, it was agreed that US and EC representatives will
urgently step up their efforts in the multilateral negotiations in
Geneva, in order to finalise the texts of agreements in all areas
of the Round, to complete the outstanding negotiations on market
access and services, and to determine the institutional structure
which will govern both existing and new agreements.

    The Heads of Government and the President of the Commission
wished to inform you immediately, as Director General of GATT, of
this understanding, to support your efforts, and to help you
facilitate the early and successful completion of the negotiations.

                                         18 December 1992"

                              0236

In transmitting this message, I have also been instructed to make the following additional points.

1)   The EC/US Summit gave clearest possible message that both sides still want an early Uruguay Round agreement, before expiry of US fast-track authority. Whilst political agreement by end-1992 has not proved possible, we all need early resumption in New Year with the aim of agreeing all key elements of a deal, if not necessarily all the details, by mid-January. That would allow time to complete technical work in Geneva, and for preparation of US legislation so that they can submit final text before 2 March fast-track deadline.

2)   It is understandable that, following EC/US agriculture accord, parties are coming forward with their own requests for changes to the Dunkel text. The clear message from the Summit is that these ambitions will have to be subordinated to an overall agreement.

3)   Hope Ministers will therefore ensure that appropriate instructions are fed down to negotiators, and that they are available in Geneva from 4 January onwards.

I am also conveying the above information to the Ministers for Foreign Affairs and Trade and Industry, to the Economic Secretary in the Blue House and to President-elect Kim Young-sam.

Yours sincerely

David Wright

D J Wright
HM Ambassador

0237

UR 協商

(現況, 展望 및 對策)

1992. 12. 27.

駐 제네바 代表部

0238

목   차

1. UR 協商 現況 1

2. 年初 協商 展望 2

3. 我國의 當面 對策 4

    가. 農産物 4

    나. 市場接近 6

    다. 반덤핑 7

    라. W T O 7

    마. 기타분야 10

        1) 知的所有權 10

        2) 纖 維 11

        3) 補助金.相計關稅 12

        4) 서 비 스 13

1. UR 協商 現況

가. 年內 政治的 合意 導出 失敗

0 農産物 분야 미.EC간 최종 合意 遲延
- 12. 4 최종합의
- 12.16-17 Legal Text 및 EC의 Offer 제출

0 농산물 이외분야(특히 무세화 분야)의 미.EC간 입장차 현격
- 상호 책임전가 및 비난 분위기
- 12.17 EC의 공산품 Offer 제출 및 이에 대한 미국의 노골적 불만 표시

0 미.EC 양측의 조기 타결 의지도 不明
- 미국 : ① Clinton 차기 행정부의 입장 불투명
        ② 다수의 DFA 수정안 제출의도 불명
- EC : 불란서의 집요한 반대

0 상당국이 다수의 DFA 수정안 제출
- 농산물, 반덤핑, 섬유, 보조금, 지적소유권, MTO등

나. 年初 協商 繼續 進行에 合意

0 12.18. TNC, 연내 정치적 합의 도출 실패를 인정하고, 내년초 CONTINUITY
  AND SPEED를 가지고 협상을 계속키로 합의(RACE AGAINST TIME)

0 12.18 Bush/Major/Delors, 1월 중순까지 정치적 합의 도출 의지 재확인

0 Dunkel 총장, 미국, EC 모두 시장접근 협상의 중요성 강조
- T1, T2에서의 의미있는 협상 진전이 T4 작업에 중요
- 정치적 잇슈와 기술적 잇슈간의 구분이 모호함을 인식

- 1 -

0240

2. 年初 協商 展望

가. 協商 推進 方式(構造) 및 再開 時期

O Globality에 입각한 병행협상(Parallelism)

  - 시장접근 협상 및 DFA 수정 협상의 동시 진행

O 시장접근 협상

  - Denis 의장이 연초 주요국과 협의, 협상 진행 방향 제시 예정이나, 협상의 본격화 여부 불투명(현재로서는 1.4주간 개시 목표)

O DFA 수정 협상

  - 18개국 비공식 협의 그룹내에서 최고 협상 책임자간 포괄적 (global) 협상 형태로 진행

  - 1.11주간부터 진행될 것으로 전망

O TNC 회의 수시 개최

  - 현행 현황 평가(Stock-taking)

나. 妥結 展望

┌─────────────────────────┐
│ 아래 3개 씨나리오 상정 가능 │
└─────────────────────────┘

1) 1.20이전 政治的 合意 導出

  - 현 여건에 비추어 기대 난망

  - 특히 미행정부 교체이전 실질적 협상이 가능한지에 대한 회의적 시각이 지배적

  - 교체후에도 통상외교진용 개편, UR에 대한 신행정부의 입장 결정등에 추가적 시간 소요 가능성도 없지 않음.

- 2 -

0241

2) 2월말까지 妥結 또는 政治的 合意 導出

- 산적한 미결과제에도 불구, 기본적으로 미.EC의 정치적 의지만 확고하면 가능할 것으로 전망

- EC는 농산물 분야에서 미국으로부터 상당한 양보를 얻어낸 것으로 평가

  . 불란서의 조기 타결 반대에도 불구하고 EC집행위로서는 12.4 합의 내용을 유지하는 선에서 타결하려는 의지가 강한 것으로 보임.

- 그러나 미국의 태도는 아직 불투명

  . 미국이 ① 시장접근 협상에서 Maximum Package를 표방하고, ② 반덤핑등 substantial change를 요구하는 수정제안을 제시하고, ③ MTO 설립에 문제를 제기한 것등은 반드시 협상 전략적 차원만은 아니라는 관측도 가능(국내 일부업계 및 환경, 노동단체등의 로비)

  . Clinton 차기 행정부의 UR에 대한 확실한 태도 불표명

- 연초 협상 재개시 아래 사항이 핵심 잇슈로 등장할 것으로 예상

  . 시장접근 : 무세화, 관세조화 및 고관세 인하

  . 써 비 스 : 시청각, 해운등 일부분야 MFN 일탈

  . DFA 수정 : 반덤핑, 농산물(관세화)

  * 특히 美國의 반덤핑 협상 修正 기도는 다수국 반발로 難航 豫想(EC가 제시한 보조금 협정 수정 제안은 반덤핑 연계 가능성)

- 2월말까지 완전 타결이 이루어지지 않더라도 신속승인 절차상의 시간적 요소는 다소의 유연성이 있을 것임.

3) Fast Track Mandate의 재부여 및 協商의 延長

- 새로운 잇슈(환경, 노동문제등) 포함 여부에 따라 단기간 연장후 협상 종결 또는 장기 연장을 통한 UR 협상 전면 재교섭의 2가지 가능성

- 3 -

0242

3. 我國의 當面 對策

O 아국으로서는 상기 2번째 시나리오(2월말까지 基本骨格 合意)에
　맞추어 對策 講究 필요

O 農産物 分野에서는 관세화 문제 및 아국의 수정 Offer 제시(NTC 품목의
　재조정) 문제에 대한 對策 수립요

O 기타 무세화 및 관세조화 참여 범위, 미국의 반덤핑 협정 수정 재의
　및 MTO/GATT II에 관한 입장 정립요

가. 農産物

1) 現況

O 92.11.20 미국.EC의 주요 농산물 분야 합의에 따라 본격적인
　추진이 예상되었으나 미국.EC의 내부 사정으로 인해 지연

O 아국, 일본, 스위스, 인니, 이집트의 5개국은 관세화 관련
　수정 제안 제출(12.22)

- 카나다 및 맥시코는 구체적인 수정안을 제시하지는 않았으나
　수차 종래 입장 구두 피력

2) 展望

O 1월초 협상이 재개될 경우 관세화 문제가 주요 잇슈로 등장할
　것으로 예상

- 4 -

0243

O 또한 EC의 C/S가 불성실하다는 이유로 미.Cairns Group이 강력히
   반발, 각국별로 DFA에 가까운 형태로 C/S를 새로이 수정 제출
   하라는 요구도 대두될 것으로 예상

3) 對策

가) 關稅化 例外 問題

   O 가능한한 기제출한 아국 수정안 내용을 관철토록 마지막
      순간까지 최대한 노력

   O 단, 관세화에 반대하는 여타국이 융통성을 시사하는등 입장
      변화 조짐을 보이고 있음을 감안, 아국도 내부적 대안을
      사전에 준비해 둠이 긴요
      - 스위스 방식 및 일본 검토 방안을 아국 실정에 맞게 적절히
         응용(최소시장 접근 유예기간 고율관세등)
      * 관세화 반대국의 입장 변화
         . 스위스는 이미 관세화 원칙을 수용
         . 멕시코는 관세화 유예기간 확보에만 관심
         . 카나다는 생산통제 품목(갓트 11조 2C)의 관세화 예외를
            요구하고 있으나 유예기간 확보로 선회할 가능성
         . 일본은 쌀의 최소시장 접근 허용등 관세화에 대한 대안을
            내부적으로 검토하고 있음을 수차 시사.

   O 관세화 반대 입장국가와의 상호 입장 지지 및 共同步調 方案을
      계속 모색, 추진

- 5 -

0244

나) 修正 C/S 提出 필요성등에 대비 15개 NTC 품목 縮小 調整

    0 아국은 91.1.15 TNC 회의 및 92. 4.10 C/S 제출시 향후 협상
       진전 여하에 따라 15개 NTC 품목의 축소 조정 가능성 시사

    0 향후 수정 C/S 제출 필요성에 대비 15개 NTC품목의 축소
       조정 문제 사전 검토

나. 市場接近(無税化 및 關税 調和)

1) 協商 動向

    0 농산물 타결후 미.EC가 12월 제네바에서 회동하였으나 입장 차이를
       좁히지 못함.
       - EC는 미국의 섬유, 세라믹, 유리제품 고관세율의 大幅 引下를
          要求하는 한편 무세화 分野의 制限된 參加 표명
       - 미국은 섬유 고관세율의 제한 인하(20%이상 품목에 대한 50%
          인하)만을 제의하고, EC의 무세화 全面(9개 분야) 參加 要求
    0 12.17 EC가 미측과의 합의없이 일방적으로 비농산물 C/S(무세화
       4개 분야, 관세조화 2개 분야 포함)를 제출하였고, 미국도
       12.18 TNC 회의에서 12.25 주에 제출하겠다고 발언하는등 對立
       樣相을 보임.

2) 協商 展望 및 對策

    0 현 상황에서 협상 결과를 예측하기는 어려우나, 미.EC가 Big
       Package에 합의하는 경우에는 아국에 대한 참여 압력(양자간 및
       다자간)이 커질 가능성이 있어 事前 對備가 要望됨.
       - 무세화 추가 參與 可能 分野 檢討등

다. UR 結果를 檢討하기 위한 Blue-Ribbon Committee 構成
    0 UR 협상이 妥結될 경우에는 國務總理 또는 大統領 諮問委員會를
      構成, 同委員會의 建議를 基礎로 國內對應措置를 取함
                                                    0245
    0 協商 妥結時까지는 現水準의 意見 表示로 留保

다. 반덤핑

1) 美國제기 事項

  0 패널의 심사범위 제한

  0 우회 덤핑 범위 확대

  0 Sunset clause 관련, 美國의 현행 연례재심제도 유지 기도

2) 향후 協商 展望 및 對策

  0 美國은 자국내 관련 기업들의 심한 압력과 국내법과의 불일치 문제로 현 반덤핑 협정 초안의 개정을 희망

  0 반덤핑 협정은 미.EC와 수출국간 이해가 첨예하게 대립된 분야
    - 동 협정의 실질적 내용에 대해 협상이 재개될 경우 UR협상이 와해될 가능성도 배제할 수 없음.

  0 따라서 아국은 입장을 같이하는 일본, 싱가폴, 홍콩, 브라질등 수출국과 긴밀히 협조, 가능한 현협정 초안 유지에 노력
    - 수입국인 EC도 전략적 차원에서 동 협정안 재론에 소극적

라. MTO

1) 美國 提案의 要旨

  0 UR 협상 결과 이행을 위해 MTO 협정 대신에 閣僚會議 決定 및 UR 議定書 採擇
    - 각료회의 결정 채택으로 국내 비준절차 회부 약속
    - UR 의정서는 국내절차 종료시 UR 결과 시행을 위한 문서

- 7 -

0246

2) MTO 협정안과 미국 제안의 差異點

	MTO 協定案	美國 提案
채택	Final Act 채택 또는 서명을 통해 UR 협상 결과 채택(MTO 협정문 포함)	UR결과 채택(TNC)후, 갓트특별 총회에서 UR 협상결과 이행을 위한 각료회의 결정 채택(UR 의정서 포함)
UR결과 이행 방법	국내절차후 MTO 협정문에 서명 등을 통해 수락	국내절차후 UR의정서(protocol)에 서명등을 통해 수락
기속력 정도	법적 기속력이 강한 협정문	법적 기속력이 약한 UR 의정서
기구설치 여부	국제법 인격을 갖는 기구설치	기구 불설치(현 사무국이 모든 부속협정 이행 관장)
주요 실제 내용의 차이		※ 하기 MTO 쟁점이 빠져 있음. (주로 미국 불만 사항) - 웨이버 부여 조항 - 부적용 조항 - 개정, 해석 조항

3) 美國 提案의 背景

0 MTO에 대한 미국내(특히 議會)의 거부감

0 MTO 협정 內容에 대한 不滿

   - 조부조항, 부적용 조항, 웨이버 조항등

0 統合 紛爭解決節次가 美國의 주요利害 사항 기반영

   - 패널의 자동설치, 패널결과 강제이행, 교차보복 인정

- 8 -

0247

4) 美國 提案에 대한 展望

   가)   美國 戰略

      0 미국은 자국 제안에 대한 他國 反應 및 미議會의 態度를
        측정해 가면서 對處할 것으로 전망
      0 다만, 정치적 고려상, 법인격을 갖는 國際通商機構(MTO)
        設置에 대해서는 상당히 강한 유보적 입장 견지 예상

   나)   타국 반응

      0 MTO 설치가 갖는 정치적 의미(미국의 일방주의 억제)에
        비추어 대다수국이 미국 제안에 反對 豫想
        - MTO 설립 여부는 미국 제안에 대한 EC의 반응의 강도가
          관건
      0 단, MTO 불 설립에 관한 미국의 입장이 강경하여 동 입장이
        받아들여지지 않을 경우 UR 협상 전체가 무산될 가능성이
        있을 경우 대다수국은 입장을 緩和할 것으로 展望

5) 아국 입장

   0 아국은 기본적으로 MTO 設立 선호
   0 Single-undertaking 원칙등 기본 정신이 유지되는 경우 UR 결과의
     이행을 위해 伸縮的으로 對應

0248

마. 其他 分野

1) 知的所有權

가) 제 3조(內國民 待遇) 例外 條項

(1) 美國의 問題點

O 제 3조(내국민 대우) 예외인정으로 EC내에서의 미국 저작권
보호 미흡
 - 로마협약 가맹국인 EC 국들은 저작권에 대한 보상금,
   로얄티 지급 및 영화 Quota제를 운영하고 있어 미영화
   업계는 EC내에서 저작권 보상금 지급면에서 EC 국가와
   동등한 혜택을 받지 못함(미국은 로마협약 비가맹)
O 따라서 미국은 협정문 제 14조(연주자, 음반제작자, 방송
   사업자 보호)의 규정을 수정, 자국 입장을 반영하려는 의도

(2) 我國 立場

O 동 문제는 미.EC간의 저작권 보호제도의 차이와 로마
   협약 가맹국에 인정되는 내국민 대우 예외 규정으로 인해
   제기된 것으로 아국은 특별한 이해 없음.

나) 未市販 物質特許(pipeline products) 보호

(1) 美國의 問題點

O 특허가 허용되었으나 아직 미시판된 물질특허(의약,
   농약, 화학물질)의 보호 규정이 협정문에 미반영된 점

- 10 -

0249

(2) 我國立場

O 아국은 미국과 EC에 pipeline products의 소급보호를
인정해 주고 있기 때문에 실리면에서 별로 이득이 없으나
원칙의 문제로 소급보호에 반대

2) 纖維

가) 印度의 제기 사항

O 각단계별 統合比率 및 연증가율 상향 조정을 통한 統合速度
加速化 및 MFN 규제 품목이 아닌 품목의 협정 대상에서 제외
요구

나) 主要國 立場

O 미국 : 통합기간을 10년에서 15년으로 오히려 연장 하자는
국내업계 주장을 協商 전략차원에서 활용

O EC, 카나다, 일본, 홍콩등 : 현 협정안 수정 不願

다) 협상전망 및 아국 입장

O 섬유협정의 중요성에 비추어 인도재안 반영시 UR협상 전체가
와해될 가능성 상존

O 다량의 섬유쿼타를 보유한 아국은 점진적인 갓트 통합을
위한 현 섬유협정안 지지

O 섬유 협정의 재고섭(reopen)은 반대하되 신축적 자세로 임합.

3) 補助金.相計關税

가) EC 제안

(1) 제안 내용

O 보조금 협정은 농산물, 철강협정등 다른 다자간 규정이
  없는 경우에만 적용
O 보조금 지급 범위 및 수준 완화
  - 허용 보조금에 "개발" 보조금 포함
  - 보조금 지급 판단기준의 하나인 serious prejudice
    요건 완화

(2) 주요국 입장

O 미국, 카나다, 아국등 : 보조금 지급을 엄격하게 규율하자는
                    입장에서 상기 EC 제안에 반대 예상
O 일본, 아국등 : 보조금 지급 범위 및 요건을 완화하자는
               입장(특히 개발보조금)에서 동 제안 찬성

나) 카나다 제안 내용

(1) 제안 내용

O 연방국가의 주정부가 全産業에 지급하는 보조금은 지역적
  特定性이 있다하여 규율대상으로 하고 있는 현 협정문
  2.2조에 이의 제기(EC 회원국 정부와의 불균형)
  - 현 협정문은 EC의 회원국 정부가 지급하는 동일 성격의
    보조금은 지역 특정성을 갖지 않는 것으로 인정, 규율
    대상에서 제외

- 12 -

0251

⑵ 검토의견

○ 카나다의 제안은 EC의 회원국 정부와 다른 나라의 지방
  정부를 동일 차원에서 취급하고자 하는 것으로 국제법상
  근본적인 문제가 있음.

4) 서비스

가) 現況

○ 서비스 협상은 기술적 과재와 양자 협상이 병행중인 바,
○ 일부 문제가 있기는 하나, 타 분야에 비해 순조롭게
  진행되고 있음.

나) 협정문 관련 技術的 課題

○ '92.12.8-12.18간의 비공식 협의 결과 대부분의 쟁점은 정리
○ 통신부속서, EC의 시청각본야 예외조항 신설 요구등을
  제외하고는 현행 text의 실질적 내용을 크게 변경시키지
  않고 각국간의 합의하에 해결할 수 있을 것으로 전망.

다) 양허 協商

○ 92년중에 6차례의 양허 협상 진행
  - 그간의 협상을 통해 상호 Offer상의 의문을 대부분 해소하고,
    각국간에 request/offer 방식을 통한 양허 수준 재고에 노력
○ 협정 종결 시한이 정해지는 경우 동 시한까지 1 또는 2차례의
  추가 양허 협상이 필요할 것으로 예상
  . 각국의 national schedule 재출등

- 13 -

0252

ㅇ 다만 MFN 일탈 사항(해운, 기본통신, 시청각, 금융)과 관련
   이의 해결이 서비스협상 성공의 관건이 될 것임.
   - 金　　融 : 선진국은 일본, 아세안, 한국등 주요 관심
              대상국에 대해 양허 수준의 제고 요청
   - 基本通信 : 다자간 시장개방 협상 관련 논의 과정에서
              해결 방안이 모색될 것으로 예상
   - 海運, 視聽覺 분야의 경우 豫測 困難
ㅇ 我國은 UR 협상기간중 상당수준의 자유화 조치를 단행하여
   대부분의 쟁점이 해소되었으나, 金融分野등 일부 爭點은 尙存

첨부 : 농산물(관세화) 관련 각국의 제안 내용 검토

- 14 -

0253

각국의 제안내용 검토

1. 아국(수정제안 형식)

- 민감품목에 대한 관세화 예외는 Part B, Annex 3, Footnote에 추가.

- 개도국 우대로 최소시장 접근(현행 3-5% -- 2-3.3%), 기준 연도 사용의 융통성(현행 86-88-- 국내보조 89-91, 시장접근 88-90), 기자유화 품목의 양허제한

- 식량안보를 위한 공공비축 규정의 완화

2. 일본(법적 수정제안이 아닌 Concept Paper형태)

가. 제안요지

- Annex 3의 Para 1.3의 "All"을 삭제

- Part B Annex 3, Para 1 본문에 다음 문장 추가.

  " 회원국의 농업 또는 식량공급을 위하여 핵심적으로 중요한 품목(products-of vital importance)에 대하여 생산통제 정책을 시행하기 위하여 필요한 국경조치는 관세화 대상에서 제외한다. "

- Part B para 12에 생산통제 품목에 대한 수출보조금지조항 신설

나. 검토

- Concept paper의 형태를 취함으로서 향후 법적 수정제안 가능성

- 본문수정을 요구하고 있어 Footnote상의 예외인정보다 분명한 점이 있으나 수용가능성면에서는 다소 불리.

- 생산통제품목을 지정함으로서 기존 예외품목 수에서 쌀등

0254

최소한으로 제한.

- 쌀의 MMA주장 요구가 없으므르 이를 인정한 것으로 관측.
- 신시장의 수출보조금지로 쌀등 자국 생산제한품목과 수입
  품목과의 가격차 축소 시도

3. 스위스(수정제안 형식)

가. 제안요지

- Part B, Annex 3 Footnote Para 1 예의조항 법적근거에 11
  조를( )내 추가 삽입 및 가입의정서(GATT 33조)에 의한
  품목은 10년간 관세화 유예인정 추가.

- Part B, Para 5에 이행 초년도에 관세화 하지않은 품목은
  최소시장 접근을 Schedule에 따라 확대 가능(4%-8%)

나. 검 토

- Footnote 수정을 요구함으르서 예의 품독에 대한 반발완
  화.

- GATT에서 부여받은 기득권(가입의정서)을 활용함으르서 무
  리한 요구가 아니라는 인상.

- MMA를 확대 제시함으르서 관세화 유예기간 주장을 상쇄

4. 인도녜시아(대사가 사무총장에게 보내는 서신)

가. 제안요지

- 쌀에 대하여 DFA의 관세화 및 최소시장접근조항의 이행유
  예 주장.

나. 검 토

- 초기의 쌀의 MMA수용 불가 입장에서 관세화문제 까지 거론
  함으로서 관세화 반대국 입장에 접근노력.

0255

5. 이집트(법적제안 형식)

　가. 제안요지

　　　- Part B, Para 5:　최소시장 접근(MMA)의 개도국 우대를 1.5%에서 2.5%로 부여

　　　- Part B, Para 15:　개도국 우대조항의 삭감율 2/3를 1/2로, 이행기간을 10년에서 15년으로 연장.

　나. 검 토

　　　- 아국입장과 다소 유사한 제안이나 선진국의 불만 예상.

0256

발 신 전 보

관리
번호 92-1012

번 호 : WGV-2050   921231 1139 WG   종별 :

수 신 : 주 제네바 대사. 총영사   　인반문서로 재분류 (19   . 6 . 30 ￦

발 신 : 장 관 (통 기)

제 목 : UR 대책 실무회의

　　　UR 대책 실무회의가 12.30. 경기원 대조실장 주재로 개최되어 각국의 수정

제안을 검토한바 주요내용 하기 통보함하니 ~~환라는 경류나서 참고 바람.~~

~~농산물분야에 라라고 아줄 입장관련라 라라고~~

~~함다~~

1. 반 덤 핑

o 반덤핑 협정 초안이 수출국 및 수입국의 입장을 균형있게 반영하고 있으며,

　반덤핑 분야에서의 만족할 만한 결과없이는 균형된 UR 협상결과 도출을

　기대할 수 없는바, 미국이 현행 자국의 반덤핑 제도유지를 위해 제출한

　수정안은 수용 ~~불가~~ 곤란

2. 섬 유

o 미국의 복귀시한연장 제안은 아국에 유리한 측면도 있으나 아국이 이에

　대해 찬성을 표명하기는 어려운 입장임.

o 인도의 대상품목 범위, 갓트 복귀비율, 연증가율의 수정 주장은 후발

　개도국에 의한 아국시장 조기침식 효과가 우려되므로 수용 ~~불가~~ 곤란

o 브라질의 대개도국 예외인정 요구는 아국의 개도국 지위와 관련되나

　아국의 섬유류 수출에 큰 영향을 미치지 않을 것으로 예상됨.

o 따라서 기존 섬유협정안 지지　　　/계속...

보 안
통 제　忧

앙고재 92년12월31일	통상기구과	기안자성명 안명옥		과장 忧	심의관 /씨	국장 전결		차관	장관 津

외신과통제

사본: 국장　　　0257

3 TBT

○ TBT 협정안이 미국의 수정안에 따라 개정되는 경우 아국에 대한 부담이 가중될
  우려가 있음. ~~도록 반대~~

4. 보 조 금

  ○ 보조금 부여에 대해 융통성을 부여하는 것이 바람직하므로 EC, 카나다 및
    브라질 수정안은 수용가능함 (우리라면 받 리가나는 리고 나라들은 허용톤록 하라이
    미남직)
  ○ 단, 적극적인 지지입장 표명 불필요

5. 농 산 물

  ○ 미.EC 공동수정 제안과 관련, 아국을 포함한 여타국의 중요한 문제가 함께
    논의되어야 하며, 협상의 균형유지 측면에서 보조금 분야에서의 융통성
    인정에 상응하는 시장접근 분야에서의 의무 완화가 필요함.
  ○ 아국은 12.22. 제출한 아국의 기존입장에 따라 대처
  ○ SPS 관련 미국제안은 농산물 수입국인 아국에 유리한 측면이 있으나
    TBT 와의 관계상 지지입장 표명 자제가 바람직.

6. TRIPs

  ○ 미국 수정안중 사적복제에 대한 부과금 제도에 관한 제안은 EC를 겨냥한
    것이므로 아국으로서는 입장표명이 불필요하며, pipeline product 보호
    관련 제안은 보호기간 연장 및 기시판 물질 포함의 우려가 있으므로 현행
    TRIPs 협정안(70조 9항)이 바람직함.
  ○ 기타 개도국(이집트, 인도, 브라질)의 수정안도 의미가 불명확하거나
    기존 TRIPs 협정안과 중복되는 부분이 있는바, 기존 TRIPs 협정안 지지

7. 서 비 스

  ○ 14조(일반적 예외)에 시청각 서비스 공급규제 조치를 추가하자는 EC의 제안은
    아국과 이해관계가 미미하며 또한 수용 가능성이 크지 않으므로 기존 서비스
    협정안 지지

8. MTO : 저고 남리에 대사 대처.
첨부(FAX) : 관계부처 검토의견 1부. 끝.
        WGN(F)-554

                              (통상국장   홍 정 표)

0258

외교문서 비밀해제: 우루과이라운드2 6
우루과이라운드 협상 동향 및 무역협상위원회 회의 4

초판인쇄 2024년 03월 15일
초판발행 2024년 03월 15일

지은이 한국학술정보(주)
펴낸이 채종준
펴낸곳 한국학술정보(주)
주 소 경기도 파주시 회동길 230(문발동)
전 화 031-908-3181(대표)
팩 스 031-908-3189
홈페이지 http://ebook.kstudy.com
E-mail 출판사업부 publish@kstudy.com
등 록 제일산-115호(2000. 6. 19)

ISBN 979-11-7217-108-7 94340
        979-11-7217-102-5 94340 (set)